#수학유형서
#리더공부비법
#한권으로유형올킬
#학원에서검증된문제집

수학리더
유형

Chunjae
Makes
Chunjae

▼

기획총괄   박금옥

편집개발   윤경옥, 김미애, 박초아, 조선혜, 조은영,
                 김연정, 김수정, 김유림, 남태희

디자인총괄   김희정

표지디자인   윤순미, 박민정

내지디자인   박희춘

제작   황성진, 조규영

발행일   2021년 11월 15일 2판   2021년 11월 15일 1쇄

발행인   (주)천재교육

주소   서울시 금천구 가산로9길 54

신고번호   제2001-000018호

고객센터   1577-0902

교재 구입 문의   1522-5566

수학 리더 유형 4-2

라이트 유형서 **차례**

구성과 특장

1 단원 도입

단원에서 중요한
핵심 개념이나 자주 틀리는
유형에 대해 재미있는
스토리로 진단해 주고
처방해 준다능~

2 기본 학습

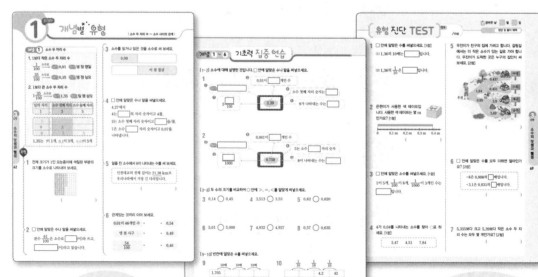

개념에 따른
교과서 유형
수록!

연산·이해
기초 문제
반복 연습

개념별 유형 중
핵심 유형을
진단하는 TEST

3 문제 해결력 강화 학습

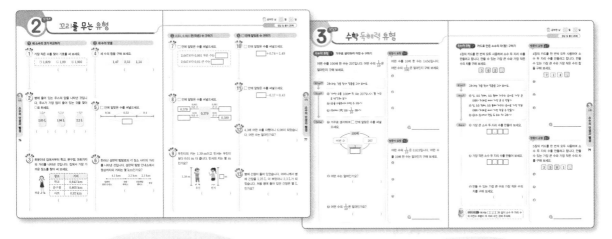

기본 → 변형 → 문장제
→ 실생활 유형으로
꼬리를 무는 유형

What → How →
Solve 단계로 문제를
분석하고 해결하는 유형

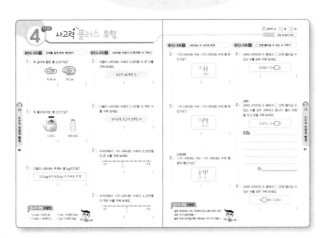

하나의 유형을
반복해서 연습한 후
변형된 어려운 유형을
함께 익히는 사고력을
플러스 시켜주는 유형

4 특별 학습

앞 단원 내용을
잊기 전에
다시 한번
풀어 보면서
기억하자!

화살표를 따라 나오는 값을 찾아래

창의·융합·
코딩 관련
문항이나
이야기를
접해 볼 수 있는
특별 코너!

1 분수의 덧셈과 뺄셈

초콜릿을 많이 먹었더니 이가 아파요.

오늘은 초콜릿을 얼마나 먹은 거징?

음... 초콜릿 7개가 있었는데 먹고 나니 $\frac{3}{8}$개가 남았거든요. $7 - \frac{3}{8}$을 어떻게 계산해야 하는지 몰라서 얼마나 먹었는지 모르겠어요.

7에서 1만큼을 가분수 $\frac{8}{8}$로 바꿔서 분수끼리 빼면 된다능~

$$7 - \frac{3}{8} = 6\frac{8}{8} - \frac{3}{8}$$
$$= 6 + \left(\frac{8}{8} - \frac{3}{8} \right)$$
$$= 6 + \frac{5}{8} = 6\frac{5}{8}$$

개념 1 진분수의 덧셈

1. 합이 1보다 작은 진분수의 덧셈

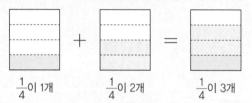

$\frac{1}{4}$이 1개 $\frac{1}{4}$이 2개 $\frac{1}{4}$이 3개

분자끼리 더하기

$$\frac{1}{4}+\frac{2}{4}=\frac{1+2}{4}=\frac{3}{4}$$

분모는 그대로 두기

2. 합이 1보다 큰 진분수의 덧셈

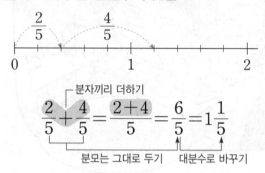

분자끼리 더하기

$$\frac{2}{5}+\frac{4}{5}=\frac{2+4}{5}=\frac{6}{5}=1\frac{1}{5}$$

분모는 그대로 두기   대분수로 바꾸기

① 분모는 그대로 두고 분자끼리 더합니다.
② 계산 결과가 가분수이면 대분수로 바꿉니다.

유형

1 $\frac{2}{6}+\frac{3}{6}$을 그림으로 나타내어 얼마인지 알아보세요.

$$\frac{2}{6}+\frac{3}{6}=\frac{\square}{6}$$

2 계산해 보세요.

(1) $\frac{3}{7}+\frac{3}{7}$ (2) $\frac{5}{9}+\frac{6}{9}$

---

3 □ 안에 알맞은 수를 써넣으세요.

$\frac{5}{8}$는 $\frac{1}{8}$이 5개, $\frac{7}{8}$은 $\frac{1}{8}$이 □개이므로

$\frac{5}{8}+\frac{7}{8}$은 $\frac{1}{8}$이 모두 □개입니다.

→ $\frac{5}{8}+\frac{7}{8}=\frac{\square}{8}=\square\frac{\square}{8}$

4 $\frac{8}{15}$과 $\frac{14}{15}$의 합을 구해 보세요.

(   )

5 크기를 비교하여 ○ 안에 >, =, <를 알맞게 써넣으세요.

$$\frac{3}{11}+\frac{8}{11} \bigcirc 1$$

6 주스를 서아는 $\frac{2}{10}$ L 마셨고 지호는 서아보다 $\frac{1}{10}$ L 더 많이 마셨습니다. 지호가 마신 주스는 몇 L인가요?

   서아   지호

식 _____

답 _____

개념 2 진분수의 뺄셈

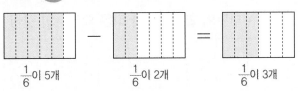

$\frac{1}{6}$이 5개 $\quad$ $\frac{1}{6}$이 2개 $\quad$ $\frac{1}{6}$이 3개

— 분자끼리 빼기

$$\frac{5}{6} - \frac{2}{6} = \frac{5-2}{6} = \frac{3}{6}$$

분모는 그대로 두기

분모는 그대로 두고 분자끼리 뺍니다.

유형

7 수직선을 이용하여 $\frac{6}{8} - \frac{2}{8}$가 얼마인지 알아보세요.

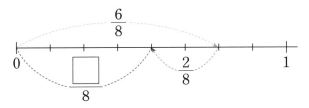

$$\frac{6}{8} - \frac{2}{8} = \frac{\boxed{} - \boxed{}}{8} = \frac{\boxed{}}{8}$$

8 $\frac{4}{5} - \frac{3}{5}$을 그림으로 나타내어 얼마인지 알아보세요.

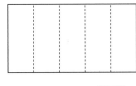

$$\frac{4}{5} - \frac{3}{5} = \frac{\boxed{}}{5}$$

9 빈칸에 알맞은 수를 써넣으세요.

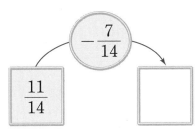

$$\frac{11}{14} \quad -\frac{7}{14} \quad \boxed{}$$

10 현서가 말한 수는 얼마인가요?

현서 $\quad$ $\frac{7}{9}$보다 $\frac{2}{9}$만큼 더 작은 수

($\qquad$)

11 계산 결과가 다른 하나에 ○표 하세요.

$$\frac{5}{10} - \frac{2}{10} \qquad \frac{8}{10} - \frac{4}{10} \qquad \frac{9}{10} - \frac{6}{10}$$

($\quad$) ($\quad$) ($\quad$)

12 설탕이 $\frac{4}{5}$ kg 있었습니다. 그중에서 $\frac{1}{5}$ kg을 음식을 만드는 데 사용했습니다. 남은 설탕은 몇 kg인가요?

식 $\underline{}$

답 $\underline{}$

개념 **3** 1−(진분수)의 계산

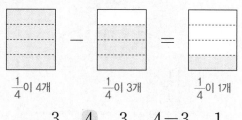

$\frac{1}{4}$이 4개 $\frac{1}{4}$이 3개 $\frac{1}{4}$이 1개

$$1 - \frac{3}{4} = \frac{4}{4} - \frac{3}{4} = \frac{4-3}{4} = \frac{1}{4}$$

1을 가분수로 바꾸기 → $1 = \frac{\bullet}{\bullet}$

① 1을 가분수로 바꿉니다.

② 분모는 그대로 두고 분자끼리 뺍니다.

유형

13 □ 안에 알맞은 수를 써넣으세요.

1은 $\frac{8}{8}$이므로 $\frac{1}{8}$이 □ 개,

$\frac{5}{8}$는 $\frac{1}{8}$이 □ 개이므로

$1 - \frac{5}{8}$는 $\frac{1}{8}$이 □ 개입니다.

➜ $1 - \frac{5}{8} = \frac{\square}{8} - \frac{5}{8} = \frac{\square}{8}$

14 계산 결과가 $\frac{2}{9}$인 식에 색칠해 보세요.

$1 - \frac{8}{9}$ $1 - \frac{7}{9}$

15 물 1 L를 사서 $\frac{1}{4}$ L를 마셨습니다. 남은 물은 몇 L인가요?

(   )

개념 **4** 대분수의 덧셈

1. 분수 부분의 합이 1보다 작은 대분수의 덧셈

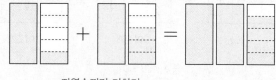

자연수끼리 더하기

$$1\frac{1}{5} + 1\frac{3}{5} = (1+1) + \left(\frac{1}{5} + \frac{3}{5}\right)$$

분수끼리 더하기

$$= 2 + \frac{4}{5} = 2\frac{4}{5}$$

2. 분수 부분의 합이 1보다 큰 대분수의 덧셈

방법1 자연수끼리, 분수끼리 더하기

$$1\frac{3}{4} + 2\frac{2}{4} = (1+2) + \left(\frac{3}{4} + \frac{2}{4}\right)$$

대분수로 바꾸기

$$= 3 + \frac{5}{4} = 3 + 1\frac{1}{4} = 4\frac{1}{4}$$

자연수끼리 더하기

방법2 가분수로 바꾸어 계산하기

가분수로 바꾸기

$$1\frac{3}{4} + 2\frac{2}{4} = \frac{7}{4} + \frac{10}{4} = \frac{17}{4} = 4\frac{1}{4}$$

분모는 그대로 두고 분자끼리 더하기

유형

16 그림을 보고 $1\frac{1}{3} + 2\frac{1}{3}$이 얼마인지 알아보세요.

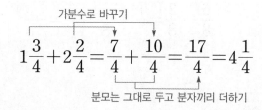

$1\frac{1}{3}$
$2\frac{1}{3}$

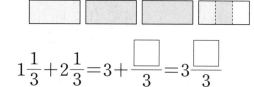

$$1\frac{1}{3} + 2\frac{1}{3} = 3 + \frac{\square}{3} = 3\frac{\square}{3}$$

17 수직선을 이용하여 $1\frac{4}{6}+\frac{5}{6}$가 얼마인지 알아보세요.

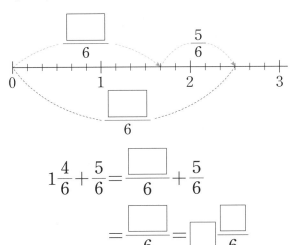

$$1\frac{4}{6}+\frac{5}{6}=\frac{\boxed{}}{6}+\frac{5}{6}$$

$$=\frac{\boxed{}}{6}=\boxed{}\frac{\boxed{}}{6}$$

18 계산 결과가 3과 4 사이인 식에 ○표 하세요.

$$2\frac{3}{8}+1\frac{7}{8}\qquad\qquad 3\frac{8}{12}+\frac{3}{12}$$

(　　　　)　　　　(　　　　)

19 계산 결과를 찾아 이어 보세요.

$2\frac{5}{10}+4\frac{3}{10}$ ·

· $6\frac{3}{10}$

· $6\frac{8}{10}$

$5\frac{7}{10}+1\frac{6}{10}$ ·

· $7\frac{3}{10}$

20 계산 결과를 비교하여 ○ 안에 >, =, <를 알맞게 써넣으세요.

$$3\frac{2}{5}+2\frac{2}{5}\ \bigcirc\ 1\frac{3}{7}+4\frac{5}{7}$$

21 성주는 $1\frac{3}{4}$ km를 달렸고 다혜는 $2\frac{1}{4}$ km를 달렸습니다. 성주와 다혜가 달린 거리의 합은 몇 km인가요?

식 ＿＿＿＿＿＿＿＿＿＿＿＿＿

답 ＿＿＿＿＿＿＿＿＿

22 성우의 일기입니다. 발표 준비를 한 시간은 모두 몇 시간인가요?

> 7월 4일 일요일 ☀️☁️☂️⛄
>
> 아빠와 함께 발표 준비를 했다.
> 오전에 $1\frac{1}{6}$시간, 오후에 $1\frac{3}{6}$시간 동안 했다.
> 내일 실수하지 않고 발표를 잘 했으면 좋겠다.

(　　　　　　)

1 단원

분수의 덧셈과 뺄셈

9

[1~8] 계산해 보세요.

1 $\dfrac{3}{7}+\dfrac{2}{7}$

2 $\dfrac{4}{5}+\dfrac{1}{5}$

3 $\dfrac{5}{8}+\dfrac{7}{8}$

4 $\dfrac{5}{9}-\dfrac{2}{9}$

5 $1-\dfrac{6}{7}$

6 $1\dfrac{1}{6}+2\dfrac{3}{6}$

7 $5\dfrac{4}{11}+1\dfrac{10}{11}$

8 $3\dfrac{9}{15}+2\dfrac{8}{15}$

[9~12] 표시한 색 테이프의 길이를 구하려고 합니다. ☐ 안에 알맞은 수를 써넣으세요.

9

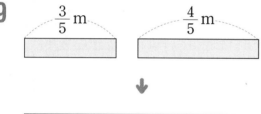

☐ $+$ ☐ $=$ ☐ (m)

10

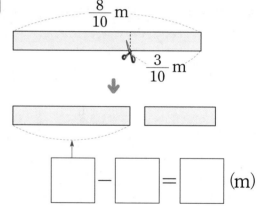

☐ $-$ ☐ $=$ ☐ (m)

11

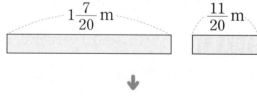

☐ $+$ ☐ $=$ ☐ (m)

12

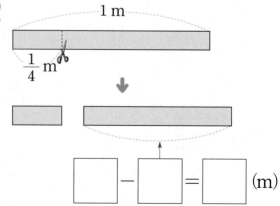

☐ $-$ ☐ $=$ ☐ (m)

1 계산 결과가 $\frac{3}{8}$인 것에 ○표 하세요. [1점]

$$\frac{7}{8} - \frac{3}{8}$$ ( )

$$\frac{5}{8} - \frac{2}{8}$$ ( )

2 두 철사의 길이의 합은 몇 m인가요? [1점]

$3\frac{1}{5}$ m ─────────────

$4\frac{2}{5}$ m ───────────────────

( )

3 $1\frac{8}{9} + 2\frac{4}{9}$를 두 가지 방법으로 계산해 보세요. [2점]

방법1 자연수끼리, 분수끼리 더하기

방법2 가분수로 바꾸어 계산하기

서술형

4 $\frac{4}{9} + \frac{3}{9}$의 계산 방법을 잘못 말한 것입니다. 그 이유를 써 보세요. [2점]

분모는 분모끼리 더하고 분자는 분자끼리 더해야 해.

이유 _____

_____

5 우유 1 L 중에서 어제는 $\frac{3}{8}$ L, 오늘은 $\frac{4}{8}$ L를 마셨습니다. 남은 우유는 몇 L인가요? [2점]

( )

6 다음 식의 계산 결과는 진분수입니다. □ 안에 들어갈 수 있는 자연수를 모두 구해 보세요. [2점]

$$\frac{7}{11} + \frac{\square}{11}$$

( )

STEP 1 개념별 유형

개념 5 받아내림이 없는 대분수의 뺄셈

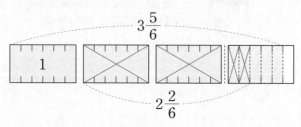

방법 1 자연수끼리, 분수끼리 뺀 후 더하기

$3\frac{5}{6}$

1 | ✕ | ✕ | ⬚

$2\frac{2}{6}$

자연수끼리 빼기

$$3\frac{5}{6} - 2\frac{2}{6} = (3-2) + \left(\frac{5}{6} - \frac{2}{6}\right)$$

분수끼리 빼기

$$= 1 + \frac{3}{6} = 1\frac{3}{6}$$

방법 2 가분수로 바꾸어 계산하기

가분수로 바꾸기

$$3\frac{5}{6} - 2\frac{2}{6} = \frac{23}{6} - \frac{14}{6} = \frac{9}{6} = 1\frac{3}{6}$$

분모는 그대로 두고 분자끼리 빼기

1단원 분수의 덧셈과 뺄셈

12

유형

1 수직선을 이용하여 $2\frac{4}{5} - 1\frac{3}{5}$이 얼마인지 알아보세요.

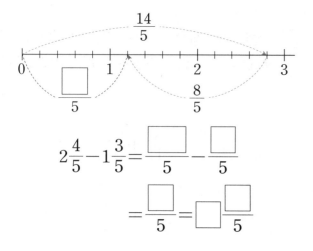

$$2\frac{4}{5} - 1\frac{3}{5} = \frac{\square}{5} - \frac{\square}{5}$$

$$= \frac{\square}{5} = \square\frac{\square}{5}$$

2 계산해 보세요.

(1) $4\frac{2}{3} - 2\frac{1}{3}$ (2) $6\frac{5}{8} - 1\frac{3}{8}$

3 계산 결과가 1과 2 사이인 식에 ○표 하세요.

$4\frac{5}{7} - 2\frac{4}{7}$	$5\frac{3}{4} - 4\frac{1}{4}$	$\frac{17}{9} - 1\frac{7}{9}$

4 시우가 잘못 계산한 곳을 찾아 바르게 계산해 보세요.

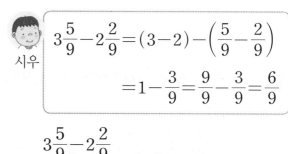

시우

$$3\frac{5}{9} - 2\frac{2}{9} = (3-2) - \left(\frac{5}{9} - \frac{2}{9}\right)$$

$$= 1 - \frac{3}{9} = \frac{9}{9} - \frac{3}{9} = \frac{6}{9}$$

$3\frac{5}{9} - 2\frac{2}{9}$

5 주성이네 어머니께서 쌀 $2\frac{7}{8}$ kg과 보리쌀 $1\frac{1}{8}$ kg을 섞어 밥을 하려고 합니다. 쌀은 보리쌀보다 몇 kg 더 무거운가요?

 식 _____

 답 _____

개념 6 (자연수) − (진분수)의 계산

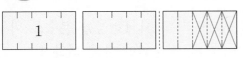

$3 = 2 + 1$이고 $1 = \dfrac{5}{5}$이므로 $3 = 2\dfrac{5}{5}$

$$3 - \frac{3}{5} = 2\frac{5}{5} - \frac{3}{5} = 2 + \left(\frac{5}{5} - \frac{3}{5} \right)$$
$$= 2 + \frac{2}{5} = 2\frac{2}{5}$$

자연수에서 1만큼을 분수로 바꾼 후
분수끼리 뺍니다.

유형

6 수직선을 이용하여 $2 - \dfrac{5}{6}$가 얼마인지 알아
보세요.

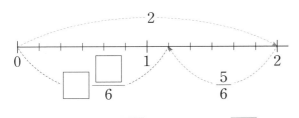

$$2 - \frac{5}{6} = 1\frac{\boxed{}}{6} - \frac{5}{6} = \frac{\boxed{}}{6}$$

7 크기를 비교하여 ○ 안에 $>$, $=$, $<$를 알맞
게 써넣으세요.

$$5 - \frac{4}{9} \;\bigcirc\; 4\frac{4}{9}$$

8 바느질을 하는 데 실 3 m 중에서 $\dfrac{9}{10}$ m를
사용했습니다. 남은 실은 몇 m인가요?

(　　　　　)

개념 7 (자연수) − (대분수)의 계산

방법 1 자연수에서 1만큼을 분수로 바꾸어
자연수끼리, 분수끼리 뺀 후 더하기

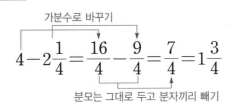

$$4 - 2\frac{1}{4} = 3\frac{4}{4} - 2\frac{1}{4}$$

$1 = \dfrac{4}{4}$

$$= (3 - 2) + \left(\frac{4}{4} - \frac{1}{4} \right) = 1 + \frac{3}{4} = 1\frac{3}{4}$$

방법 2 가분수로 바꾸어 계산하기

가분수로 바꾸기

$$4 - 2\frac{1}{4} = \frac{16}{4} - \frac{9}{4} = \frac{7}{4} = 1\frac{3}{4}$$

분모는 그대로 두고 분자끼리 빼기

유형

9 그림을 보고 $3 - 1\dfrac{2}{7}$가 얼마인지 알아보세요.

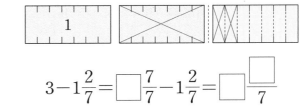

$$3 - 1\frac{2}{7} = \boxed{}\frac{7}{7} - 1\frac{2}{7} = \boxed{}\frac{\boxed{}}{7}$$

10 □ 안에 알맞은 수를 써넣으세요.

2는 $\dfrac{1}{6}$이 $\boxed{}$개,

$1\dfrac{2}{6}$는 $\dfrac{1}{6}$이 $\boxed{}$개이므로

$2 - 1\dfrac{2}{6}$는 $\dfrac{1}{6}$이 $\boxed{}$개입니다.

➡ $2 - 1\dfrac{2}{6} = \dfrac{\boxed{}}{6} - \dfrac{\boxed{}}{6} = \dfrac{\boxed{}}{6}$

1

단원

분수의 덧셈과 뺄셈

13

11 □ 안에 알맞은 수를 써넣으세요.

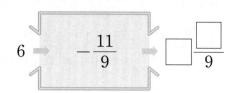

$$6 \rightarrow \boxed{-\dfrac{11}{9}} \rightarrow \boxed{}\dfrac{\boxed{}}{9}$$

12 우진이의 문자를 보고 답장을 완성해 보세요.

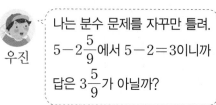

우진: 나는 분수 문제를 자꾸만 틀려. $5-2\dfrac{5}{9}$에서 $5-2=3$이니까 답은 $3\dfrac{5}{9}$가 아닐까?

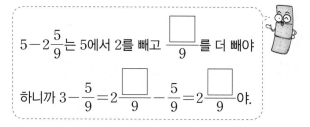

$5-2\dfrac{5}{9}$는 5에서 2를 빼고 $\dfrac{\boxed{}}{9}$를 더 빼야

하니까 $3-\dfrac{5}{9}=2\dfrac{\boxed{}}{9}-\dfrac{5}{9}=2\dfrac{\boxed{}}{9}$야.

13 지호의 몸무게는 35 kg이고 하윤이의 몸무게는 $32\dfrac{4}{5}$ kg입니다. 지호는 하윤이보다 몇 kg 더 무거운가요?

지호 35 kg   하윤 $32\dfrac{4}{5}$ kg

식 _____

답 _____

개념 8 받아내림이 있는 대분수의 뺄셈

방법 1 자연수에서 1만큼을 분수로 바꾸어 자연수끼리, 분수끼리 뺀 후 더하기

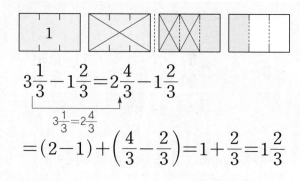

$$3\dfrac{1}{3}-1\dfrac{2}{3}=2\dfrac{4}{3}-1\dfrac{2}{3}$$
$$\underset{3\frac{1}{3}=2\frac{4}{3}}{}$$
$$=(2-1)+\left(\dfrac{4}{3}-\dfrac{2}{3}\right)=1+\dfrac{2}{3}=1\dfrac{2}{3}$$

방법 2 가분수로 바꾸어 계산하기

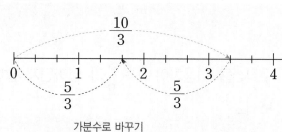

가분수로 바꾸기

$$3\dfrac{1}{3}-1\dfrac{2}{3}=\dfrac{10}{3}-\dfrac{5}{3}=\dfrac{5}{3}=1\dfrac{2}{3}$$

분모는 그대로 두고 분자끼리 빼기

유형

14 수직선을 보고 계산해 보세요.

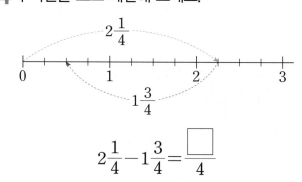

$2\dfrac{1}{4}$ $1\dfrac{3}{4}$

$$2\dfrac{1}{4}-1\dfrac{3}{4}=\dfrac{\boxed{}}{4}$$

15 계산해 보세요.

(1) $7\dfrac{2}{6}-2\dfrac{4}{6}$ (2) $3\dfrac{4}{9}-\dfrac{15}{9}$

16 빈칸에 두 수의 차를 써넣으세요.

$9\dfrac{3}{5}$	$6\dfrac{4}{5}$

17 크기를 비교하여 ○ 안에 >, =, <를 알맞게 써넣으세요.

$$10\dfrac{2}{9}-5\dfrac{7}{9} \bigcirc 4\dfrac{5}{9}$$

18 잘못 계산한 곳을 찾아 바르게 계산해 보세요.

$$5\overset{13}{\dfrac{2}{11}}-4\dfrac{6}{11}=(5-4)+\left(\dfrac{13}{11}-\dfrac{6}{11}\right)$$
$$=1+\dfrac{7}{11}=1\dfrac{7}{11}$$

$$5\dfrac{2}{11}-4\dfrac{6}{11}$$

19 계산 결과가 3과 4 사이인 식에 ○표 하세요.

$5\dfrac{4}{7}-1\dfrac{6}{7}$	$\dfrac{30}{7}-\dfrac{10}{7}$
(　　　)	(　　　)

20 다음 식을 잘못 계산한 이유를 말한 것입니다. 알맞은 말에 ○표 하고, □ 안에 알맞은 수를 써넣으세요.

$$6\dfrac{1}{8}-3\dfrac{4}{8}=3\dfrac{5}{8}$$

 서준: $6-3=3$이지만 $\dfrac{1}{8}$이 $\dfrac{4}{8}$보다 작으니까 계산 결과가 3보다 (작아야 , 커야) 해.

덧셈으로 확인하면 $3\dfrac{5}{8}+3\dfrac{4}{8}$는 $6\dfrac{1}{8}$이 아니라 □ (이)니까 잘못 계산한 거야. 지안

21 서아가 학교에서 집까지 가는 데 걸어서 가면 $15\dfrac{1}{6}$분이 걸리고, 자전거를 타고 가면 $4\dfrac{3}{6}$분이 걸립니다. 어떻게 가는 것이 몇 분 더 빠른가요?

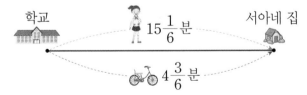

학교 　 $15\dfrac{1}{6}$ 분 　 서아네 집

$4\dfrac{3}{6}$ 분

식 ＿＿＿＿＿＿＿＿＿＿＿＿＿＿＿＿＿＿＿＿

답 ＿＿＿＿＿＿＿＿＿＿＿ 가는 것이

＿＿＿＿＿ 분 더 빠릅니다.

[1~8] 계산해 보세요.

1 $2\frac{5}{8} - 1\frac{2}{8}$

2 $5\frac{11}{14} - 4\frac{5}{14}$

3 $4 - \frac{3}{5}$

4 $7 - \frac{1}{9}$

5 $9 - 4\frac{2}{12}$

6 $5 - 2\frac{6}{8}$

7 $5\frac{1}{3} - 4\frac{2}{3}$

8 $8\frac{2}{7} - 1\frac{5}{7}$

[9~12] 물통에 들어 있는 물 중에서 마시고 남은 물의 양을 구해 보세요.

9

물 $5\frac{3}{4}$ L

$2\frac{1}{4}$ L를 마셨어.

$$5\frac{3}{4} - 2\frac{1}{4} = \boxed{} \text{ (L)}$$

10

물 6 L

$\frac{1}{2}$ L를 마셨어.

$$\boxed{} - \boxed{} = \boxed{} \text{ (L)}$$

11

물 4 L

$3\frac{2}{10}$ L를 마셨어.

$$\boxed{} - \boxed{} = \boxed{} \text{ (L)}$$

12

물 $8\frac{2}{8}$ L

$5\frac{7}{8}$ L를 마셨어.

$$\boxed{} - \boxed{} = \boxed{} \text{ (L)}$$

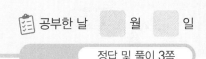
유형 진단 TEST

점수 /10점

1 빈칸에 알맞은 수를 써넣으세요. [1점]

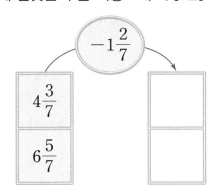

2 가장 큰 수와 가장 작은 수의 차를 구해 보세요. [1점]

$$5\frac{6}{9} \qquad 7 \qquad 3\frac{3}{9}$$

(　　　　　　　　)

3 $8\frac{2}{4} - 4\frac{3}{4}$을 두 가지 방법으로 계산해 보세요. [2점]

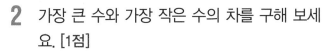 방법 1 _____

_____

방법 2 _____

_____

4 빈 물통에 물 3 L를 담아 화분에 물을 주는 데 $\frac{1}{2}$ L를 사용했습니다. 물통에 남아 있는 물은 몇 L인가요? [2점]

 식 _____

답 _____

5 □ 안에 알맞은 수를 써넣으세요. [2점]

(1) $\boxed{} + 5\frac{5}{12} = 8\frac{9}{12}$

(2) $1\frac{8}{11} + \boxed{} = 6$

6 밀가루 $3\frac{1}{4}$ kg이 있습니다. 칼국수 한 그릇을 만드는 데 밀가루 $\frac{1}{4}$ kg이 필요합니다. 칼국수 2그릇을 만들고 남는 밀가루는 몇 kg인가요? [2점]

(　　　　　　　　)

꼬리를 무는 유형

① 두 수의 합 구하기

기본 유형

1 두 수의 합을 빈 곳에 써넣으세요.

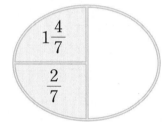

변형 유형

2 □ 안에 알맞은 수를 써넣으세요.

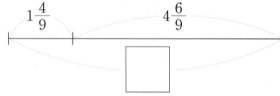

$1\frac{4}{9}$　　　　$4\frac{6}{9}$

실생활 유형

3 등산로 입구에서 출발하여 쉼터를 지나 정상까지 가는 거리는 몇 km인가요?

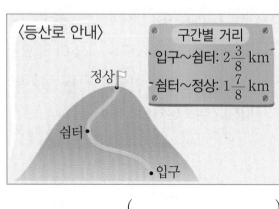

〈등산로 안내〉

구간별 거리
- 입구~쉼터: $2\frac{3}{8}$ km
- 쉼터~정상: $1\frac{7}{8}$ km

정상
쉼터
입구

(　　　　　　　)

② 잘못 계산한 곳을 찾아 바르게 계산하기

기본 유형

4 잘못 계산한 곳을 찾아 바르게 계산해 보세요.

$$2\frac{2}{9}+3\frac{1}{9}=(2+3)+\left(\frac{2}{9}+\frac{1}{9}\right)$$
$$=5+\frac{3}{18}=5\frac{3}{18}$$

$2\frac{2}{9}+3\frac{1}{9}$

변형 유형

5 잘못 계산한 사람의 이름을 쓰고, 바르게 계산해 보세요.

준하: $3\frac{2}{5}-1\frac{3}{5}=2\frac{4}{5}$

태영: $5\frac{4}{8}-2\frac{7}{8}=2\frac{5}{8}$

이름 ＿＿＿＿＿＿＿＿＿＿＿＿

바른 계산 ＿＿＿＿＿＿＿＿＿＿＿＿＿＿＿＿＿＿

서술형 유형

6 서아의 문자를 보고 계산 방법과 바르게 계산한 답을 설명하는 답장을 써 보세요.

서아

궁금한 게 있어. $\frac{4}{8}+\frac{5}{8}$는 $\frac{4+5}{8+8}$이니까 답은 $\frac{9}{16}$가 아닐까?

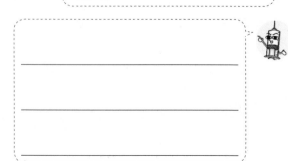

③ 전체를 1로 생각하여 계산하기

기본 유형
7 색칠하지 않은 부분은 전체의 얼마만큼인지 뺄셈식을 이용하여 알아보세요.

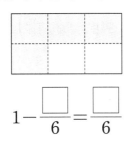

$$1 - \frac{\Box}{6} = \frac{\Box}{6}$$

변형 유형
8 □ 안에 알맞은 수를 써넣으세요.

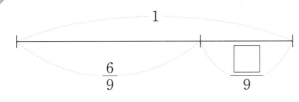

$$\frac{6}{9} \qquad \frac{\Box}{9}$$

실생활 유형
9 시은이네 가족은 성탄절에 케이크를 사서 전체의 $\frac{5}{8}$ 만큼을 먹었습니다. 남은 케이크는 전체의 얼마만큼인가요?

(   )

④ 수의 크기를 비교하여 계산하기

기본 유형
10 가장 큰 분수와 가장 작은 분수의 차를 구해 보세요.

$$\frac{8}{12} \qquad \frac{11}{12} \qquad \frac{3}{12} \qquad \frac{6}{12}$$

(   )

변형 유형
11 두 수를 골라 차가 가장 큰 뺄셈식을 만들고, 만든 뺄셈식의 계산 결과를 구해 보세요.

$$6\frac{3}{6} \qquad 1\frac{2}{6} \qquad 4\frac{5}{6}$$

$$\Box - \Box$$

(   )

실생활 유형
12 가장 무거운 것과 가장 가벼운 것의 무게의 차는 몇 kg인가요?

$1\,kg \qquad 1\frac{1}{4}\,kg \qquad \frac{2}{4}\,kg$

(   )

독해력 유형 1 몇 번까지 뺄 수 있고, 그때 남는 양 구하기

리본이 $4\frac{1}{8}$ m 있습니다. 선물 한 개를 포장하는 데 리본 $1\frac{5}{8}$ m가 필요합니다. 선물을 몇 개까지 포장할 수 있고, 남는 리본은 몇 m인지 구해 보세요.

 $1\frac{5}{8}$ m →

What? 구하려는 것을 찾아 밑줄을 그어 보세요.

How?
❶ 선물 1개를 포장하고 남는 리본의 길이 구하기
❷ ❶의 길이가 $1\frac{5}{8}$ m보다 더 길면 선물 2개를 포장하고 남는 리본의 길이 구하기
❸ 포장할 수 있는 선물 수와 남는 리본의 길이 구하기

Solve
❶ 선물 1개를 포장하고 남는 리본은 몇 m인가요?
(   )

❷ 선물 2개를 포장하고 남는 리본은 몇 m인가요?
(   )

❸ 선물을 몇 개까지 포장할 수 있고, 남는 리본은 몇 m인가요?
(   ), (   )

쌍둥이 유형 1-1

딸기가 $2\frac{1}{5}$ kg 있습니다. 딸기 주스 한 잔을 만드는 데 딸기 $\frac{4}{5}$ kg이 필요합니다. 딸기 주스를 몇 잔까지 만들 수 있고, 남는 딸기는 몇 kg인지 구해 보세요.

❶

❷

❸

답 _____, _____

쌍둥이 유형 1-2

감자가 $2\frac{2}{4}$ kg 있습니다. 샌드위치 한 개를 만드는 데 감자 $\frac{3}{4}$ kg이 필요합니다. 샌드위치를 몇 개까지 만들 수 있고, 남는 감자는 몇 kg인지 구해 보세요.

❶

❷

❸

답 _____, _____

독해력 유형 **2**　합이 가장 큰(작은) 식을 만들기

분수 카드 중에서 2장을 골라 한 번씩만 사용하여 합이 가장 큰 덧셈식을 만들고 계산해 보세요.

$$4\frac{2}{9}\qquad \frac{12}{9}\qquad 3\frac{4}{9}$$

What?　구하려는 것을 찾아 밑줄을 그어 보세요.

How?
❶ 합이 가장 크게 되려면 어떤 두 수를 더해야 하는지 알아보기
❷ ❶에서 답한 두 수를 찾기
❸ ❷에서 찾은 두 수를 더하는 식을 만들고 계산하기

Solve
❶ 알맞은 말에 ○표 하세요.

합이 가장 크려면 가장 (큰 , 작은) 수와 두 번째로 (큰 , 작은) 수를 더해야 해.

❷ 합이 가장 큰 덧셈식을 만들려면 어떤 카드를 골라야 하나요?

　　　　와

❸ ❷에서 고른 카드를 사용하여 합이 가장 큰 덧셈식을 만들고 계산해 보세요.

　　　 ＋ 　　　 ＝ 　　　

쌍둥이 유형 **2-1**

분수 카드 중에서 2장을 골라 한 번씩만 사용하여 합이 가장 큰 덧셈식을 만들고 계산해 보세요.

$$\frac{18}{11}\qquad 3\frac{6}{11}\qquad \frac{8}{11}$$

❶

❷

❸

답　　　 ＋ 　　　 ＝ 　　　

쌍둥이 유형 **2-2**

분수 카드 중에서 2장을 골라 한 번씩만 사용하여 합이 가장 작은 덧셈식을 만들고 계산해 보세요.

$$1\frac{6}{7}\qquad 2\frac{5}{7}\qquad 5\frac{1}{7}$$

❶

❷

❸

답　　　 ＋ 　　　 ＝ 　　　

1 단원 분수의 덧셈과 뺄셈

21

플러스 유형 1 계산 결과가 ■인 식 찾기

1-1 계산 결과가 4인 것에 ○표 하세요.

$$\frac{1}{5}+3\frac{3}{5} \qquad 2\frac{3}{5}+1\frac{2}{5}$$

(   )   (   )

1-2 계산 결과가 7인 것에 ○표 하세요.

$$3\frac{3}{9}+3\frac{6}{9} \qquad 1\frac{5}{9}+6\frac{4}{9}$$

(   )   (   )

1-3 계산 결과가 $2\frac{3}{8}$인 것에 ○표 하세요.

$$\frac{9}{8}+\frac{10}{8} \qquad \frac{12}{8}+\frac{8}{8}$$

(   )   (   )

플러스 유형 2 세 분수의 뺄셈

2-1 빈칸에 알맞은 수를 써넣으세요.

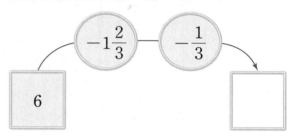

2-2 빈칸에 알맞은 수를 써넣으세요.

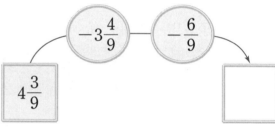

2-3 약수터에서 물을 $8\frac{3}{10}$ L 떠 왔습니다. 그중 $2\frac{1}{10}$ L를 이웃에게 나누어 주고 $3\frac{8}{10}$ L를 마셨습니다. 남은 물은 몇 L인가요?

(   )

플러스 유형 처방전

2-3에서 남은 물의 양을 구할 때에는 떠 온 물의 양에서 이웃에게 준 물의 양과 마신 물의 양을 차례로 빼는 식을 만들어용~

플러스 유형 ③ >, <가 있는 식에서 □의 값 구하기

3-1 □ 안에 들어갈 수 있는 자연수에 모두 ○표 하세요.

$$\frac{6}{7} - \frac{\square}{7} > \frac{2}{7}$$

(1 , 2 , 3 , 4 , 5 , 6)

3-2 □ 안에 들어갈 수 있는 자연수를 모두 구해 보세요.

$$\frac{11}{15} - \frac{\square}{15} > \frac{5}{15}$$

(   )

3-3 □ 안에 들어갈 수 있는 자연수를 모두 구해 보세요.

$$\frac{3}{6} + \frac{\square}{6} < 1\frac{1}{6}$$

(   )

플러스 유형 ④ 합과 차가 주어진 두 진분수 구하기

4-1 분모가 9인 진분수가 2개 있습니다. 합이 $\frac{8}{9}$, 차가 $\frac{2}{9}$인 두 진분수를 구해 보세요.

(   ), (   )

서술형

4-2 분모가 10인 진분수가 2개 있습니다. 합이 $\frac{9}{10}$, 차가 $\frac{1}{10}$인 두 진분수는 무엇인지 풀이 과정을 쓰고 답을 구해 보세요.

풀이

답 _____ , _____

사고력 유형

4-3 분모가 13인 진분수가 2개 있습니다. 합이 $1\frac{2}{13}$, 차가 $\frac{3}{13}$인 두 진분수를 구해 보세요.

(   ), (   )

플러스 유형 처방전

진분수의 분자가 될 수 있는 수 중에서 주어진 합과 차의 조건을 만족하는 두 수를 찾아 진분수의 분자를 구해용~

1 단원

분수의 덧셈과 뺄셈

23

플러스 유형 **5** 계산 결과가 가장 작은 뺄셈식 만들기

사고력 유형

5-1 두 수를 골라 □ 안에 써넣어 계산 결과가 가장 작은 뺄셈식을 만들고 계산해 보세요.

$$4, \ 5, \ 6, \ 8$$

$$6\frac{\square}{9} - 3\frac{\square}{9} = \boxed{}$$

서술형

5-2 두 수를 골라 □ 안에 써넣어 계산 결과가 가장 작은 뺄셈식을 만들고 계산하려고 합니다. 풀이 과정을 쓰고 답을 구해 보세요.

$$3, \ 5, \ 7, \ 9$$

$$5\frac{\square}{11} - 4\frac{\square}{11}$$

풀이

답 $5\dfrac{\square}{11} - 4\dfrac{\square}{11} = \boxed{}$

플러스 유형 **6** 바르게 계산한 값 구하기

6-1 어떤 수에서 $5\frac{3}{6}$ 을 빼야 할 것을 잘못하여 $3\frac{5}{6}$ 를 빼었더니 $3\frac{1}{6}$ 이 되었습니다. 바르게 계산하면 얼마인가요?

( )

서술형

6-2 어떤 수에서 $2\frac{4}{5}$ 를 빼야 할 것을 잘못하여 $4\frac{2}{5}$ 를 빼었더니 $3\frac{1}{5}$ 이 되었습니다. 바르게 계산하면 얼마인지 풀이 과정을 쓰고 답을 구해 보세요.

풀이

답 _____

플러스 유형 ❼　대분수의 뺄셈식에서 두 분자의 합 구하기

독해력 유형

7-1 대분수로만 만들어진 뺄셈식입니다. ★＋●가 가장 클 때의 값을 구해 보세요.

$$4\frac{★}{6} - 3\frac{●}{6} = 1\frac{1}{6}$$

단계 1 □ 안에 알맞은 수를 써넣고 알맞은 말에 ○표 하세요.

뺄셈식에서 자연수끼리 빼면
$4 - 3 = \boxed{}$ 이므로 받아내림이
(있는 , 없는) 뺄셈식입니다.

단계 2 대분수로만 만들어진 뺄셈식입니다. 만들 수 있는 뺄셈식을 모두 써 보세요.

· $4\frac{\boxed{}}{6} - 3\frac{\boxed{}}{6} = 1\frac{1}{6}$

· $4\frac{\boxed{}}{6} - 3\frac{\boxed{}}{6} = 1\frac{1}{6}$

· $4\frac{\boxed{}}{6} - 3\frac{\boxed{}}{6} = 1\frac{1}{6}$

· $4\frac{\boxed{}}{6} - 3\frac{\boxed{}}{6} = 1\frac{1}{6}$

단계 3 ★＋●가 가장 클 때의 값은 얼마인가요?

(　　　　　　　　　)

플러스 유형 ❽　겹친 부분의 길이 구하기

독해력 유형

8-1 길이가 각각 $4\frac{3}{8}$ cm, $6\frac{7}{8}$ cm인 색 테이프 2장을 겹쳐서 한 줄로 이어 붙였습니다. 이어 붙인 색 테이프의 전체 길이가 $9\frac{5}{8}$ cm일 때 겹친 부분의 길이는 몇 cm인지 구해 보세요.

단계 1 □ 안에 알맞은 수를 써넣으세요.

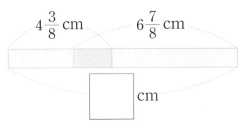

단계 2 색 테이프 2장의 길이의 합은 몇 cm 인가요?

(　　　　　　　　　)

단계 3 겹친 부분의 길이는 몇 cm인가요?

(　　　　　　　　　)

8-2 길이가 각각 $5\frac{1}{5}$ cm, $6\frac{1}{5}$ cm인 색 테이프 2장을 겹쳐서 한 줄로 이어 붙였습니다. 이어 붙인 색 테이프의 전체 길이가 $9\frac{3}{5}$ cm일 때 겹친 부분의 길이는 몇 cm인지 구해 보세요.

(　　　　　　　　　)

1 단원

분수의 덧셈과 뺄셈

25

1 그림을 보고 □ 안에 알맞은 수를 써넣으세요.

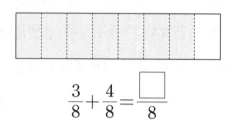

$$\frac{3}{8}+\frac{4}{8}=\frac{\square}{8}$$

2 계산해 보세요.

$$3\frac{6}{9}-2\frac{4}{9}$$

3 빈칸에 알맞은 수를 써넣으세요.

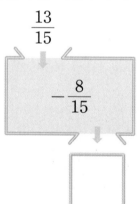

4 다음이 나타내는 수를 구해 보세요.

> 5보다 $\frac{6}{7}$ 만큼 더 작은 수

(   )

5 □ 안에 알맞은 수를 써넣으세요.

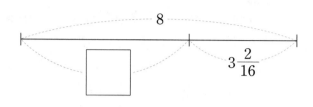

6 책 두 권의 무게의 합은 몇 kg인가요?

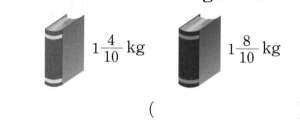

(   )

7 크기를 비교하여 ○ 안에 >, =, <를 알맞게 써넣으세요.

$$2\frac{7}{12} \bigcirc 4\frac{4}{12}-1\frac{8}{12}$$

8 잘못 계산한 곳을 찾아 바르게 계산해 보세요.

$$\frac{6}{11}+\frac{8}{11}=\frac{6+8}{11+11}=\frac{14}{22}$$

$$\frac{6}{11}+\frac{8}{11}$$

9 계산 결과가 4와 5 사이인 식에 ○표 하세요.

$2\frac{4}{9}+1\frac{3}{9}$	$1\frac{2}{7}+3\frac{1}{7}$	$3\frac{4}{8}+1\frac{7}{8}$

10 □ 안에 알맞은 수를 써넣으세요.

$$\boxed{}+5\frac{3}{7}=7\frac{5}{7}$$

11 태연이는 철사 $4\frac{2}{5}$ m 중에서 $2\frac{1}{5}$ m를 사용했습니다. 남은 철사의 길이는 몇 m인가요?

식 ＿＿＿＿＿＿＿＿＿＿＿＿＿＿＿＿

답 ＿＿＿＿＿＿＿＿＿＿

12 동물원 안내도입니다. 승현이는 동물원 입구에서 출발하여 표시된 길을 따라 사자가 있는 곳을 지나서 출구까지 걸어갔습니다. 승현이가 걸은 거리는 모두 몇 km인가요?

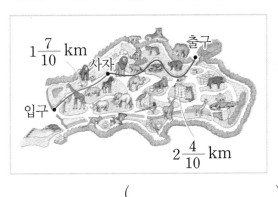

$1\frac{7}{10}$ km　출구

사자

입구

$2\frac{4}{10}$ km

(　　　　　　　)

13 가장 큰 분수와 가장 작은 분수의 차를 구해 보세요.

| $\frac{8}{14}$ | $\frac{5}{14}$ | $\frac{4}{14}$ | $\frac{11}{14}$ |

(　　　　　　　)

14 현준이는 책을 전체의 $\frac{5}{7}$ 만큼 읽었습니다. 전체의 얼마만큼을 더 읽어야 책을 모두 읽게 되나요?

(　　　　　　　)

15 □ 안에 들어갈 수 있는 자연수는 모두 몇 개인가요?

$$\frac{4}{9}+\frac{\boxed{}}{9}<1\frac{2}{9}$$

(　　　　　　　)

16 토마토가 $2\frac{7}{16}$ kg 있습니다. 토마토 주스 한 잔을 만드는 데 토마토 $\frac{14}{16}$ kg이 필요합니다. 토마토 주스를 몇 잔까지 만들 수 있고, 남는 토마토는 몇 kg인지 구해 보세요.

(　　　　), (　　　　)

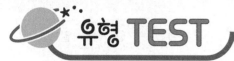
≫ 23쪽 4-2 유사 문제

서술형

17 분모가 12인 진분수가 2개 있습니다. 합이 $\frac{11}{12}$, 차가 $\frac{5}{12}$인 두 진분수는 무엇인지 풀이 과정을 쓰고 답을 구해 보세요.

 풀이

답 _____ , _____

서술형

≫ 24쪽 5-2 유사 문제

18 두 수를 골라 □ 안에 써넣어 계산 결과가 가장 작은 뺄셈식을 만들고 계산하려고 합니다. 풀이 과정을 쓰고 답을 구해 보세요.

$$4, \ 5, \ 6, \ 7$$

$$6\frac{\square}{8} - 2\frac{\square}{8}$$

풀이

답 $6\dfrac{\square}{8} - 2\dfrac{\square}{8} = \boxed{}$

서술형

≫ 24쪽 6-2 유사 문제

19 어떤 수에서 $\frac{2}{7}$를 빼야 할 것을 잘못하여 $2\frac{1}{7}$을 빼었더니 $3\frac{6}{7}$이 되었습니다. 바르게 계산하면 얼마인지 풀이 과정을 쓰고 답을 구해 보세요.

풀이

답 _____

독해력 유형 서술형

≫ 25쪽 8-1 유사 문제

20 길이가 각각 $5\frac{4}{10}$ cm, $4\frac{8}{10}$ cm인 색 테이프 2장을 겹쳐서 한 줄로 이어 붙였습니다. 이어 붙인 색 테이프의 전체 길이가 $8\frac{6}{10}$ cm일 때 겹친 부분의 길이는 몇 cm인지 풀이 과정을 쓰고 답을 구해 보세요.

풀이

답 _____

1 단원

분수의 덧셈과 뺄셈

도형의 배열에서 규칙 찾기 ①

사각형 모양의 배열을 보고 모형의 수를 세어 ☐ 안에 써넣고 규칙을 찾아 써 보세요.

첫째   둘째   셋째   넷째

4   8   ☐   ☐

규칙 모형의 수가 ☐ 개씩 늘어납니다.

[2~3] 규칙적인 계산식을 보고 물음에 답해 보세요.

순서	계산식
첫째	$1+3=4$
둘째	$1+3+5=9$
셋째	$1+3+5+7=16$
넷째	$1+3+5+7+9=25$

계산식에서 규칙 찾기 ②

규칙을 찾아 써 보세요.

규칙 1부터 연속한 홀수를 더한 결과는 더한 홀수의 개수를

☐ 번 곱한 것과 같습니다.

계산식에서 규칙 찾기 ③

규칙에 따라 계산 결과가 36이 되는 계산식을 써 보세요.

계산식 _____

1
단원

분수의 덧셈과 뺄셈

29

계산 버튼에 따라 식을 세워 봐!

코딩 1 우진이와 민서는 보기 와 같이 계산되는 특수 계산 버튼 $+$ 와 $-$ 를 만들었습니다.

다음과 같이 버튼을 눌렀을 때 출력되는 값을 구해 보세요.

1 단원

분수의 덧셈과 뺄셈

30

보기 1

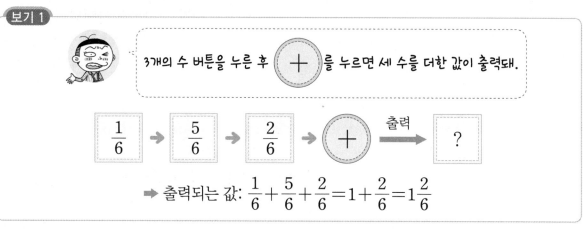

3개의 수 버튼을 누른 후 $+$ 를 누르면 세 수를 더한 값이 출력돼.

$\dfrac{1}{6}$ → $\dfrac{5}{6}$ → $\dfrac{2}{6}$ → $+$ 출력 → ?

➡ 출력되는 값: $\dfrac{1}{6}+\dfrac{5}{6}+\dfrac{2}{6}=1+\dfrac{2}{6}=1\dfrac{2}{6}$

보기 2

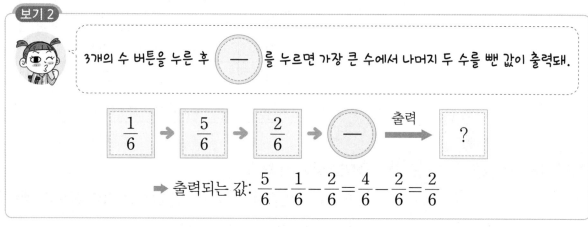

3개의 수 버튼을 누른 후 $-$ 를 누르면 가장 큰 수에서 나머지 두 수를 뺀 값이 출력돼.

$\dfrac{1}{6}$ → $\dfrac{5}{6}$ → $\dfrac{2}{6}$ → $-$ 출력 → ?

➡ 출력되는 값: $\dfrac{5}{6}-\dfrac{1}{6}-\dfrac{2}{6}=\dfrac{4}{6}-\dfrac{2}{6}=\dfrac{2}{6}$

❶

$\dfrac{4}{9}$ → $\dfrac{3}{9}$ → $\dfrac{7}{9}$ → $+$ 출력 ☐

❷

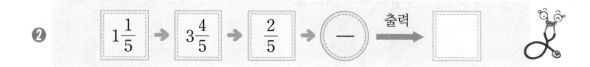

$1\dfrac{1}{5}$ → $3\dfrac{4}{5}$ → $\dfrac{2}{5}$ → $-$ 출력 ☐

다른 그림을 찾아라!

 윤진이와 동생이 피자 가게에 가서 불고기 피자를 한 판 주문하여 다음과 같이 먹으려고 합니다. 물음에 답해 보세요.

 두 그림에서 다른 그림 5군데를 찾아 ◯로 표시해 볼까?

 윤진이는 피자를 $\frac{1}{8}$판, 동생은 $\frac{2}{8}$판 먹으려고 해. 두 사람이 먹는 피자는 모두 몇 판일까?

| 식 | | (이)니까 | | 판이야. |

 그렇다면, 윤진이와 동생이 먹고 남는 피자는

| 식 | | (이)니까 | | 판이구나! |

2 삼각형

개념 1 삼각형을 변의 길이에 따라 분류하기

1. 변의 길이에 따라 분류한 삼각형의 이름 알기

이등변삼각형: 두 변의 길이가 같은 삼각형
정삼각형: 세 변의 길이가 같은 삼각형

(예)

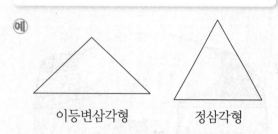

이등변삼각형   정삼각형

2. 이등변삼각형과 정삼각형의 관계

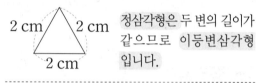

정삼각형은 두 변의 길이가 같으므로 **이등변삼각형** 입니다.

이등변삼각형은 항상 세 변의 길이가 같은 것은 아니므로 **정삼각형이 아닙니다.**

34

유형

[1~2] 삼각형을 보고 물음에 답해 보세요.

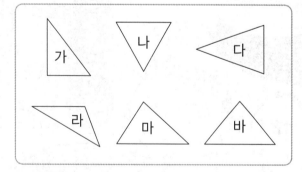

1 이등변삼각형을 모두 찾아 기호를 써 보세요.

( )

2 정삼각형을 찾아 기호를 써 보세요.

( )

[3~4] □ 안에 알맞은 수를 써넣으세요.

3 이등변삼각형   **4** 정삼각형

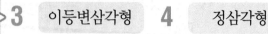
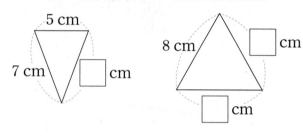

5 정삼각형입니다. □ 안에 알맞은 수를 써넣고, 세 변의 길이의 합은 몇 cm인지 구해 보세요.

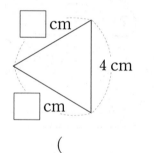

( )

6 세 사람이 가진 막대를 세 변으로 하는 삼각형의 이름을 써 보세요.

내가 가지고 있는 막대는 8 cm야.	난 길이가 6 cm인 막대가 있어.	나는 서아와 똑같은 막대를 가졌어.

서아

하윤

서준

( )

개념 2 이등변삼각형의 성질

• **이등변삼각형의 각의 크기 비교하기**

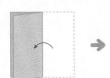

색종이를 반으로 접습니다.　선을 따라 겹쳐서 자릅니다.　자른 두 변의 길이가 같으므로 이등변삼각형입니다.

이등변삼각형에서 길이가 같은 두 변에 있는 두 각의 크기가 같습니다.

유형

7 이등변삼각형입니다. □ 안에 알맞은 수를 써넣으세요.

(1)
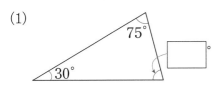

(2)
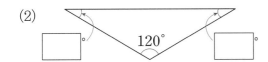

8 이등변삼각형에 대한 설명으로 옳은 것을 모두 찾아 기호를 써 보세요.

> ㉠ 두 변의 길이가 같습니다.
> ㉡ 세 변의 길이가 같습니다.
> ㉢ 두 각의 크기가 같습니다.
> ㉣ 세 각의 크기가 같습니다.

(　　　　)

9 □ 안에 알맞은 수를 써넣으세요.

(1)
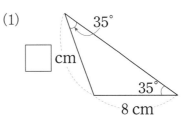

(2)
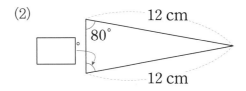

서술형

10 도형이 이등변삼각형인 이유를 **보기** 와 다른 방법으로 설명해 보세요.

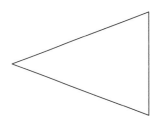

보기

자로 변의 길이를 재어 보면 두 변의 길이가 같으므로 이등변삼각형입니다.

이유 _____

_____

_____

11 오른쪽은 영진이가 그린 삼각형입니다. 이 삼각형의 이름을 써 보세요.

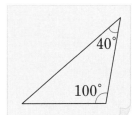

(　　　　)

개념 3 이등변삼각형 그리기

방법 1 길이가 같은 두 변을 그려서 이등변삼각형 그리기

예
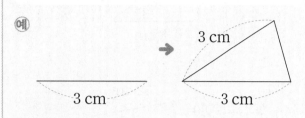
3 cm
3 cm
3 cm

방법 2 크기가 같은 두 각을 그려서 이등변삼각형 그리기

예
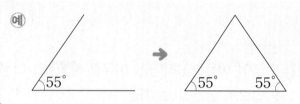
55°
55°   55°

개념 4 정삼각형의 성질

1. 정삼각형의 각의 크기 비교하기

정삼각형 모양의 종이를 두 각이 만나도록 접으면 꼭 맞게 겹쳐집니다.

정삼각형은 세 각의 크기가 모두 같습니다.

2. 정삼각형의 한 각의 크기 알아보기

정삼각형은 세 각의 크기가 모두 같고 삼각형의 세 각의 크기의 합은 180°입니다.

(정삼각형의 한 각의 크기)
$= 180° \div 3 = 60°$

유형

12 주어진 선분을 한 변으로 하는 이등변삼각형을 그리고, 각의 크기를 재어 알맞은 말에 ○표 하세요.

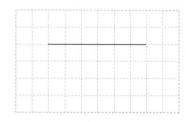

이등변삼각형은 두 각의 크기가
(같습니다 , 다릅니다).

유형

14 오른쪽은 정삼각형입니다. □ 안에 알맞은 수를 써넣으세요.

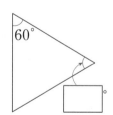
60°

13 선분 ㄱㄴ을 이용하여 보기 와 같은 이등변삼각형을 그려 보세요.

보기

65°   65°

ㄱ_____ㄴ

15 정삼각형에 대해 잘못 말한 사람을 찾아 이름을 써 보세요.

시우
세 변의 길이가 모두 같아.

세 각의 크기가 모두 같아.

서준

지안
한 각의 크기는 30°야.

(   )

16 □ 안에 알맞은 수를 써넣으세요.

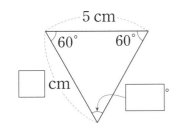

17 삼각형 ㄱㄴㄷ은 정삼각형입니다. □ 안에 알맞은 수를 써넣으세요.

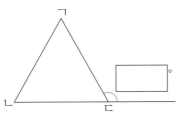

선술형

18 두 삼각형의 같은 점과 다른 점을 1가지씩 써 보세요.

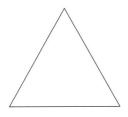

같은 점 _____

_____

다른 점 _____

_____

개념 5 　정삼각형 그리기

방법1 점선 위에 길이가 2 cm인 변을 그려서 정삼각형 그리기

예)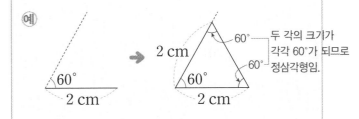

두 각의 크기가 각각 60°가 되므로 정삼각형임.

방법2 크기가 60°인 두 각을 그려서 정삼각형 그리기

예)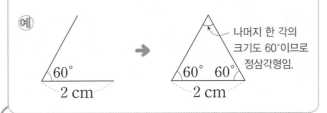

나머지 한 각의 크기도 60°이므로 정삼각형임.

유형

19 주어진 선분을 한 변으로 하는 정삼각형을 그리고, 각도기로 재어 알맞게 써 보세요.

정삼각형은 세 각의 크기가 모두 _____

_____

20 각도기와 자를 사용하여 주어진 선분을 한 변으로 하는 정삼각형을 그려 보세요.

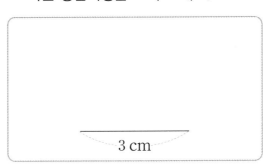

3 cm

2 단원

삼각형

37

[1~6] 이등변삼각형입니다. □ 안에 알맞은 수를 써넣으세요.

1

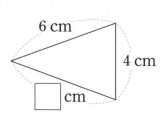

6 cm
4 cm
□ cm

2

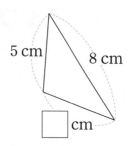

5 cm
8 cm
□ cm

3

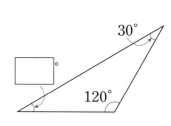

30°
□ °
120°

4

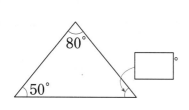

80°
50°
□ °

5

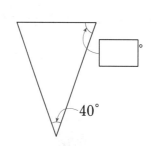

□ °
40°

6

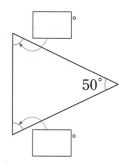

□ °
50°
□ °

[7~12] 정삼각형입니다. □ 안에 알맞은 수를 써넣으세요.

7

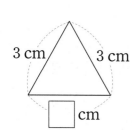

3 cm
3 cm
□ cm

8

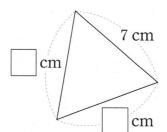

7 cm
□ cm
□ cm

9

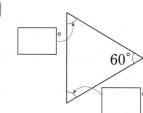

□ °
60°
□ °

10

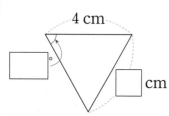

4 cm
□ °
□ cm

11

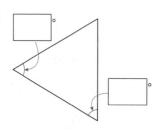

□ °
□ °
□ °

12

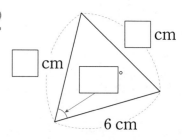

□ cm
□ cm
□ °
6 cm

1 이등변삼각형과 정삼각형을 모두 찾아 기호를 써 보세요. [1점]

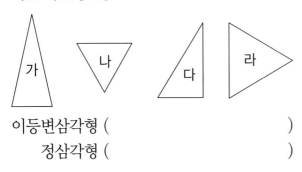

이등변삼각형 (   )

정삼각형 (   )

2 이등변삼각형입니다. ㉠의 각도를 구해 보세요. [1점]

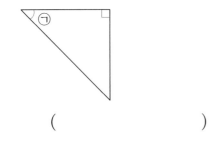

(   )

3 세 변의 길이가 다음과 같을 때 이등변삼각형이 <u>아닌</u> 것을 모두 고르세요. [1점]·· (   )

① 4 cm, 5 cm, 6 cm

② 3 cm, 3 cm, 5 cm

③ 7 cm, 4 cm, 7 cm

④ 6 cm, 6 cm, 6 cm

⑤ 10 cm, 4 cm, 8 cm

4 자를 사용하여 선분 ㄱㄴ을 한 변으로 하는 정삼각형을 그려 보세요. [1점]

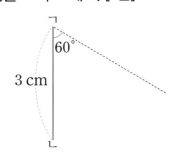

5 각각의 동물을 완전히 둘러싸는 이등변삼각형을 한 개씩 그려 보세요. [2점]

6 정삼각형 2개를 겹치지 않게 이어 붙여 놓은 것입니다. 각 ㄱㄴㄹ의 크기는 몇 도인가요? [2점]

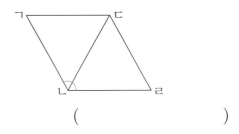

(   )

7 이등변삼각형의 기호를 써 보세요. [2점]

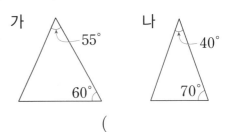

(   )

개념 6 삼각형을 각의 크기에 따라 분류하기 (1)
― 예각삼각형

직각: 90°
예각: 각도가 0°보다 크고 직각보다 작은 각
둔각: 각도가 직각보다 크고 180°보다 작은 각

예각삼각형: 세 각이 모두 예각인 삼각형

(예)
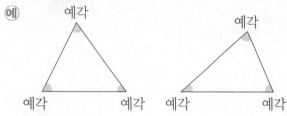

참고

예각이 있는 삼각형은 모두 예각삼각형일까?

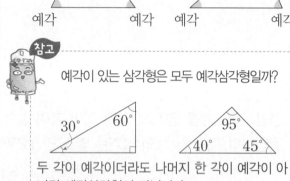

두 각이 예각이더라도 나머지 한 각이 예각이 아니면 예각삼각형이 아닙니다.

 유형

40

1 알맞은 말에 ◯표 하고, □ 안에 알맞은 말을 써 넣으세요.

예각삼각형은 (한 , 두 , 세) 각이 모두
□ 인 삼각형입니다.

2 예각삼각형입니다. 예각을 모두 찾아 ∠ 로 표시해 보세요.

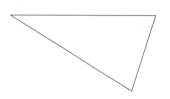

3 삼각형의 세 각의 크기를 말한 것입니다. 예각 삼각형의 각도를 말한 사람의 이름을 써 보세요.

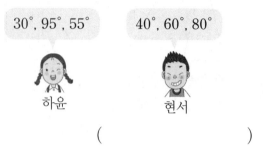

30°, 95°, 55°   40°, 60°, 80°

하윤   현서

(   )

4 점 종이에 주어진 선분을 한 변으로 하는 예각 삼각형을 그려 보세요.

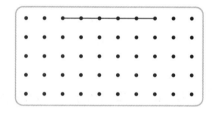

서술형

5 예각삼각형이 <u>아닌</u> 것을 찾아 기호를 쓰고, 그 이유를 써 보세요.

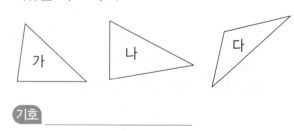

가   나   다

기호 _____

이유 _____

_____

_____

개념 7 　삼각형을 각의 크기에 따라 분류하기 (2)
－ 둔각삼각형

둔각삼각형: 한 각이 둔각인 삼각형

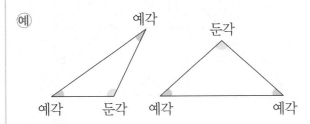

참고

둔각삼각형은 세 각이 모두 둔각일까?

둔각이 2개이면 두 변이 만나지 않아 삼각형이 되지 않습니다.

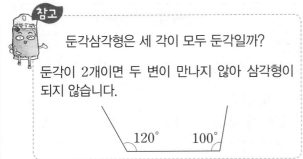

유형

6 알맞은 말에 ○표 하고, □ 안에 알맞은 말을 써넣으세요.

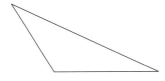

둔각삼각형은 (한 , 세) 각이 [　　] 인 삼각형입니다.

7 둔각삼각형을 찾아 ○표 하세요.

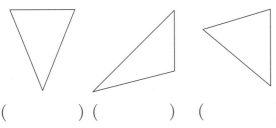

(　　) (　　) (　　)

8 세 각의 크기가 다음과 같은 삼각형은 예각 삼각형, 직각삼각형, 둔각삼각형 중에서 어떤 삼각형인가요?

20°　　95°　　60°

(　　　　　　)

9 점 종이에 주어진 선분을 한 변으로 하는 둔 각삼각형을 그리려고 합니다. 어느 점과 이어 야 하나요?·····················(　　)

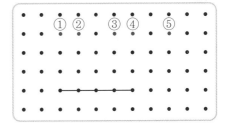

10 모눈종이에 서로 다른 둔각삼각형을 2개 그 려 보세요.

서술형

11 민서가 삼각형을 보고 잘못 말한 것입니다. 바르게 설명해 보세요.

두 각이 예각이니까 예각삼각형이네.

민서

설명 ＿＿＿＿＿＿＿＿＿＿＿＿＿＿＿＿

＿＿＿＿＿＿＿＿＿＿＿＿＿＿＿＿＿＿

2단원

삼각형

41

개념 8 예각삼각형, 직각삼각형, 둔각삼각형 분류하기
└ 한 각이 직각인 삼각형

예각삼각형	직각삼각형	둔각삼각형
예각 예각 예각	예각 예각 직각	예각 둔각 예각
예각 3개	직각 1개 예각 2개	둔각 1개 예각 2개

주의 직각삼각형은 예각삼각형도 아니고, 둔각삼각형도 아니야.

유형 2단원 삼각형

12 예각삼각형, 직각삼각형, 둔각삼각형으로 분류하여 기호를 써 보세요.

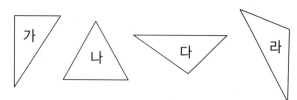

예각삼각형	직각삼각형	둔각삼각형

13 점선을 따라 종이를 잘랐을 때 만들어지는 예각삼각형과 둔각삼각형은 각각 몇 개인가요?

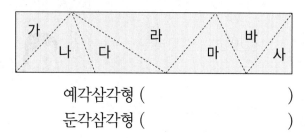

예각삼각형 (   )
둔각삼각형 (   )

개념 9 삼각형을 변의 길이, 각의 크기에 따라 분류하기

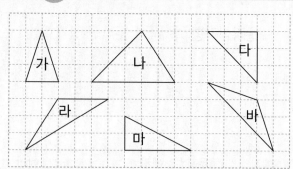

	예각 삼각형	직각 삼각형	둔각 삼각형
이등변삼각형	가	다	바
세 변의 길이가 모두 다른 삼각형	나	마	라

유형

[14~15] 삼각형을 분류하려고 합니다. 물음에 답해 보세요.

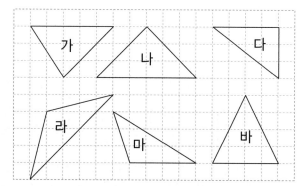

14 변의 길이에 따라 분류하여 기호를 써 보세요.

이등변삼각형	세 변의 길이가 모두 다른 삼각형

15 각의 크기에 따라 분류하여 기호를 써 보세요.

예각삼각형	직각삼각형	둔각삼각형

16 □ 안에 알맞은 삼각형의 이름을 써넣으세요.

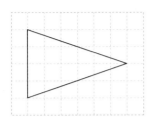

(1) 이 삼각형은 두 변의 길이가 같기 때문에 ⬚입니다.

(2) 이 삼각형은 세 각이 모두 예각이기 때문에 ⬚입니다.

17 삼각형의 이름이 될 수 있는 것에 모두 ◯표 하세요.

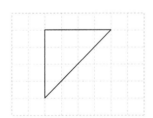

이등변삼각형　　　정삼각형
예각삼각형　　직각삼각형　　둔각삼각형

18 삼각형의 이름이 될 수 있는 것을 모두 고르세요. ·········· (　　)

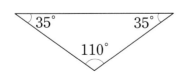

① 이등변삼각형　　② 정삼각형
③ 예각삼각형　　　④ 직각삼각형
⑤ 둔각삼각형

19 이등변삼각형이면서 둔각삼각형인 것을 찾아 기호를 써 보세요.

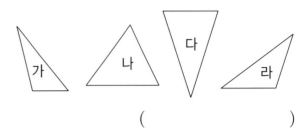

(　　　　　)

20 삼각형에 대해 바르게 말한 사람의 이름을 써 보세요.

 우진　이등변삼각형은 둔각삼각형이야.

정삼각형은 예각삼각형이야.　 민서

(　　　　　)

21 삼각형을 분류하여 기호를 써 보세요.

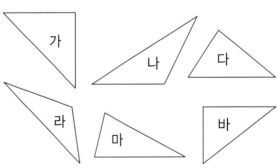

	예각 삼각형	직각 삼각형	둔각 삼각형
이등변삼각형		가	
세 변의 길이가 모두 다른 삼각형	다		

[1~6] 예각삼각형이면 '예', 직각삼각형이면 '직', 둔각삼각형이면 '둔'을 □ 안에 써넣으세요.

1 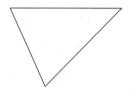 □

2 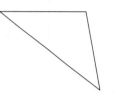 □

3 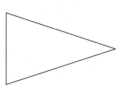 □

4 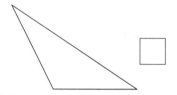 □

5 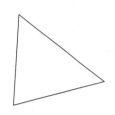 □

6 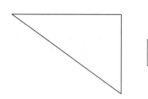 □

[7~8] 점 종이에 주어진 삼각형을 2개씩 그려 보세요.

7 예각삼각형

8 둔각삼각형

9 삼각형을 두 가지 기준으로 분류하여 삼각형의 이름을 써 보세요.

삼각형				
변의 길이 기준	정삼각형 이등변삼각형	이등변삼각형		
각의 크기 기준	예각삼각형			

2 단원

삼각형

44

유형 진단 TEST

점수 　　/10점

1 관계있는 것끼리 이어 보세요. [1점]

· · ·

· · ·

예각삼각형　　직각삼각형　　둔각삼각형

2 모눈종이에 주어진 선분을 한 변으로 하는 예각삼각형을 그리려고 합니다. 어느 점과 이어야 하나요? [1점]·········(　　　)

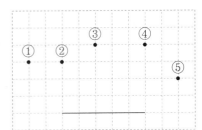

3 다음 삼각형이 둔각삼각형인 이유를 써 보세요. [2점]

이유 _____

_____

4 세 변의 길이가 모두 다르면서 예각삼각형인 것을 찾아 기호를 써 보세요. [2점]

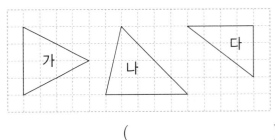

(　　　)

5 삼각형의 이름이 될 수 있는 것을 모두 고르세요. [2점]·········(　　　)

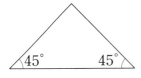

① 이등변삼각형　　② 정삼각형
③ 예각삼각형　　　④ 직각삼각형
⑤ 둔각삼각형

6 길이가 같은 막대 3개를 변으로 하여 만들 수 있는 삼각형은 예각삼각형, 직각삼각형, 둔각삼각형 중에서 어떤 삼각형인가요? [2점]

(　　　)

2 단원

삼각형

45

① 삼각형의 세 변의 길이의 합 구하기

기본 유형

1 이등변삼각형입니다. 세 변의 길이의 합은 몇 cm인가요?

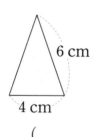

6 cm
4 cm

(   )

변형 유형

2 이등변삼각형입니다. 세 변의 길이의 합은 몇 cm인가요?

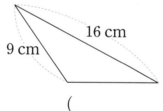

16 cm
9 cm

(   )

변형 유형

3 정삼각형입니다. 세 변의 길이의 합은 몇 cm 인가요?

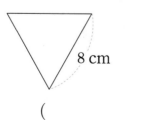

8 cm

(   )

② 정삼각형의 한 변의 길이 구하기

기본 유형

4 세 변의 길이의 합이 27 cm인 정삼각형입니다. □ 안에 알맞은 수를 써넣으세요.

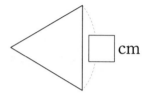

□ cm

변형 유형

5 세 변의 길이의 합이 30 cm인 삼각형입니다. □ 안에 알맞은 수를 써넣으세요.

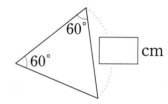

60°
60°
□ cm

문장제 유형

6 세 변의 길이의 합이 42 cm인 정삼각형이 있습니다. 이 정삼각형의 한 변의 길이는 몇 cm인가요?

(   )

실생활 유형

7 컴퍼스를 사용하여 정삼각형을 그렸습니다. 그린 정삼각형의 세 변의 길이의 합이 21 cm 일 때 한 변의 길이는 몇 cm인가요?

(   )

❸ 이등변삼각형에서 각도 구하기

기본 유형
⑧ 이등변삼각형입니다. □ 안에 알맞은 수를 써넣으세요.

(1)
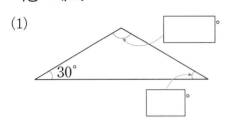

(2)
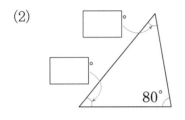

변형 유형
⑨ ㉠의 각도를 구해 보세요.

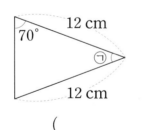

( )

실생활 유형
⑩ 이등변삼각형 모양의 옷걸이입니다. ㉠과 ㉡의 각도를 각각 구해 보세요.

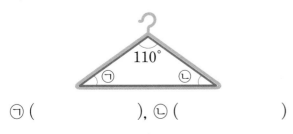

㉠ ( ), ㉡ ( )

❹ 둔각삼각형(예각삼각형)이 될 수 있는 것 찾기

기본 유형
⑪ 삼각형의 세 각 중에서 두 각의 크기를 나타낸 것입니다. 둔각삼각형을 찾아 기호를 써 보세요. [2점]

㉠ 20°, 80°
㉡ 30°, 40°

( )

변형 유형
⑫ 삼각형의 세 각 중에서 두 각의 크기를 나타낸 것입니다. 예각삼각형에 ○표 하세요.

65°, 60°   60°, 20°

( )   ( )

서술형 유형
⑬ 다음 도형이 둔각삼각형인 이유를 각도를 이용하여 설명해 보세요.

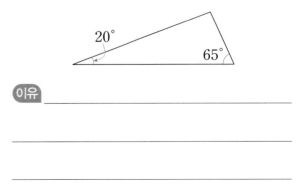

이유 _____

_____

_____

2
단원

삼각형

47

독해력 유형 **1** 이등변삼각형의 한 변의 길이 구하기

이등변삼각형입니다. 세 변의 길이의 합이 19 cm일 때 □ 안에 알맞은 수를 구해 보세요.

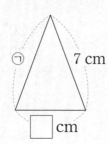

2 단원

삼각형

48

What? 구하려는 것을 찾아 밑줄을 그어 보세요.

How?
❶ 이등변삼각형의 두 변의 길이가 같음을 이용하여 ㉠의 길이 구하기
❷ 문제에 주어진 세 변의 길이의 합 알아보기
❸ ❶과 ❷를 이용하여 □ 안에 알맞은 수 구하기

Solve ❶ ㉠의 길이는 몇 cm인가요?

( )

❷ 세 변의 길이의 합은 몇 cm인가요?

( )

❸ □ 안에 알맞은 수는 얼마인가요?

( )

쌍둥이 유형 **1-1**

이등변삼각형입니다. 세 변의 길이의 합이 36 cm일 때 □ 안에 알맞은 수를 구해 보세요.

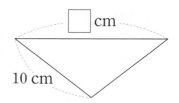

❶

❷

❸

답 _____

쌍둥이 유형 **1-2**

이등변삼각형입니다. 세 변의 길이의 합이 28 cm일 때 □ 안에 알맞은 수를 구해 보세요.

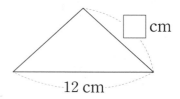

❶

❷

❸

답 _____

독해력 유형 2 삼각형을 이어 붙여 만든 각도 구하기

삼각형 ㄱㄴㄷ과 삼각형 ㄱㄹㅁ은 이등변삼각형입니다. 각 ㄴㄱㅁ의 크기를 구해 보세요.

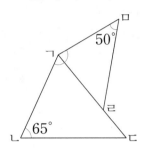

What?   구하려는 것을 찾아 밑줄을 그어 보세요.

How?   ❶ 이등변삼각형의 두 각의 크기가 같음을 이용하여 삼각형 ㄱㄴㄷ에서 각 ㄴㄱㄷ의 크기 구하기

❷ 삼각형 ㄱㄹㅁ에서 각 ㄱㄹㅁ의 크기를 구한 후 각 ㄹㄱㅁ의 크기 구하기

❸ ❶과 ❷에서 구한 값을 더하여 각 ㄴㄱㅁ의 크기 구하기

Solve   ❶ 각 ㄴㄱㄷ의 크기는 몇 도인가요?

(   )

❷ 각 ㄹㄱㅁ의 크기는 몇 도인가요?

(   )

❸ 각 ㄴㄱㅁ의 크기는 몇 도인가요?

(   )

쌍둥이 유형 2-1

삼각형 ㄱㄴㄷ과 삼각형 ㄱㄹㅁ은 이등변삼각형입니다. 각 ㄴㄱㅁ의 크기를 구해 보세요.

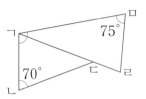

❶

❷

❸

답 _____

쌍둥이 유형 2-2

삼각형 ㄱㄴㄷ은 이등변삼각형이고 삼각형 ㄱㄹㅁ은 정삼각형입니다. 각 ㄴㄱㅁ의 크기를 구해 보세요.

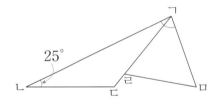

❶

❷

❸

답 _____

2
단원

삼각형

49

플러스 유형 ① 선분을 그어 만들어지는 삼각형 알기

1-1 □ 안에 알맞은 수를 써넣으세요.

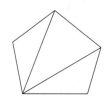

그림과 같이 오각형의 꼭짓점을 이었더니 예각삼각형이 □개, 둔각삼각형이 □개 생겼습니다.

1-2 □ 안에 알맞은 수를 써넣으세요.

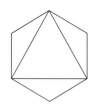

그림과 같이 육각형의 꼭짓점을 이었더니 예각삼각형이 □개, 둔각삼각형이 □개 생겼습니다.

1-3 도형의 꼭짓점을 잇는 선분을 1개 그어 예각 삼각형을 2개 만들어 보세요.

1-4 도형의 꼭짓점을 잇는 선분을 1개 그어 둔각 삼각형을 2개 만들어 보세요.

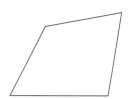

플러스 유형 ② 이유 쓰기

서술형

2-1 색종이로 그림과 같이 만든 삼각형은 정삼각형입니다. 그 이유를 써 보세요.

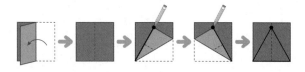

이유 _____

_____

_____

서술형

2-2 정삼각형은 이등변삼각형이라고 할 수 있습니다. 그 이유를 써 보세요.

이유 _____

_____

_____

플러스 유형 처방전

• 이등변삼각형은
  두 변의 길이가 같고 두 각의 크기가 같아용~

• 정삼각형은
  세 변의 길이가 같고 세 각의 크기가 같아용~

플러스 유형 ③   삼각형의 이름 알아보기

3-1 삼각형의 이름이 될 수 있는 것을 모두 고르세요. ·········· (   )

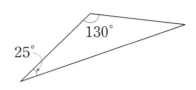

① 이등변삼각형   ② 정삼각형
③ 예각삼각형   ④ 둔각삼각형
⑤ 직각삼각형

사고력 유형
3-2 오른쪽 삼각형의 일부가 지워졌습니다. 이 삼각형은 어떤 삼각형인지 이름을 모두 써 보세요.

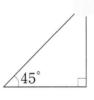

(   )

3-3 오른쪽 삼각형의 일부가 지워졌습니다. 이 삼각형은 어떤 삼각형인지 이름을 2개 써 보세요.

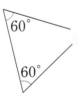

(   )

플러스 유형 처방전

삼각형의 나머지 한 각의 크기를 구하여 삼각형의 이름을 알아봐용~

플러스 유형 ④   이등변삼각형의 밖에 있는 각도 구하기

4-1 삼각형 ㄱㄴㄷ은 이등변삼각형입니다. □ 안에 알맞은 수를 써넣으세요.

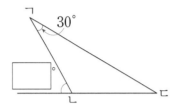

서술형
4-2 삼각형 ㄱㄴㄷ은 이등변삼각형입니다. ㉠의 각도는 몇 도인지 풀이 과정을 쓰고 답을 구해 보세요.

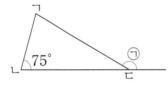

풀이

답 _____

4-3 삼각형 ㄱㄴㄷ은 이등변삼각형입니다. □ 안에 알맞은 수를 써넣으세요.

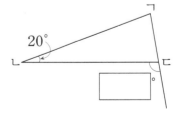

플러스 유형 5 설명에 알맞은 도형 그리기

5-1 보기 에서 설명하는 도형을 그려 보세요.

보기

- 변이 3개이고, 각이 3개입니다.
- 두 변의 길이가 같습니다.
- 세 각이 모두 예각입니다.

2
단원

삼각형

52

5-2 다은이가 설명하는 도형을 그려 보세요.

다은

변이 3개이고, 각이 3개야.
두 변의 길이가 같아.
한 각이 둔각이야.

플러스 유형 6 크고 작은 삼각형의 수 구하기

사고력 유형

6-1 그림에서 찾을 수 있는 크고 작은 예각삼각형
은 모두 몇 개인가요?

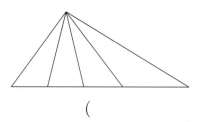

(   )

서술형

6-2 그림에서 찾을 수 있는 크고 작은 둔각삼각형
은 모두 몇 개인지 풀이 과정을 쓰고 답을 구
해 보세요.

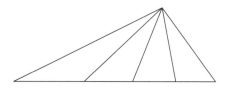

풀이

답 _____

플러스 유형 처방전

작은 삼각형 1개, 2개……짜리 삼각형 중에서
예각삼각형(둔각삼각형)을 모두 찾아봐용~

플러스 유형 ❼ 　세 변의 길이의 합이 같은
두 삼각형에서 한 변의 길이 구하기

독해력 유형

7-1 이등변삼각형 가와 나의 세 변의 길이의 합은
같습니다. □ 안에 알맞은 수를 구해 보세요.

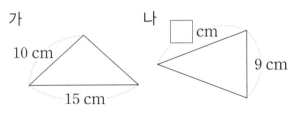

[단계 ❶] 이등변삼각형 가의 세 변의 길이의
합은 몇 cm인가요?

(　　　　　)

[단계 ❷] □ 안에 알맞은 수는 얼마인가요?

(　　　　　)

7-2 이등변삼각형 가와 나의 세 변의 길이의 합은
같습니다. □ 안에 알맞은 수를 구해 보세요.

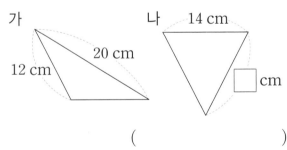

(　　　　　)

플러스 유형 처방전

이등변삼각형은 두 변의 길이가 같음을 이용하여
먼저 가의 세 변의 길이의 합을 구한 다음, 나의
□의 값을 구해용~

플러스 유형 ❽ 　삼각형을 겹쳐 만든 각도 구하기

독해력 유형

8-1 삼각형 ㄱㄴㄷ은 이등변삼각형이고 삼각형
ㄹㄴㄷ은 정삼각형입니다. 각 ㄱㄴㄷ의 크기
를 구해 보세요.

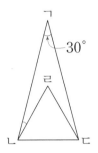

[단계 ❶] 각 ㄱㄴㄷ의 크기는 몇 도인가요?

(　　　　　)

[단계 ❷] 각 ㄹㄴㄷ의 크기는 몇 도인가요?

(　　　　　)

[단계 ❸] 각 ㄱㄴㄹ의 크기는 몇 도인가요?

(　　　　　)

8-2 삼각형 ㄱㄴㄷ은 정삼각형이고 삼각형 ㄹㄴㄷ
은 이등변삼각형입니다. 각 ㄱㄴㄹ의 크기를
구해 보세요.

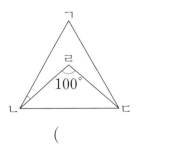

(　　　　　)

1 이등변삼각형을 찾아 기호를 써 보세요.

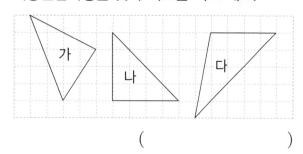

(   )

2 둔각삼각형에는 둔각이 몇 개 있나요?

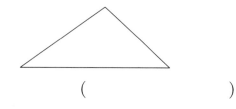

(   )

3 이등변삼각형입니다. □ 안에 알맞은 수를 써 넣으세요.

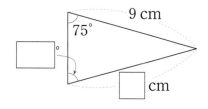

4 정삼각형입니다. □ 안에 알맞은 수를 써넣으세요.

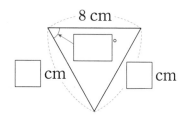

5 삼각형의 세 각의 크기를 나타낸 것입니다. 예각삼각형에 ○표 하세요.

| 40˚, 45˚, 95˚ | 35˚, 60˚, 85˚ |

(   )   (   )

6 점 종이에 주어진 삼각형을 1개씩 그려 보세요.

예각삼각형   둔각삼각형

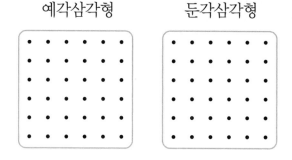

[7~8] 삼각형을 분류하려고 합니다. 물음에 답해 보세요.

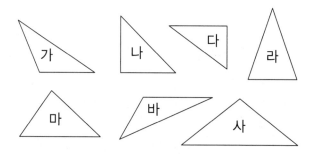

7 변의 길이에 따라 분류하여 기호를 써 보세요.

이등변삼각형	세 변의 길이가 모두 다른 삼각형
가,	다,

8 각의 크기에 따라 분류하여 기호를 써 보세요.

예각삼각형	직각삼각형	둔각삼각형

2 단원

삼각형

9 ㉠의 각도를 구해 보세요.

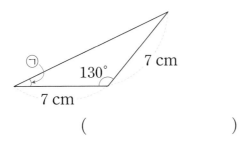

( )

10 □ 안에 알맞은 수를 써넣으세요.

그림과 같이 직사각형 모양 종이를 점선을 따라 자르면 예각삼각형이 □개, 둔각삼각형이 □개 만들어집니다.

11 선분 ㄱㄴ을 이용하여 보기와 같은 이등변삼각형을 그려 보세요.

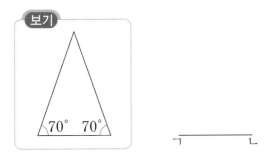

12 설명이 옳은 것을 모두 고르세요.( )
① 예각삼각형은 한 각만 예각입니다.
② 둔각삼각형은 한 각만 둔각입니다.
③ 직각삼각형에는 둔각이 있습니다.
④ 정삼각형은 예각삼각형입니다.
⑤ 이등변삼각형은 예각삼각형입니다.

13 삼각형의 이름이 될 수 있는 것을 모두 고르세요. ·········· ( )

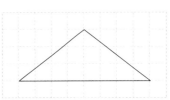

① 이등변삼각형   ② 정삼각형
③ 예각삼각형   ④ 직각삼각형
⑤ 둔각삼각형

14 오른쪽 삼각형의 세 변의 길이의 합은 몇 cm인가요?

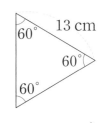

( )

15 이등변삼각형입니다. 세 변의 길이의 합이 37 cm일 때 □ 안에 알맞은 수를 써넣으세요.

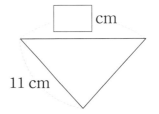

서술형
16 오른쪽 도형이 이등변삼각형이 <u>아닌</u> 이유를 각도를 이용하여 설명해 보세요.

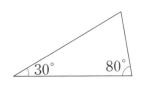

이유 _____

_____

_____

정답 및 풀이 15쪽

》 51쪽 4-2 유사 문제

서술형

17 삼각형 ㄱㄴㄷ은 이등변삼각형입니다. ㉠의 각도는 몇 도인지 풀이 과정을 쓰고 답을 구해 보세요.

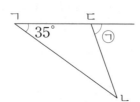

풀이 ▸ _____

_____

_____

_____

답 _____

》 52쪽 6-2 유사 문제

서술형

19 그림에서 찾을 수 있는 크고 작은 둔각삼각형은 모두 몇 개인지 풀이 과정을 쓰고 답을 구해 보세요.

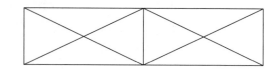

풀이 ▸ _____

_____

_____

답 _____

2 단원

삼각형

56

》 52쪽 5-2 유사 문제

18 현서가 설명하는 도형을 그려 보세요.

현서

변이 3개이고, 각이 3개야.
두 변의 길이가 같아.
한 각이 직각이야.

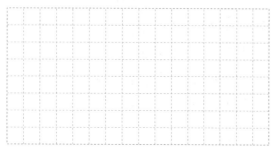

독해력 유형 서술형   》 53쪽 7-1 유사 문제

20 이등변삼각형 가와 나의 세 변의 길이의 합은 같습니다. ☐ 안에 알맞은 수는 얼마인지 풀이 과정을 쓰고 답을 구해 보세요.

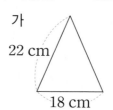
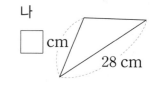

가   22 cm   18 cm

나   ☐ cm   28 cm

풀이 ▸ _____

_____

_____

_____

답 _____

진분수의 덧셈

1 □ 안에 알맞은 수를 써넣으세요.

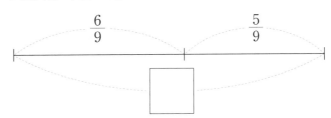

$$\frac{6}{9} \qquad \frac{5}{9}$$

대분수의 덧셈

2 시아는 달리기 연습을 하는 데 오전에 $1\frac{4}{5}$ km를 달렸고 오후에 $2\frac{2}{5}$ km를 달렸습니다. 시아가 오전과 오후에 달린 거리는 모두 몇 km인가요?

식 _____

답 _____

대분수의 뺄셈

3 가장 무거운 책과 가장 가벼운 책의 무게의 차는 몇 kg인가요?

$1\frac{7}{10}$ kg $2\frac{3}{10}$ kg $1\frac{1}{10}$ kg

(   )

2
단원

삼각형

도형을 그려라!

코딩 1 다음 명령어를 보고 주어진 명령문의 순서에 따라 도형을 그린 후, 그려진 삼각형의 이름을 써 보세요.

명령어
① 화살표 방향으로 4칸 이동
② 화살표를 시계 반대 방향으로 120°만큼 돌리기

명령문

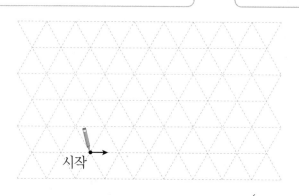

시작

(   )

코딩 2 각각의 숫자가 나타내는 모양은 다음과 같습니다. 아래의 그림에 숫자가 나타내는 선을 그린 후 그려진 삼각형의 이름을 써 보세요.

1 → □   2 → □   3 → □   4 → ◸

5 → ◿   6 → ◹   7 → ◺   8 → └

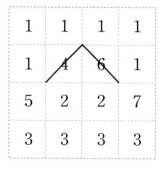

1	1	1	1
1	4	6	1
5	2	2	7
3	3	3	3

(   )

2 단원

삼각형

가로·세로 낱말 퍼즐

		① 정				
						② 임
❶						기
						응
				❸④		변
		③				
❷ 삼	각	자		소		

가로 낱말 퀴즈 →

❶ 한 각이 둔각인 삼각형은?

❷ 삼각형 모양의 자는?

❸ 두 변의 길이가 같은 삼각형은 □□□삼각형입니다.

세로 낱말 퀴즈 ↓

① 세 변의 길이가 같은 삼각형은?

② 그때그때 처한 상황에 맞춰 재빨리 그 자리에서 알맞게 결정함을 의미하는 사자성어는?

③ 난센스 퀴즈! 다리미가 좋아하는 음식은?

④ 난센스 퀴즈! 발이 두 개 달린 소는?

3 소수의 덧셈과 뺄셈

개념 1 소수 두 자리 수

1. 1보다 작은 소수 두 자리 수

$\dfrac{1}{100}$ —소수로→ [쓰기] 0.01 [읽기] 영 점 영일

$\dfrac{35}{100}$ —소수로→ [쓰기] 0.35 [읽기] 영 점 삼오

2. 1보다 큰 소수 두 자리 수

$1\dfrac{35}{100}$ —소수로→ [쓰기] 1.35 [읽기] 일 점 삼오

일의 자리		소수 첫째 자리	소수 둘째 자리
1	.	3	5

1	.		
0	.	3	
0	.	0	5

1.35는 1이 1개, 0.1이 3개, 0.01이 5개

유형

1 전체 크기가 1인 모눈종이에 색칠된 부분의 크기를 소수로 나타내어 보세요.

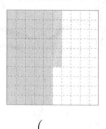

( )

2 □ 안에 알맞은 수나 말을 써넣으세요.

분수 $\dfrac{61}{100}$ 은 소수로 ☐(이)라 쓰고,

☐(이)라고 읽습니다.

3 소수를 읽거나 읽은 것을 소수로 써 보세요.

0.09	
	이 점 칠삼

4 □ 안에 알맞은 수나 말을 써넣으세요.

4.27에서

4는 ☐의 자리 숫자이고 4를,

2는 소수 첫째 자리 숫자이고 ☐을/를,

7은 소수 ☐ 자리 숫자이고 0.07을

나타냅니다.

5 밑줄 친 소수에서 8이 나타내는 수를 써 보세요.

인천대교의 전체 길이는 21.38 km로 우리나라에서 가장 긴 다리입니다.

( )

6 관계있는 것끼리 이어 보세요.

0.01이 46개인 수	•	•	0.54
영 점 사구	•	•	0.49
$\dfrac{54}{100}$	•	•	0.46

7 □ 안에 알맞은 소수를 써넣으세요.

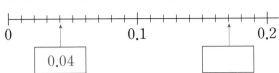

8 6이 0.6을 나타내는 소수를 찾아 기호를 써 보세요.

> ㉠ 1.06   ㉡ 6.23   ㉢ 7.68

( )

9 하윤이가 말하는 수를 쓰고 읽어 보세요.

> 자연수 부분이 8,
> 소수 첫째 자리 숫자가 3,
> 소수 둘째 자리 숫자가 4인
> 소수 두 자리 수

하윤

쓰기 ( )

읽기 ( )

10 1이 5개, 0.1이 3개, 0.01이 9개인 수를 소수로 써 보세요.

( )

개념 2 소수 세 자리 수

1. 1보다 작은 소수 세 자리 수

$\dfrac{1}{1000}$ → **쓰기** 0.001 **읽기** 영 점 영영일

$\dfrac{234}{1000}$ → **쓰기** 0.234 **읽기** 영 점 이삼사

2. 1보다 큰 소수 세 자리 수

$1\dfrac{234}{1000}$ → **쓰기** 1.234

읽기 일 점 이삼사

일의 자리	소수 첫째 자리	소수 둘째 자리	소수 셋째 자리
1 .	2	3	4

1 .			
0 .	2		
0 .	0	3	
0 .	0	0	4

1.234는 1이 1개, 0.1이 2개, 0.01이 3개,
0.001이 4개

유형

11 전체 크기가 1인 모눈종이에 색칠된 부분의 크기를 소수로 나타내어 보세요.

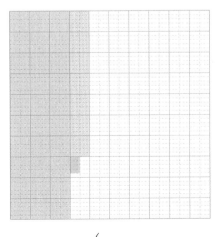

( )

3
단원

소수의 덧셈과 뺄셈

63

12 □ 안에 알맞은 수나 말을 써넣으세요.

4.129에서

4는 일의 자리 숫자이고 ▭을/를,

1은 소수 ▭ 자리 숫자이고 0.1을,

2는 소수 ▭ 자리 숫자이고 0.02를,

9는 소수 셋째 자리 숫자이고 ▭

을/를 나타냅니다.

13 소수를 잘못 읽은 친구의 이름을 찾아 쓰고 그 소수를 바르게 읽어 보세요.

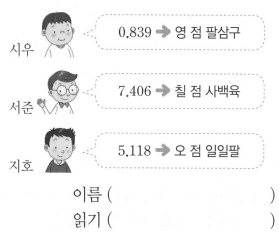

시우 — 0.839 ➡ 영 점 팔삼구

서준 — 7.406 ➡ 칠 점 사백육

지호 — 5.118 ➡ 오 점 일일팔

이름 (   )

읽기 (   )

14 □ 안에 알맞은 수를 써넣으세요.

(1) 0.007은 0.001이 ▭개인 수입니다.

(2) $\dfrac{1}{1000}$이 142개인 수를 소수로 쓰면

▭입니다.

15 소수에서 5가 나타내는 수를 써 보세요.

(1) 0.756 ➡ (   )

(2) 9.025 ➡ (   )

16 소수 셋째 자리 숫자가 8인 수를 찾아 기호를 써 보세요.

| ㉠ 0.184 | ㉡ 2.837 | ㉢ 10.528 |

(   )

17 □ 안에 알맞은 소수를 써넣으세요.

(1)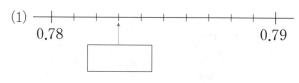

0.78   0.79

(2)

4.31   4.32

18 1이 6개, 0.1이 5개, 0.01이 8개, 0.001이 3개인 수를 소수로 쓰고 읽어 보세요.

쓰기 (   )

읽기 (   )

개념 **3** 단위 사이의 관계

길이	1 m=100 cm ➡ 1 cm=0.01 m
	1 km=1000 m ➡ 1 m=0.001 km
들이	1 L=1000 mL ➡ 1 mL=0.001 L
무게	1 kg=1000 g ➡ 1 g=0.001 kg

유형

19 □ 안에 알맞은 소수를 써넣으세요.

(1) 47 cm = ☐ m

(2) 339 mL = ☐ L

(3) 1 kg 805 g = ☐ kg

20 잘못 나타낸 것에 ○표 하세요.

| 73 m=0.73 km | 181 mL=0.181 L |

(　　)　　　(　　)

21 재훈이네 집에서 학교까지의 거리는 몇 km 인지 소수로 나타내어 보세요.

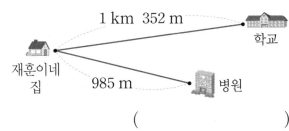

(　　　　　　　　)

개념 **4** 크기가 같은 소수

예 0.2와 0.20의 크기 비교

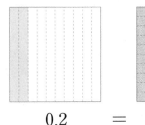　

0.2　　=　　0.20

0.2와 0.20은 같은 수입니다.
소수는 필요한 경우 오른쪽 끝자리에 0을 붙여서 나타낼 수 있습니다.

유형

22 0.8과 크기가 같은 수를 찾아 기호를 써 보세요.

| ㉠ 8.0　　㉡ 0.80　　㉢ 0.08 |

(　　　　　　　　)

23 크기가 같은 수끼리 이어 보세요.

6.5　·　　　　·　6.0

0.65　·　　　　·　6.50

6　·　　　　·　0.650

24 소수에서 생략할 수 있는 0을 찾아 **보기**와 같이 나타내어 보세요.

| 보기 |
| 0.3̸0̸　　2.09̸0̸ |

(1) 0.070　　　　(2) 5.600

개념 5 소수의 크기 비교하기

• 소수의 크기를 비교하는 방법
높은 자리부터 차례로 같은 자리의 숫자끼리 크기를 비교합니다.

자연수 부분 비교	소수 첫째 자리 숫자 비교
1.54 < 2.36	0.84 > 0.7

소수 둘째 자리 숫자 비교	소수 셋째 자리 숫자 비교
3.16 > 3.125	5.432 < 5.438

유형 ③

25 전체 크기가 1인 모눈종이에 두 소수를 나타내고 크기를 비교해 보세요.

0.52 ◯ 0.6

26 2.736과 2.727을 수직선에 각각 ↓로 나타내고 크기를 비교해 보세요.

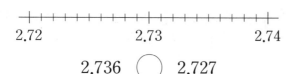

2.736 ◯ 2.727

27 두 수의 크기를 비교하여 ◯ 안에 >, =, < 를 알맞게 써넣으세요.

(1) 3.67 ◯ 3.73

(2) 13.2 ◯ 1.891

28 산의 높이를 나타낸 것입니다. 더 낮은 산의 이름을 써 보세요.

지리산	설악산
1.915 km	1.708 km

( )

29 2.64보다 큰 소수를 모두 찾아 ◯표 하세요.

0.97	2.905	2.46	4.08

30 하루에 물을 윤아는 1.25 L, 진우는 1.54 L 마십니다. 하루에 물을 더 많이 마시는 사람은 누구인가요?

( )

개념 ⑥ 소수 사이의 관계

1. 1, 0.1, 0.01, 0.001 사이의 관계

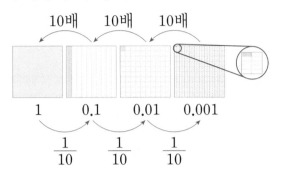

10배 10배 10배

1   0.1   0.01   0.001

$\frac{1}{10}$ $\frac{1}{10}$ $\frac{1}{10}$

2. 소수 사이의 관계

	1	.	4	
	0	.	1	4
	0	.	0	1	4

$\frac{1}{10}$ ↘ 10배 ↗
$\frac{1}{10}$ ↘ 10배 ↗

(1) 소수의 $\frac{1}{10}$ 을 하면 소수점을 기준으로 수가 오른쪽으로 한 자리 이동합니다.

(2) 소수를 10배 하면 소수점을 기준으로 수가 왼쪽으로 한 자리 이동합니다.

유형

31 빈칸에 알맞은 수를 써넣으세요.

$\frac{1}{10}$ $\frac{1}{10}$ 10배 10배

	0.1	1	10	100
		3.6	36	

32 8.26을 설명한 사람의 이름을 써 보세요.

0.826의 100배   826의 $\frac{1}{100}$

 서아   서준

(   )

33 □ 안에 알맞은 수를 써넣으세요.

(1) 16의 $\frac{1}{10}$ 은 □ , $\frac{1}{100}$ 은 □ 입니다.

(2) 0.03의 10배는 □ , 100배는 □ 입니다.

34 □ 안에 알맞은 수를 써넣으세요.

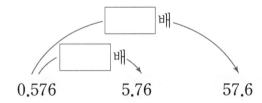

□ 배

□ 배

0.576   5.76   57.6

35 왼쪽 연두색 종이 1묶음의 무게는 0.934 kg 이고, 오른쪽 분홍색 종이 1묶음의 무게는 2 kg입니다. 물음에 답해 보세요.

0.934 kg   2 kg

(1) 연두색 종이 10묶음은 몇 kg인가요?

(   )

(2) 분홍색 종이 $\frac{1}{10}$ 묶음은 몇 kg인가요?

(   )

[1~2] 소수에 대해 설명한 것입니다. □ 안에 알맞은 수나 말을 써넣으세요.

1

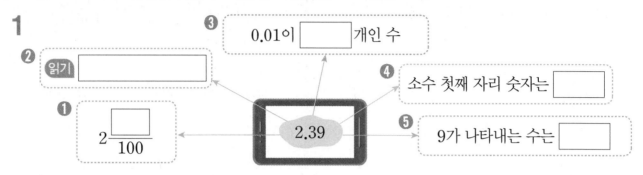

❸ 0.01이 □ 개인 수

❷ 읽기 □

❹ 소수 첫째 자리 숫자는 □

❶ 2 □/100

2.39

❺ 9가 나타내는 수는 □

2

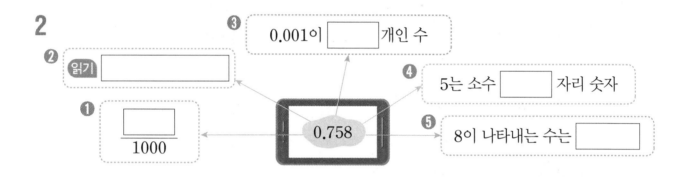

❸ 0.001이 □ 개인 수

❷ 읽기 □

❹ 5는 소수 □ 자리 숫자

❶ □/1000

0.758

❺ 8이 나타내는 수는 □

3 단원 소수의 덧셈과 뺄셈

68

[3~8] 두 수의 크기를 비교하여 ○ 안에 >, =, <를 알맞게 써넣으세요.

3 0.14 ○ 0.45

4 3.513 ○ 3.53

5 0.62 ○ 0.620

6 5.01 ○ 5.009

7 4.932 ○ 4.927

8 0.57 ○ 0.635

[9~10] 빈칸에 알맞은 수를 써넣으세요.

9

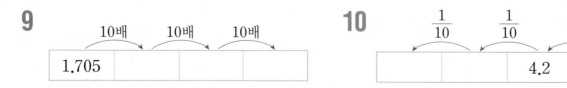

10배 → 10배 → 10배 →

| 1.705 | | | |

10

1/10 → 1/10 → 1/10 →

| | | | 4.2 | 42 |

1 □ 안에 알맞은 수를 써넣으세요. [1점]

(1) 1.36의 10배는 [   ]입니다.

(2) 1.36의 $\frac{1}{10}$은 [   ]입니다.

2 은현이가 사용한 색 테이프입니다. 사용한 색 테이프는 몇 m 인가요? [1점]

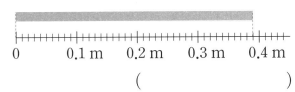

0   0.1 m   0.2 m   0.3 m   0.4 m

(   )

3 □ 안에 알맞은 소수를 써넣으세요. [1점]

1이 5개, $\frac{1}{100}$이 8개, $\frac{1}{1000}$이 3개인 수는 [   ]입니다.

4 4가 0.04를 나타내는 소수를 찾아 ○표 하세요. [1점]

2.47   4.51   7.84

5 우진이가 친구의 집에 가려고 합니다. 갈림길에서는 더 작은 소수가 있는 길로 가야 합니다. 우진이가 도착한 곳은 누구의 집인지 써 보세요. [2점]

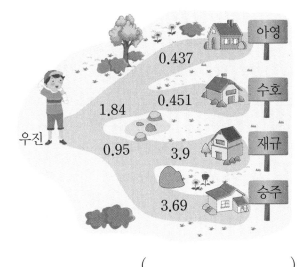

(   )

6 □ 안에 알맞은 수를 모두 더하면 얼마인가요? [2점]

• 8은 0.008의 [   ]배입니다.

• 3.1은 0.031의 [   ]배입니다.

(   )

7 5.355보다 크고 5.39보다 작은 소수 두 자리 수는 모두 몇 개인가요? [2점]

(   )

개념 **7** 소수 한 자리 수의 덧셈

예 0.8+1.6의 계산

방법 1 그림으로 알아보기

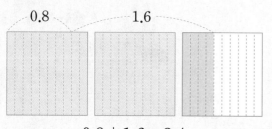

0.8   1.6

$0.8+1.6=2.4$

방법 2 세로로 계산하기

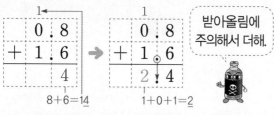

받아올림에 주의해서 더해.

$8+6=14$ $1+0+1=2$

① 소수점끼리 맞추어 세로로 씁니다.
② 같은 자리 수끼리 더합니다.
③ 소수점을 그대로 내려 찍습니다.

유형

1 전체 크기가 1인 모눈종이입니다. □ 안에 알맞은 수를 써넣으세요.

$0.2+0.5=$ □

2 수직선을 보고 □ 안에 알맞은 수를 써넣으세요.

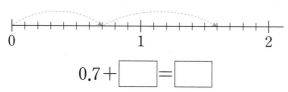

$0.7+$ □ $=$ □

3 두 수의 합을 빈칸에 써넣으세요.

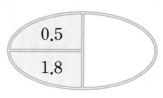

0.5

1.8

4 크기를 비교하여 ○ 안에 >, =, <를 알맞게 써넣으세요.

$3.6+2.7$ ○ 5.4

5 계산 결과가 같은 것끼리 이어 보세요.

$0.6+0.9$ •   • $0.9+0.8$

$0.8+0.4$ •   • $0.7+0.8$

$1.4+0.3$ •   • $0.6+0.6$

6 재훈이 어머니께서는 정육점에서 돼지고기 1.2 kg과 소고기 0.8 kg을 샀습니다. 재훈이 어머니께서 산 고기는 모두 몇 kg인가요?

식 _____

답 _____

개념 8　소수 한 자리 수의 뺄셈

(예) 2.1−1.5의 계산

방법 1 그림으로 알아보기

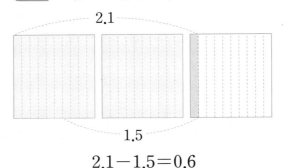

2.1−1.5=0.6

방법 2 세로로 계산하기

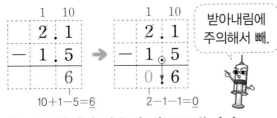

받아내림에 주의해서 빼.

① 소수점끼리 맞추어 세로로 씁니다.
② 같은 자리 수끼리 뺍니다.
③ 소수점을 그대로 내려 찍습니다.

유형

7 전체 크기가 1인 모눈종이에 색칠된 부분에서 0.6만큼 ×로 지우고 □ 안에 알맞은 수를 써넣으세요.

0.8−0.6=□

8 빈 곳에 알맞은 수를 써넣으세요.

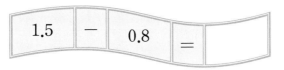

9 3.2−1.5를 계산하려고 합니다. □ 안에 알맞은 수를 써넣으세요.

3.2는 0.1이 □ 개입니다.
1.5는 0.1이 □ 개입니다.
3.2−1.5는 0.1이 □ 개이므로 □ 입니다.

10 바르게 계산한 사람의 이름을 써 보세요.

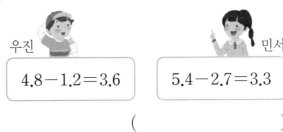

우진　4.8−1.2=3.6
민서　5.4−2.7=3.3

(　　　　　　　)

11 지호 어머니께서는 쌀 0.8 kg과 콩 0.3 kg을 섞어서 밥을 지었습니다. 쌀과 콩의 무게의 차는 몇 kg인가요?

식

답

개념 9 소수 두 자리 수의 덧셈

1. 소수 두 자리 수의 덧셈

예 0.56＋0.17의 계산

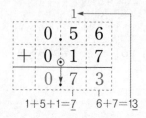

1+5+1=7   6+7=13

2. 자릿수가 다른 소수의 덧셈

예 2.87＋1.6의 계산

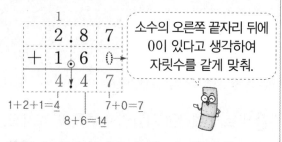

소수의 오른쪽 끝자리 뒤에 0이 있다고 생각하여 자릿수를 같게 맞춰.

1+2+1=4   7+0=7
8+6=14

① 소수점끼리 맞추어 세로로 씁니다.
② 같은 자리 수끼리 더합니다.
③ 소수점을 그대로 내려 찍습니다.

3 단원

소수의 덧셈과 뺄셈

72

12 □ 안에 알맞은 수를 써넣으세요.

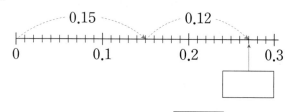

0.15＋0.12＝[　　]

13 계산해 보세요.

(1)　　2.0 4
　　＋3.4 7

(2)　　0.7 2
　　＋0.9

14 설명하는 수가 얼마인지 구해 보세요.

> 0.63보다 2.14만큼 더 큰 수

(　　　　　　　　)

15 크기를 비교하여 ○ 안에 ＞, ＝, ＜를 알맞게 써넣으세요.

0.28＋0.45 ◯ 0.71

16 3.82＋0.7을 잘못 계산한 것입니다. 바르게 계산해 보세요.

　　3.8 2
　＋　0.7　→
　　3.8 9

17 50원짜리 동전의 무게는 4.16 g이고 100원짜리 동전의 무게는 5.42 g입니다. 두 동전의 무게의 합은 몇 g인가요?

4.16 g　　　　5.42 g

식

답 _____

개념 **10** 소수 두 자리 수의 뺄셈

1. 소수 두 자리 수의 뺄셈

예 0.93−0.48의 계산

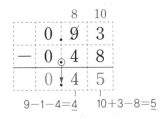

$9-1-4=\underline{4}$　$10+3-8=\underline{5}$

2. 자릿수가 다른 소수의 뺄셈

예 6.4−1.36의 계산

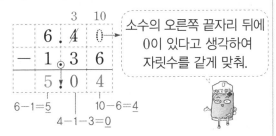

> 소수의 오른쪽 끝자리 뒤에 0이 있다고 생각하여 자릿수를 같게 맞춰.

$6-1=\underline{5}$　$10-6=\underline{4}$
$4-1-3=\underline{0}$

① 소수점끼리 맞추어 세로로 씁니다.
② 같은 자리 수끼리 뺍니다.
③ 소수점을 그대로 내려 찍습니다.

 유형

18 전체 크기가 1인 모눈종이의 색칠한 부분에서 0.23만큼 ×로 지우고 ☐ 안에 알맞은 수를 써넣으세요.

$$0.76-0.23=\boxed{}$$

19 계산해 보세요.

(1) $\begin{array}{r} 3.35 \\ -0.17 \\ \hline \end{array}$ 　　(2) $\begin{array}{r} 2.62 \\ -1.8 \\ \hline \end{array}$

20 ☐ 안에 알맞은 수를 써넣으세요.

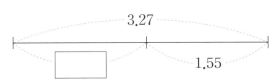

21 직사각형 모양 거울의 가로와 세로의 길이의 차는 몇 m인가요?

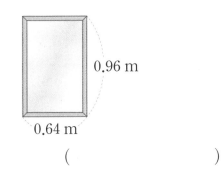

0.96 m

0.64 m

(　　　　　　　　)

22 토마토가 들어 있는 바구니는 5.46 kg입니다. 빈 바구니가 0.52 kg일 때 바구니에 들어 있는 토마토는 몇 kg인가요?

식 _____

 답 _____

[1~9] 계산해 보세요.

1
```
  0.3
+ 0.6
```

2
```
  0.9
- 0.2
```

3
```
  3
- 2.3
```

4
```
  0.76
+ 0.22
```

5
```
  2.04
+ 4.58
```

6
```
  14.73
+  1.94
```

7
```
  0.56
- 0.15
```

8
```
  3.78
- 1.7
```

9
```
  7.46
- 2.88
```

[10~11] 가습기에 물을 더 부으면 물은 모두 몇 L가 되는지 □ 안에 알맞은 수를 써넣으세요.

10

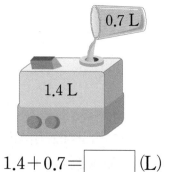

0.7 L

1.4 L

$1.4 + 0.7 = \boxed{}$ (L)

11

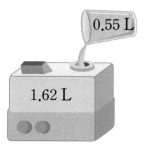

0.55 L

1.62 L

$1.62 + \boxed{} = \boxed{}$ (L)

[12~13] 화분에 물을 주고 나면 물은 몇 L가 남는지 □ 안에 알맞은 수를 써넣으세요.

12

1.5 L   0.4 L

$1.5 - 0.4 = \boxed{}$ (L)

13

2.27 L   0.5 L

$2.27 - \boxed{} = \boxed{}$ (L)

유형 진단 TEST

점수
/10점

1 □ 안에 알맞은 수를 써넣으세요. [1점]

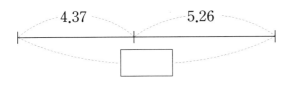

4.37　　　5.26

2 빈칸에 알맞은 수를 써넣으세요. [1점]

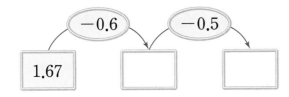

−0.6　　−0.5

1.67

3 예서와 주아의 머리핀의 길이의 합은 몇 cm 인가요? [2점]

예서
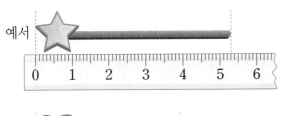

주아
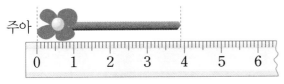

식 _____

답 _____

4 □ 안에 알맞은 숫자를 써넣으세요. [2점]

(1)
```
   7 . 8
-  7 . □
─────────
   □ . 4
```

(2)
```
   0 . □
+  2 . 6
─────────
   □ . 5
```

5 대화를 읽고 두 사람이 생각하는 소수의 차를 구해 보세요. [2점]

서아: 내가 생각하는 소수는 1이 9개, 0.1이 4개, 0.01이 6개 있어.

시우: 내가 생각하는 소수 한 자리 수는 자연수 부분이 5이고, 소수 첫째 자리 숫자가 8이야.

(　　　　　　　)

6 철사가 12.8 m 있었습니다. 미술 시간에 철사를 3.5 m씩 2번 사용하였습니다. 남은 철사는 몇 m인가요? [2점]

(　　　　　　　)

1 세 소수의 크기 비교하기

기본 유형

1 가장 작은 수를 찾아 기호를 써 보세요.

> ㉠ 1.829 ㉡ 1.89 ㉢ 1.902

( )

변형 유형

2 병에 들어 있는 주스의 양을 나타낸 것입니다. 주스가 가장 많이 들어 있는 것을 찾아 ○표 하세요.

2.05 L 1.94 L 2.2 L

( ) ( ) ( )

실생활 유형

3 하윤이네 집에서부터 학교, 문구점, 마트까지의 거리를 나타낸 것입니다. 집에서 가장 가까운 장소를 찾아 써 보세요.

장소	거리
학교	0.842 km
문구점	0.805 km
마트	0.92 km

하윤

( )

2 세 수의 덧셈

기본 유형

4 세 수의 합을 구해 보세요.

> 1.47 2.33 1.14

( )

변형 유형

5 □ 안에 알맞은 수를 써넣으세요.

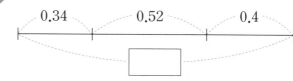

0.34 0.52 0.4

실생활 유형

6 한라산 성판악 탐방로의 각 장소 사이의 거리를 나타낸 것입니다. 성판악 탐방 안내소에서 정상까지의 거리는 몇 km인가요?

4.1 km 3.2 km 2.3 km

성판악 탐방 안내소 / 속밭 대피소 / 진달래밭 대피소 / 정상

( )

❸ 0.01, 0.001 큰(작은) 수 구하기

기본 유형
7 □ 안에 알맞은 수를 써넣으세요.

> 2.647보다 0.001 작은 수는 □
>
> 2.647보다 0.01 큰 수는 □

변형 유형
8 □ 안에 알맞은 수를 써넣으세요.

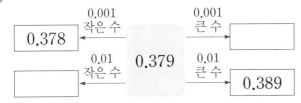

변형 유형
10 □ 안에 알맞은 수를 써넣으세요.

$$\boxed{}+0.74=1.49$$

변형 유형
11 □ 안에 알맞은 수를 써넣으세요.

$$\boxed{}-6.17=0.43$$

문장제 유형
12 4.3에 어떤 수를 더했더니 6.08이 되었습니다. 어떤 수는 얼마인가요?

(　　　　　　　)

실생활 유형
9 우진이의 키는 1.39 m이고 민서는 우진이보다 0.01 m 더 큽니다. 민서의 키는 몇 m인가요?

(　　　　　　　)

❹ □ 안에 알맞은 수 구하기

기본 유형
10 □ 안에 알맞은 수를 써넣으세요.

실생활 유형
13 병에 간장이 들어 있었습니다. 어머니께서 병에 간장을 1.25 L 더 부었더니 2.3 L가 되었습니다. 처음 병에 들어 있던 간장은 몇 L인가요?

(　　　　　　　)

❸
단원

소수의 덧셈과 뺄셈

77

독해력 유형 **1** 거꾸로 생각하여 어떤 수 구하기

어떤 수를 100배 한 수는 207입니다. 어떤 수의 $\frac{1}{10}$ 은 얼마인지 구해 보세요.

What? 구하려는 것을 찾아 밑줄을 그어 보세요.

How?
❶ '어떤 수를 100배 한 수는 207입니다.'를 거꾸로 생각해 보기
❷ ❶을 이용하여 어떤 수 구하기
❸ ❷에서 구한 수의 $\frac{1}{10}$ 구하기

Solve
❶ 거꾸로 생각하여 ☐ 안에 알맞은 수를 써넣으세요.

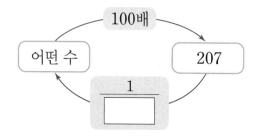

100배
어떤 수 → 207
$\frac{1}{\boxed{}}$

❷ 어떤 수는 얼마인가요?
( )

❸ 어떤 수의 $\frac{1}{10}$ 은 얼마인가요?
( )

쌍둥이 유형 **1-1**

어떤 수를 10배 한 수는 1456입니다.
어떤 수의 $\frac{1}{100}$ 은 얼마인지 구해 보세요.

❶

❷

❸

답 _____

쌍둥이 유형 **1-2**

어떤 수의 $\frac{1}{10}$ 은 0.819입니다. 어떤 수를 10배 한 수는 얼마인지 구해 보세요.

❶

❷

❸

답 _____

독해력 유형 2 카드로 만든 소수의 차(합) 구하기

4장의 카드를 한 번씩 모두 사용하여 소수 두 자리 수를 만들려고 합니다. 만들 수 있는 가장 큰 수와 가장 작은 수의 차를 구해 보세요.

| 3 | 6 | 5 | . |

What? 구하려는 것을 찾아 밑줄을 그어 보세요.

How? ❶ 일, 소수 첫째, 소수 둘째 자리의 순서로 가장 큰 수부터 차례로 써서 가장 큰 수 만들기

❷ 일, 소수 첫째, 소수 둘째 자리의 순서로 가장 작은 수부터 차례로 써서 가장 작은 수 만들기

❸ ❶과 ❷에서 만든 두 수의 차 구하기

Solve ❶ 가장 큰 소수 두 자리 수를 만들어 보세요.

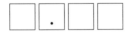

❷ 가장 작은 소수 두 자리 수를 만들어 보세요.

❸ 만들 수 있는 가장 큰 수와 가장 작은 수의 차를 구해 보세요.

( )

 쌍둥이 유형 2-2 에서는 □□.□□와 같이 소수 두 자리 수의 자연수 부분이 두 자리 수인 것에 주의해.

쌍둥이 유형 2-1

4장의 카드를 한 번씩 모두 사용하여 소수 두 자리 수를 만들려고 합니다. 만들 수 있는 가장 큰 수와 가장 작은 수의 합을 구해 보세요.

| 7 | 1 | 4 | . |

❶

❷

❸

답 _____

쌍둥이 유형 2-2

5장의 카드를 한 번씩 모두 사용하여 소수 두 자리 수를 만들려고 합니다. 만들 수 있는 가장 큰 수와 가장 작은 수의 차를 구해 보세요.

| 3 | 5 | 8 | 1 | . |

❶

❷

❸

답 _____

플러스 유형 1 단위를 같게 하여 계산하기

1-1 두 길이의 합은 몇 m인가요?

0.36 m   52 cm

(   )

1-2 두 들이의 차는 몇 L인가요?

1.3 L   900 mL

(   )

1-3 다음이 나타내는 무게는 몇 kg인가요?

2.92 kg보다 820 g 더 가벼운 무게

(   )

플러스 유형 처방전

• 1 cm=0.01 m   • 1 m=0.001 km
• 1 mL=0.001 L   • 1 g=0.001 kg

플러스 유형 2 나타내는 수보다 더 큰(작은) 수 구하기

2-1 다음이 나타내는 수보다 0.8만큼 더 큰 수를 구해 보세요.

0.1이 45개인 수

(   )

2-2 다음이 나타내는 수보다 2.1만큼 더 작은 수를 구해 보세요.

1이 6개, 0.1이 3개인 수

(   )

2-3 수직선에서 ㉠이 나타내는 수보다 0.93만큼 더 큰 수를 구해 보세요.

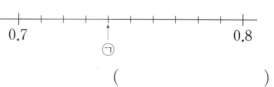

(   )

2-4 수직선에서 ㉠이 나타내는 수보다 4.22만큼 더 작은 수를 구해 보세요.

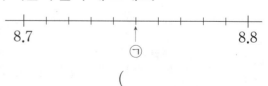

(   )

플러스 유형 ❸　　나타내는 수 사이의 관계

3-1　⊙이 나타내는 수는 ⓒ이 나타내는 수의 몇 배인가요?

> 3 . 5 5
> 　↑ ↑
> 　⊙ⓒ

(　　　　　　　　)

3-2　⊙이 나타내는 수는 ⓒ이 나타내는 수의 몇 배인가요?

> 2 . 9 0 9
> ↑　 ↑
> ⊙　 ⓒ

(　　　　　　　　)

사고력 유형

3-3　ⓒ이 나타내는 수는 ⊙이 나타내는 수의 몇 분의 몇인가요?

> 1 . 4 1 6
> 　↑　 ↑
> 　⊙　 ⓒ

(　　　　　　　　)

플러스 유형 처방전

같은 숫자라도 어느 자리에 있느냐에 따라 나타내는 수가 달라져용~
높은 자리 숫자일수록 나타내는 수가 더 커용~

플러스 유형 ❹　　☐ 안에 들어갈 수 있는 수 구하기

4-1　0부터 9까지의 수 중에서 ☐ 안에 들어갈 수 있는 수를 모두 구해 보세요.

> 0.856 < 0.8☐2

(　　　　　　　　)

서술형

4-2　0부터 9까지의 수 중에서 ☐ 안에 들어갈 수 있는 수를 모두 구하려고 합니다. 풀이 과정을 쓰고 답을 구해 보세요.

> 3.471 < 3.4☐5

풀이

답 _____

4-3　0부터 9까지의 수 중에서 ☐ 안에 들어갈 수 있는 수를 모두 구해 보세요.

> 5.☐28 < 5.501

(　　　　　　　　)

③
단원

소수의 덧셈과 뺄셈

81

플러스 유형 ⑤ 세로셈에서 □의 값 구하기

5-1 □ 안에 알맞은 숫자를 써넣으세요.

$$
\begin{array}{r}
4\,.\,\boxed{}\,6 \\
-\ 1\,.\,5\,\boxed{} \\
\hline
\boxed{}\,.\,9\quad2
\end{array}
$$

서술형

5-2 ㉠, ㉡, ㉢에 알맞은 숫자를 구하려고 합니다. 풀이 과정을 쓰고 답을 구해 보세요.

$$
\begin{array}{r}
7\,.\,8\,\boxed{㉠} \\
-\ 2\,.\,\boxed{㉡}\,9 \\
\hline
\boxed{㉢}\,.\,1\quad4
\end{array}
$$

풀이

_____

_____

_____

_____

답 ㉠ _____, ㉡ _____, ㉢ _____

5-3 덧셈식에 잉크가 묻어 일부분이 보이지 않습니다. ㉠, ㉡, ㉢에 알맞은 숫자를 구해 보세요.

$$
\begin{array}{r}
㉠\,.\,8\quad3 \\
+\ 3\,.\,9\quad㉡ \\
\hline
6\,.\,㉢\quad7
\end{array}
$$

㉠ (   ), ㉡ (   ), ㉢ (   )

플러스 유형 ⑥ 조건을 만족하는 소수 구하기

사고력 유형

6-1 조건을 만족하는 소수 세 자리 수를 구해 보세요.

조건
- 4보다 크고 5보다 작습니다.
- 소수 첫째 자리 숫자는 1입니다.
- 이 소수를 10배 하면 소수 첫째 자리 숫자는 9가 됩니다.
- 소수 셋째 자리 숫자는 0.005를 나타냅니다.

(   )

서술형

6-2 조건을 만족하는 소수 세 자리 수를 구하려고 합니다. 풀이 과정을 쓰고 답을 구해 보세요.

조건
- 1보다 작습니다.
- 소수 첫째 자리 숫자는 6입니다.
- 소수 둘째 자리 숫자는 0을 나타냅니다.
- 소수 셋째 자리 숫자는 4로 나누어떨어지는 수 중에서 가장 큰 수입니다.

풀이

_____

_____

_____

_____

답 _____

플러스 유형 ❼　　바르게 계산한 값 구하기

독해력 유형

7-1 어떤 수에 5.4를 더해야 할 것을 잘못하여 4.5를 뺐더니 3.6이 되었습니다. 바르게 계산하면 얼마인지 구해 보세요.

단계1 어떤 수를 □라 하여 잘못 계산한 뺄셈식을 써 보세요.

식 ＿＿＿＿＿＿＿＿＿＿＿＿＿＿

단계2 어떤 수는 얼마인가요?

(　　　　　　　)

단계3 바르게 계산하면 얼마인가요?

(　　　　　　　)

7-2 대화를 읽고 지호가 바르게 계산하면 얼마인지 구해 보세요.

선생님

> 지호야, 이 문제를 왜 틀린 걸까? 어떻게 계산한 건지 설명해 볼래?

> 제가 어떤 수에 0.73을 더해야 할 것을 잘못해서 0.37을 뺐더니 1.81이 되었어요.

지호

(　　　　　　　)

플러스 유형 ❽　　전체 거리 구하기

독해력 유형

8-1 가에서 라까지의 거리는 몇 km인지 구해 보세요.

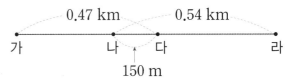

단계1 나에서 다까지의 거리는 몇 km인가요?

(　　　　　　　)

단계2 다에서 라까지의 거리는 몇 km인가요?

(　　　　　　　)

단계3 가에서 라까지의 거리는 몇 km인가요?

(　　　　　　　)

8-2 A에서 D까지의 거리는 몇 km인지 구해 보세요.

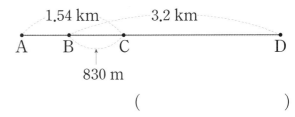

(　　　　　　　)

플러스 유형 처방전

• 가에서 라까지의 거리 구하기

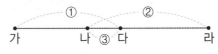

①＋②를 계산한 후 겹친 부분 ③을 빼어 구할 수도 있어용~

3
단원

소수의 덧셈과 뺄셈

83

3 단원

소수의 덧셈과 뺄셈

84

1 전체 크기가 1인 모눈종이에 색칠된 부분의 크기를 소수로 나타내어 보세요.

(   )

2 계산해 보세요.

$$\begin{array}{r} 0.8 \\ +\,3.1 \\ \hline \end{array}$$

3 두 수의 차를 빈 곳에 써넣으세요.

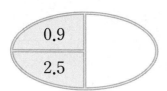

4 소수에서 생략할 수 있는 0을 모두 찾아 / 표시 해 보세요.

| 2.090   0.084   7.200 |

5 □ 안에 알맞은 수를 써넣으세요.

9의 $\frac{1}{10}$ 은 ☐, $\frac{1}{100}$ 은 ☐ 입니다.

6 두 수의 크기를 비교하여 ○ 안에 >, =, < 를 알맞게 써넣으세요.

4.306 ◯ 4.371

7 7.83－2.6을 잘못 계산한 것입니다. 바르게 계산해 보세요.

$$\begin{array}{r} 7.8\ 3 \\ -\quad 2.6 \\ \hline 7.5\ 7 \end{array}$$ →

8 양화대교의 길이는 $1\frac{53}{1000}$ km입니다. 이 길이를 소수로 나타내고 읽어 보세요.

쓰기 (   ) km

읽기 (   ) km

9 소수 8.04에 대해 바르게 설명한 것을 모두 고르세요. ……………………… (　　)

① 팔 점 사라고 읽습니다.
② 1이 8개, 0.01이 4개인 수입니다.
③ 일의 자리 숫자는 0입니다.
④ 소수 첫째 자리 숫자는 8입니다.
⑤ 4는 0.04를 나타냅니다.

10 ㉠과 ㉡에 알맞은 수를 각각 구해 보세요.

> • 2.4는 0.024의 ㉠ 배입니다.
> • 3.029는 30.29의 ㉡ 입니다.

㉠ (　　　　　), ㉡ (　　　　　)

11 태주가 미술 시간에 사용한 철사입니다. 사용한 철사는 몇 m인가요?

0　　0.1 m　0.2 m　0.3 m　0.4 m　0.5 m

(　　　　　　　)

12 윤호는 체험농장에서 고구마를 2.41 kg, 감자를 3.03 kg 캤습니다. 윤호가 캔 고구마와 감자는 모두 몇 kg인가요?

식 _____

답 _____

13 두 무게의 합은 몇 kg인가요?

0.15 kg　　　　80 g

(　　　　　　　)

14 8이 나타내는 수가 가장 작은 수를 찾아 기호를 써 보세요.

㉠ 0.418　　㉡ 5.83　　㉢ 2.087

(　　　　　　　)

15 물 1.5 L, 우유 900 mL, 주스 1.72 L가 있습니다. 물, 우유, 주스 중에서 가장 많은 것은 어느 것인가요?

(　　　　　　　)

16 어떤 수를 100배 한 수는 1345입니다. 어떤 수의 $\frac{1}{10}$은 얼마인가요?

(　　　　　　　)

» 81쪽 4-2 유사 문제

서술형

17 0부터 9까지의 수 중에서 □ 안에 들어갈 수 있는 수를 모두 구하려고 합니다. 풀이 과정을 쓰고 답을 구해 보세요.

$$6.273 < 6.2\boxed{}1$$

풀이

답 _____

» 82쪽 5-2 유사 문제

서술형

18 ㉠, ㉡, ㉢에 알맞은 숫자를 구하려고 합니다. 풀이 과정을 쓰고 답을 구해 보세요.

$$\begin{array}{r} 6\,.\,\boxed{㉠}\,9 \\ -\ \boxed{㉡}\,.\,2\,8 \\ \hline 1\,.\,8\,\boxed{㉢} \end{array}$$

풀이

답 ㉠ _____, ㉡ _____, ㉢ _____

» 82쪽 6-2 유사 문제

서술형

19 조건 을 만족하는 소수 세 자리 수를 구하려고 합니다. 풀이 과정을 쓰고 답을 구해 보세요.

조건

• 7보다 크고 8보다 작습니다.
• 소수 첫째 자리 숫자는 0.5를 나타냅니다.
• 소수 둘째 자리 숫자는 2입니다.
• 소수 셋째 자리 숫자는 3으로 나누어떨어지는 수 중에서 가장 큰 수입니다.

풀이

답 _____

» 83쪽 8-1 유사 문제

독해력 유형 서술형

20 가에서 라까지의 거리는 몇 km인지 풀이 과정을 쓰고 답을 구해 보세요.

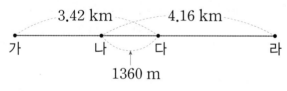

풀이

답 _____

3 단원

소수의 덧셈과 뺄셈

이등변삼각형의 성질 ①

이등변삼각형입니다. □ 안에 알맞은 수를 써넣으세요.

이등변삼각형은
두 각의 크기가 같아.

(1)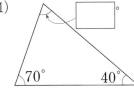

(2)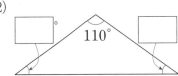

정삼각형의 성질 ②

정삼각형에 대해 바르게 말한 사람을 찾아 이름을 써 보세요.

두 변의 길이만
같은 삼각형이야.

시우

세 각의 크기가
모두 같아.

지안

한 각의 크기는
90°야.

다은

(   )

삼각형을 변의 길이, 각의 크기에 따라 분류하기 ③

다음 삼각형의 이름이 될 수 있는 것을 모두 고르세요. (   )

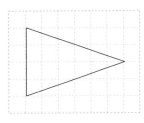

① 이등변삼각형   ② 정삼각형
③ 예각삼각형   ④ 직각삼각형
⑤ 둔각삼각형

화살표를 따라 나오는 값을 찾아라!

코딩 1 화살표의 방향으로 이동하면서 규칙에 따라 빈칸에 알맞은 수를 써넣으세요.

규칙

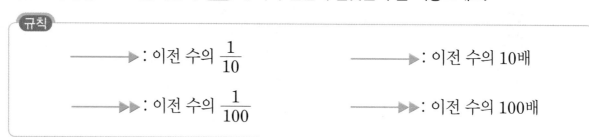

⟶ : 이전 수의 $\frac{1}{10}$　　　⟶ : 이전 수의 10배

⟶▶ : 이전 수의 $\frac{1}{100}$　　　⟶▶ : 이전 수의 100배

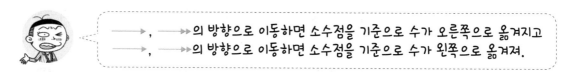

⟶, ⟶▶의 방향으로 이동하면 소수점을 기준으로 수가 오른쪽으로 옮겨지고
⟶, ⟶▶의 방향으로 이동하면 소수점을 기준으로 수가 왼쪽으로 옮겨져.

화살표의 규칙에 따라 하나씩 빈칸을 채워 보면
마지막에 나오는 값을 구할 수 있겠네.

❶

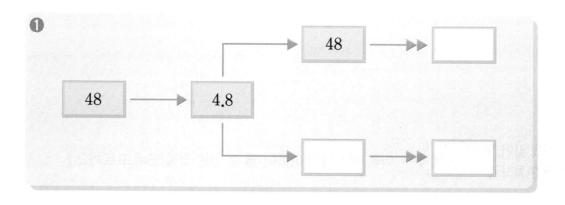

❷

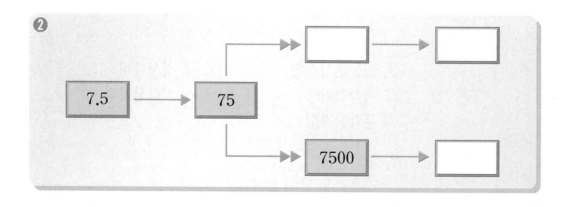

글자 카드로 단어를 만들어 보자!

창의 2 서아와 현서가 각자 말하고 있는 소수를 나타내는 카드의 글자를 적어 단어를 만들어 보세요.

첫 번째 글자는 서아의 카드로,
두 번째 글자는 현서의 카드로 조합해서 만들어 봐~

1.01

0.483

서아

현서

물	빛	돈
일 점 칠구	$\dfrac{376}{1000}$	영 점 영이일

꽃	새	차
$0.87 + 0.14$	$2.6 - 1.4$	이 점 오팔

용	불	게
0.01이 73개인 수	$1\dfrac{64}{100}$	0.001이 483개인 수

4 사각형

어제 저녁에 박물관의
전시품 도난 사건이 발생!
경비 아저씨가 경보음이 울린 순간 시곗바늘이
서로 수직이었다고 진술했군.
그리고 현장에 떨어져 있던 남자 가발.
흠, 용의자의 진술을 들어 보면
범인을 찾을 수 있겠어.

각자 어제 저녁에 박물관에서
뭘 했는지 말해 보세요~

8시부터 8시 15분까지
청소 도구를 정리하고
퇴근했어요.

7시 30분과 7시 50분 사이에
박물관에서 주문한 화분을
놓고 나왔습니다.

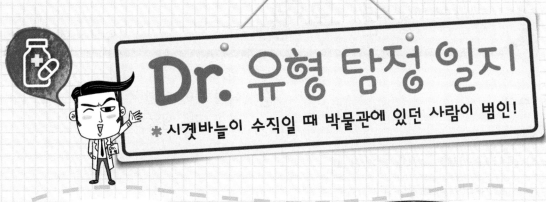

개념 1 수직

1. 수직과 수선

두 직선이 만나서 이루는 각이 직각일 때, 두 직선은 서로 수직이라고 합니다.

두 직선이 서로 수직으로 만났을 때, 한 직선을 다른 직선에 대한 수선이라고 합니다.

2. 수선 긋기

(1) 삼각자를 사용하여 수선 긋기

(2) 각도기를 사용하여 수선 긋기

> 한 직선에 대한 수선은 셀 수 없이 많이 그을 수 있어.

4 단원

사각형

92

유형

1 삼각자를 사용하여 수선을 바르게 그은 것에 ○표 하세요.

(   )   (   )

2 직선 가에 대한 수선을 그으려고 합니다. 점 ㄱ과 어느 점을 이어야 할까요? ·····(   )

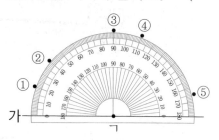

3 □ 안에 알맞은 말을 써넣으세요.

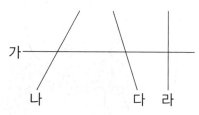

(1) 직선 **가**에 수직인 직선은 직선 □입니다.

(2) 직선 **라**는 직선 **가**에 대한 □입니다.

4 서로 수직인 변이 있는 도형을 찾아 기호를 써 보세요.

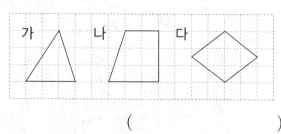

(   )

5 삼각자를 사용하여 주어진 직선에 대한 수선을 그어 보세요.

6 각도기를 사용하여 직선 가에 수직인 직선을 그어 보세요.

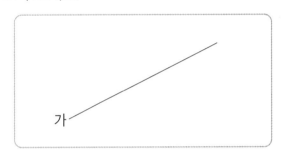

가

7 한 직선에 대한 수선은 모두 몇 개 그을 수 있나요?·······················(　　)

① 1개　　　 ② 2개　　　 ③ 5개
④ 10개　　　 ⑤ 셀 수 없이 많습니다.

8 직사각형 ㄱㄴㄷㄹ에서 직선 가와 수직인 변을 모두 찾아 써 보세요.

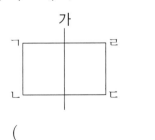

(　　　　　　　)

개념 **2** 평행

1. 평행과 평행선

한 직선에 수직인 두 직선을 그었을 때, 그 두 직선은 서로 만나지 않습니다. 이와 같이 서로 만나지 않는 두 직선을 **평행**하다고 합니다.

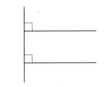

평행한 두 직선을 **평행선**이라고 합니다.

2. 삼각자를 사용하여 평행선 긋기

(1) 주어진 직선과 평행한 직선 긋기

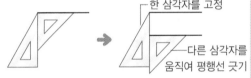

한 삼각자를 고정

다른 삼각자를 움직여 평행선 긋기

참고 한 직선과 평행한 직선은 셀 수 없이 많이 그을 수 있습니다.

(2) 점 ㄱ을 지나고 주어진 직선과 평행한 직선 긋기

유형

9 □ 안에 알맞은 말을 써넣으세요.

(1) 직선 가에 수직인 직선은 직선 □와 직선 □이고 이 두 직선은 서로 만나지 않습니다.

(2) 서로 만나지 않는 두 직선을 □ 하다고 합니다.

10 평행선에 ○표 하세요.

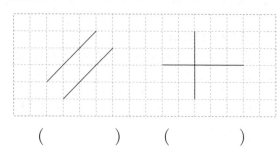

(   )   (   )

11 직사각형에서 서로 평행한 변끼리 짝 지은 것의 기호를 써 보세요.

⊙ 변 ㄱㄴ과 변 ㄹㄷ
ⓒ 변 ㄴㄷ과 변 ㄹㄷ

(   )

12 평행선에 대해 잘못 말한 사람을 찾아 이름을 써 보세요.

한 직선에 수직인 두 직선은 평행선이야.
지안

평행한 두 직선은 길게 늘이면 서로 만나.

지호

평행한 두 직선을 평행선이라고 해.
서아

(   )

13 삼각자를 사용하여 주어진 직선과 평행한 직선을 그어 보세요.

14 삼각자를 사용하여 점 ㄱ을 지나고 직선 가와 평행한 직선을 그어 보세요.

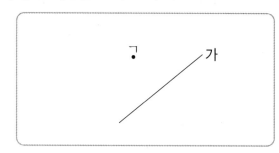

15 직선 가와 평행한 직선은 모두 몇 개 그을 수 있나요?……………………………(   )

① 1개   ② 2개   ③ 5개
④ 10개   ⑤ 셀 수 없이 많습니다.

16 평행선이 있는 사각형을 그려 보세요.

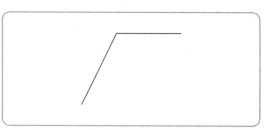

4
단원

사각형

94

개념 3 평행선 사이의 거리

평행선의 한 직선에서 다른 직선에 수선을 긋습니다. 이때 이 수선의 길이를 **평행선 사이의 거리**라고 합니다.

 평행선 사이에 그은 선분 중 길이가 가장 짧은 선분은 수선이야.

평행선 사이의 거리는 어디에서 재어도 모두 길이가 같아.

유형

17 평행선 사이의 거리를 나타내는 선분을 찾아 기호를 써 보세요.

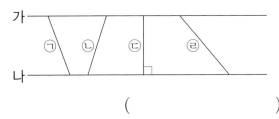

(   )

18 다음 도형에서 평행선 사이의 거리는 몇 cm 인가요?

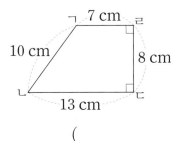

(   )

19 평행선 사이의 거리를 재어 보세요.

(   )

20 잘못 말한 사람의 이름을 써 보세요.

 평행선 사이의 거리는 평행선 사이의 선분 중 길이가 가장 짧아.

하윤

 평행선 사이의 거리는 어디에서 재느냐에 따라 길이가 달라.

다은

(   )

21 평행선 사이의 거리가 5 cm가 되도록 주어진 직선과 평행한 직선을 그어 보세요.

22 도형에서 평행선을 찾아 평행선 사이의 거리를 재어 보세요.

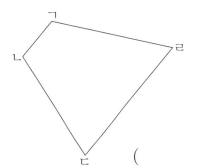

(   )

4 단원

사각형

95

[1~6] ◯ 안에 두 직선이 서로 수직이면 ◯표, 평행하면 △표, 수직도 평행도 아니면 ✕표 하세요.

1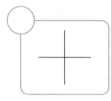

2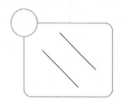

3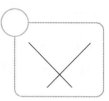

4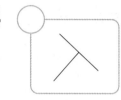

5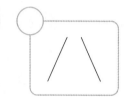

6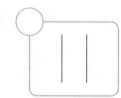

[7~8] 각도기를 사용하여 주어진 직선에 대한 수선을 그어 보세요.

7

8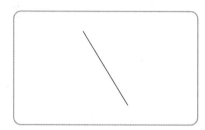

[9~10] 삼각자를 사용하여 주어진 직선과 평행한 직선을 그어 보세요.

9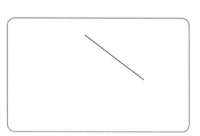

10

[11~12] 도형에서 평행선을 찾아 평행선 사이의 거리를 재어 보세요.

11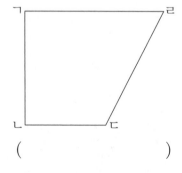

(   )

12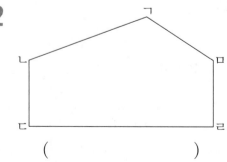

(   )

유형 진단 TEST

점수

/10점

1 두 직선이 서로 수직인 것을 모두 찾아 ○표 하세요. [1점]

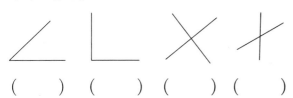

(   ) (   ) (   ) (   )

2 직선 가와 직선 나는 서로 평행합니다. 평행선 사이의 거리는 몇 cm인가요? [1점]

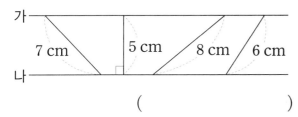

(   )

3 서로 평행한 직선을 찾아 써 보세요. [2점]

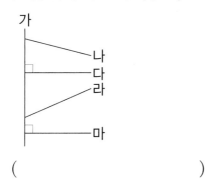

(   )

4 바르게 말한 사람의 이름을 써 보세요. [2점]

한 직선에 대한 수선은 1개만 그을 수 있어.

한 직선과 평행한 직선은 셀 수 없이 많이 그을 수 있어.

시우   현서

(   )

5 평행선이 많은 도형부터 차례로 기호를 써 보세요. [2점]

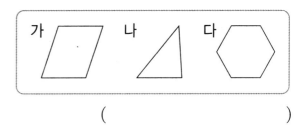

가   나   다

(   )

6 평행선 사이의 거리가 각각 2 cm가 되도록 주어진 직선과 평행한 직선을 2개 그어 보세요. [2점]

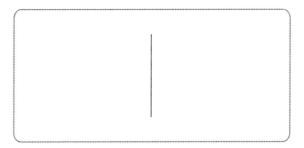

개념 4 사다리꼴

• 사다리꼴: 평행한 변이 한 쌍이라도 있는 사각형

참고

다음과 같이 평행한 변이 있기만 하면 사다리꼴이야.

1 사다리꼴입니다. 서로 평행한 변을 찾아 ○로 표시해 보세요.

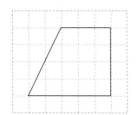

2 사각형을 보고 알맞은 말에 ○표 하세요.

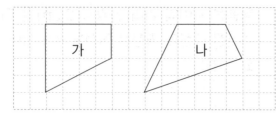

도형 (가, 나)는 사다리꼴이 아닙니다.
왜냐하면 평행한 변이 (있기, 없기) 때문입니다.

3 사다리꼴을 모두 찾아 기호를 써 보세요.

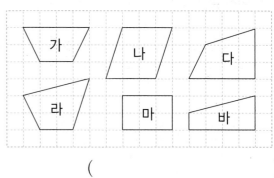

(   )

4 직사각형 모양의 종이띠를 선을 따라 잘랐을 때 잘라 낸 도형들 중 사다리꼴은 모두 몇 개인가요?

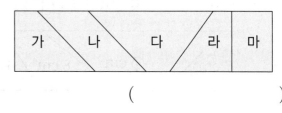

(   )

5 보기 와 같이 도형판에서 꼭짓점 한 개만 옮겨서 사다리꼴을 만들어 보세요.

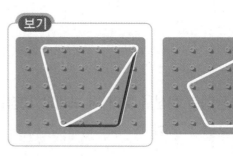

6 주어진 선분을 한 변으로 하는 사다리꼴을 완성해 보세요.

4 단원

사각형

유형

98

개념 5 평행사변형

• 평행사변형: 마주 보는 두 쌍의 변이 서로 평행한 사각형

평행

참고

평행사변형은 평행한 변이 두 쌍 있으므로 사다리꼴이라고도 할 수 있어.

유형

7 평행사변형입니다. 서로 평행한 변은 모두 몇 쌍인가요?

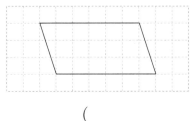

(　　　　　　　)

8 평행사변형이면 ○표, 아니면 ×표 하세요.

(　　　) (　　　) (　　　)

9 주어진 선분을 두 변으로 하는 평행사변형을 각각 완성해 보세요.

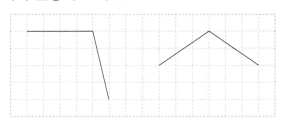

개념 6 평행사변형의 성질

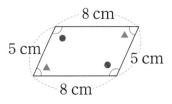

(1) 마주 보는 두 변의 길이가 같습니다.

(2) 마주 보는 두 각의 크기가 같습니다.

(3) 이웃한 두 각의 크기의 합이 180°입니다.

→ ●＋▲＝180°

유형

10 평행사변형을 보고 □ 안에 알맞은 말을 써넣으세요.

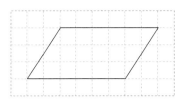

마주 보는 두 □의 길이가 같고,

마주 보는 두 □의 크기가 같습니다.

[11~12] 평행사변형입니다. □ 안에 알맞은 수를 써넣으세요.

11

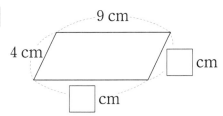

12

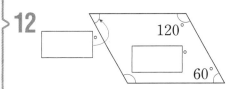

4
단원

사각형

99

STEP 1 개념별 유형

13 평행사변형의 성질에 대해 잘못 말한 사람의 이름을 써 보세요.

> 지안: 마주 보는 두 변의 길이가 같아.
> 현서: 이웃한 두 각의 크기가 같아.

(   )

14 평행사변형입니다. 각 ㄱㄴㄷ의 크기는 몇 도 인가요?

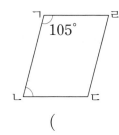

(   )

15 평행사변형입니다. ㉠과 ㉡의 각도의 합은 몇 도인가요?

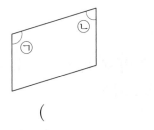

(   )

16 평행사변형의 네 변의 길이의 합은 몇 cm인 가요?

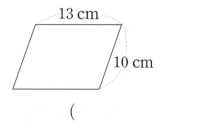

(   )

개념 7 마름모

• 마름모: 네 변의 길이가 모두 같은 사각형

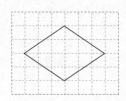

참고

네 변의 길이가 모두 같지 않으므로 마름모가 아니야~

네 변의 길이가 모두 같으므로 마름모야~

유형

17 다음과 같이 직사각형 모양의 종이를 접고 겹 쳐서 자른 후 빗금 친 부분을 펼쳤을 때 만들 어지는 사각형의 이름에 ○표 하세요.

(마름모 , 정사각형)

18 마름모를 모두 찾아 기호를 써 보세요.

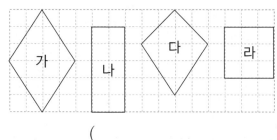

(   )

19 오른쪽의 주어진 선분을 두 변으로 하는 마름모를 완성해 보세요.

개념 **8** 마름모의 성질

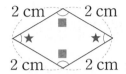 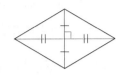

(1) 네 변의 길이가 모두 같습니다.

(2) 마주 보는 두 각의 크기가 같습니다.

(3) 이웃한 두 각의 크기의 합이 180°입니다.

　➡ ■＋★＝180°

(4) 마주 보는 꼭짓점끼리 이은 선분이 수직으로 만나고 똑같이 둘로 나눕니다.

(5) 마주 보는 두 변이 서로 평행합니다.

유형

20 알맞은 말에 ○표 하세요.

마름모에서 (마주 보는 , 이웃한) 두 각의 크기의 합은 180°입니다.

[21~22] 마름모를 보고 물음에 답해 보세요.

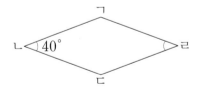

21 변 ㄴㄷ과 평행한 변은 어느 것인가요?

　　　　(　　　　　　　)

22 각 ㄱㄹㄷ의 크기는 몇 도인가요?

　　　　(　　　　　　　)

[23~24] 마름모입니다. □ 안에 알맞은 수를 써넣으세요.

23

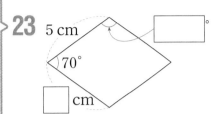

24

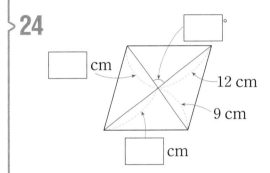

25 한 변의 길이가 11 cm인 마름모의 네 변의 길이의 합은 몇 cm인가요?

　　　　(　　　　　　　)

26 마름모입니다. 선분 ㄱㄷ과 선분 ㄴㄹ의 길이는 각각 몇 cm인가요?

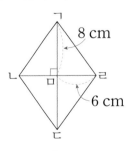

선분 ㄱㄷ (　　　　　　)

선분 ㄴㄹ (　　　　　　)

개념 9 직사각형과 정사각형의 성질

직사각형	정사각형
마주 보는 두 변의 길이가 같습니다.	네 변의 길이가 모두 같습니다.
네 각이 모두 직각입니다. └ 네 각의 크기가 모두 같고, 마주 보는 두 각의 크기가 같음.	
마주 보는 두 쌍의 변이 서로 평행합니다.	

유형 4

27 사각형을 보고 물음에 답해 보세요.

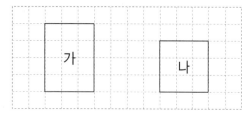

(1) 직사각형을 모두 찾아 기호를 써 보세요.
( )

(2) 정사각형을 찾아 기호를 써 보세요.
( )

28 직사각형에 대해 바르게 말한 사람의 이름을 써 보세요.

 네 각이 모두 직각이야. 시우

 네 변의 길이가 모두 같아. 서준

( )

29 정사각형에 대한 설명입니다. 옳은 것에 ○표, 틀린 것에 ×표 하세요.

(1) 네 변의 길이가 모두 같습니다.( )

(2) 마주 보는 두 각의 크기가 다릅니다.
....( )

(3) 마주 보는 두 쌍의 변이 서로 평행합니다.
....( )

30 직사각형에 선분을 한 개만 그어 정사각형을 만들어 보세요.

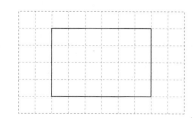

31 도형은 정사각형이 아닙니다. 그 이유를 바르게 설명한 것을 찾아 기호를 써 보세요.

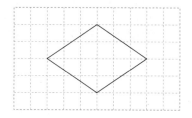

㉠ 네 변의 길이가 모두 같지 않기 때문입니다.

㉡ 네 각이 모두 직각이 아니기 때문입니다.

( )

사각형

4 단원

개념 10　여러 가지 사각형

• 여러 가지 사각형의 관계

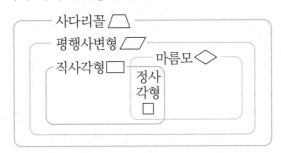

(1) 평행사변형은 사다리꼴입니다.
　└ 평행한 변이 한 쌍이라도 있음.

(2) 직사각형은 사다리꼴, 평행사변형입니다.
　└ 마주 보는 두 쌍의 변이 서로 평행함.

(3) 마름모는 사다리꼴, 평행사변형입니다.
　└ 마주 보는 두 쌍의 변이 서로 평행함.

(4) 정사각형은 사다리꼴, 평행사변형, 직사
각형, 마름모입니다.
　└ ① 마주 보는 두 쌍의 변이 서로 평행함.
　　 ② 네 각이 모두 직각임. / ③ 네 변의 길이가 모두 같음.

유형

32 평행사변형과 직사각형을 각각 모두 찾아 기호를 써 보세요.

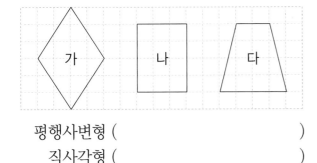

평행사변형 (　　　　　　　　　　)
직사각형 (　　　　　　　　　　)

33 알맞은 말에 ○표 하세요.

(1) 평행사변형은 사다리꼴이라고 할 수
(없습니다 , 있습니다).

(2) 사다리꼴은 평행사변형이라고 할 수
(없습니다 , 있습니다).

34 여러 가지 사각형에 대해 설명한 것입니다. 잘못 말한 사람의 이름을 써 보세요.

> 서준: 직사각형은 마름모야.
>
> 하윤: 평행사변형은 직사각형이 아니야.

(　　　　　　　　　　)

35 다음 사각형의 이름이 될 수 있는 것을 **보기**에서 모두 찾아 기호를 써 보세요.

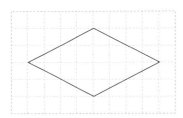

보기
ㄱ 사다리꼴　ㄴ 평행사변형　ㄷ 직사각형
ㄹ 마름모　　ㅁ 정사각형

(　　　　　　　　　　)

4
단원

사각형

103

36 직사각형 모양의 종이띠를 선을 따라 잘랐을 때 잘라 낸 도형들 중 사각형의 이름에 알맞은 것을 모두 찾아 기호를 써 보세요.

| 가 | 나 | 다 | 라 | 마 |

사다리꼴	가, 나,
평행사변형	가,
마름모	다,
직사각형	가,
정사각형	마

[1~4] 사각형에 여러 가지 표정을 그린 것입니다. 빈 곳에 알맞게 써 보세요.

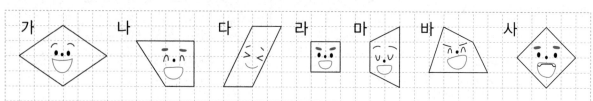

가　나　다　라　마　바　사

1 사다리꼴은 평행한 변이 ☐ 쌍이라도 있는 사각형이므로 기호를 모두 쓰면

＿＿＿＿＿＿＿＿＿＿＿ 야.

2 평행사변형은 마주 보는 ☐ 쌍의 변이 서로 평행한 사각형이므로 기호를 모두

쓰면 ＿＿＿＿＿＿＿＿＿＿＿ 야.

3 마름모는 ☐ 변의 길이가 모두 같은 사각형이므로 기호를 모두 쓰면

＿＿＿＿＿＿＿＿＿＿＿ 야.

4 정사각형은 네 ☐ 의 길이가 모두 같고 네 각이 모두 ☐ 인 사각형이므로 기호

를 모두 쓰면 ＿＿＿＿＿＿＿＿ 야.

[5~6] 평행사변형입니다. ☐ 안에 알맞은 수를 써넣으세요.

5
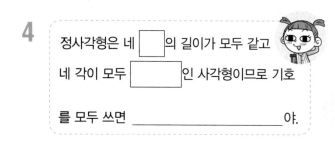

6

[7~8] 마름모입니다. ☐ 안에 알맞은 수를 써넣으세요.

7
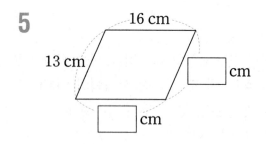

8
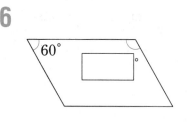

유형 진단 TEST

점수 /10점

1 다음과 같이 직사각형 모양의 종이를 접고 겹쳐서 자른 후 빗금 친 부분을 펼쳤을 때 만들어지는 사각형의 이름을 써 보세요. [1점]

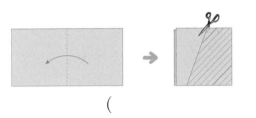

( )

2 평행사변형을 보고 □ 안에 알맞은 수를 써넣으세요. [1점]

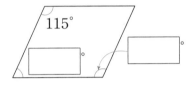

[3~4] 마름모 모양의 밭을 보고 물음에 답해 보세요.

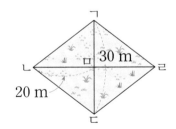

3 선분 ㄱㅁ의 길이와 선분 ㄴㄹ의 길이는 각각 몇 m인가요? [1점]

선분 ㄱㅁ ( )
선분 ㄴㄹ ( )

4 각 ㄴㅁㄷ의 크기는 몇 도인가요? [1점]

( )

5 다음 도형은 마름모입니다. 그 이유를 써 보세요. [2점]

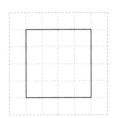

이유 _____

_____

6 다음을 모두 만족하는 사각형의 이름을 써 보세요. [2점]

> • 네 각의 크기가 모두 같습니다.
> • 네 변의 길이가 모두 같습니다.

( )

7 주어진 막대 4개를 변으로 하여 만들 수 있는 사각형에 모두 ○표 하세요. [2점]

> 사다리꼴　　평행사변형
> 직사각형　　마름모　　정사각형

① 한 점을 지나는 수선(평행선) 긋기

기본 유형

1 삼각자를 사용하여 점 ㄱ을 지나고 변 ㄴㄷ에 수직인 직선을 긋고, 몇 개 그을 수 있는지 써 보세요.

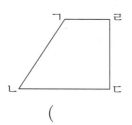

(   )

변형 유형

2 삼각자를 사용하여 점 ㄱ을 지나고 변 ㄴㄷ에 평행한 직선을 긋고, 몇 개 그을 수 있는지 써 보세요.

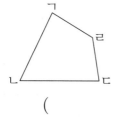

(   )

변형 유형

3 점 ㅇ에서 도형의 각 변에 모두 수선을 긋고, 그은 수선은 몇 개인지 써 보세요.

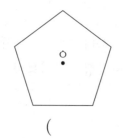

(   )

② 수직인 직선과 한 직선이 만날 때 생기는 각도 구하기

기본 유형

4 직선 가와 직선 나는 서로 수직입니다. □ 안에 알맞은 수를 써넣으세요.

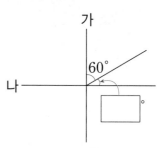

변형 유형

5 직선 가는 직선 나에 대한 수선입니다. □ 안에 알맞은 수를 써넣으세요.

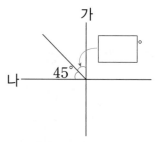

변형 유형

6 직선 가와 직선 나는 서로 수직입니다. ㉠과 ㉡의 각도를 각각 구해 보세요.

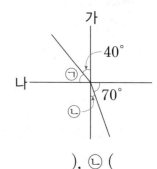

㉠ (   ), ㉡ (   )

4 단원

사각형

❸ 마름모에서 길이 구하기

기본 유형

7 마름모입니다. 네 변의 길이의 합이 52 cm 일 때 한 변의 길이는 몇 cm인가요?

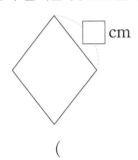

(　　　　　　)

변형 유형

8 마름모의 네 변의 길이의 합은 몇 cm인가요?

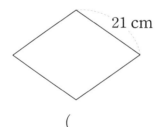

21 cm

(　　　　　　)

실생활 유형

9 현서네 집 현관 바닥에 네 변의 길이의 합이 60 cm인 마름모 모양의 타일이 깔려 있습니다. 타일의 한 변의 길이는 몇 cm인가요?

(　　　　　　)

❹ 사각형의 성질을 이용하여 각도 구하기

기본 유형

10 사각형 ㄱㄴㄷㄹ은 평행사변형입니다. ㉠의 각도는 몇 도인가요?

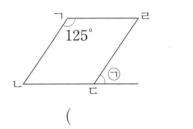

(　　　　　　)

변형 유형

11 사각형 ㄱㄴㄷㄹ은 마름모입니다. ㉠의 각도 는 몇 도인가요?

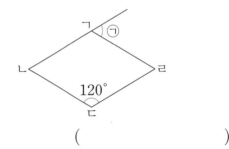

(　　　　　　)

문장제 유형

12 영호는 그림과 같이 똑같은 직사각형 모양의 종이 2장을 겹쳐 놓았습니다. ㉠의 각도는 몇 도인가요?

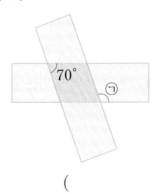

(　　　　　　)

겹쳐진 부분은 마주 보는 두 쌍의 변이 서로 평행한 사각형이야.

4
단원

사각형

107

독해력 유형 **1** 평행사변형(직사각형)의 한 변의 길이 구하기

평행사변형 ㄱㄴㄷㄹ의 네 변의 길이의 합은 18 cm입니다. 변 ㄱㄹ의 길이는 몇 cm인지 구해 보세요.

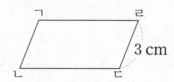

3 cm

What? 구하려는 것을 찾아 밑줄을 그어 보세요.

How?
❶ 평행사변형에서 변의 길이에 대한 성질 알아보기
❷ ❶을 이용하여 변 ㄱㄴ의 길이 구하기
❸ ❶과 ❷를 이용하여 변 ㄱㄹ의 길이 구하기

Solve
❶ 평행사변형은 마주 보는 두 변의 길이가 같은가요, 다른가요?

(   )

❷ 변 ㄱㄴ의 길이는 몇 cm인가요?

(   )

❸ 변 ㄱㄹ의 길이는 몇 cm인가요?

(   )

쌍둥이 유형 **1-1**

평행사변형 ㄱㄴㄷㄹ의 네 변의 길이의 합은 30 cm입니다. 변 ㄱㄹ의 길이는 몇 cm인지 구해 보세요.

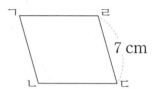

7 cm

❶

❷

❸

답 _____

쌍둥이 유형 **1-2**

직사각형 ㄱㄴㄷㄹ의 네 변의 길이의 합은 50 cm입니다. 변 ㄱㄴ의 길이는 몇 cm인지 구해 보세요.

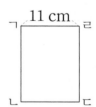

11 cm

❶

❷

❸

답 _____

쌍둥이 유형 **1-2** 에서는 직사각형의 변의 길이에 대한 성질을 이용하여 문제를 풀어 봐~

독해력 유형 ② 평행선과 한 직선이 만날 때 생기는 각도 구하기

직선 가와 직선 나는 서로 평행합니다. ㉠의 각도를 구해 보세요.

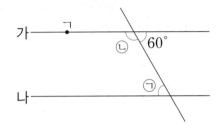

What? 구하려는 것을 찾아 밑줄을 그어 보세요.

How? ❶ 점 ㄱ에서 직선 나에 수선 긋기

 평행선 사이에 수선을 그어서 사각형을 만들어 각도를 구해.

❷ 직선이 이루는 각도가 180°임을 이용하여 ㉡의 각도 구하기

❸ 사각형의 네 각의 크기의 합이 360°임을 이용하여 ㉠의 각도 구하기

Solve ❶ 점 ㄱ에서 직선 나에 수선을 그어 보세요.

❷ ㉡의 각도는 몇 도인가요?

(　　　　　　　)

❸ ㉠의 각도는 몇 도인가요?

(　　　　　　　)

쌍둥이 유형 2-1

직선 가와 직선 나는 서로 평행합니다. ㉠의 각도를 구해 보세요.

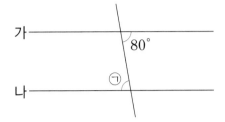

❶

❷

❸

답 ＿＿＿＿＿＿＿

쌍둥이 유형 2-2

직선 가와 직선 나는 서로 평행합니다. ㉠의 각도를 구해 보세요.

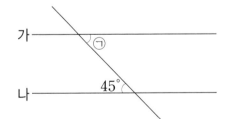

❶

❷

❸

답 ＿＿＿＿＿＿＿

4 단원

사각형

109

플러스 유형 ❶   조건에 맞는 사각형 만들기

1-1 점 종이에서 꼭짓점 한 개만 옮겨서 마름모를 만들어 보세요.

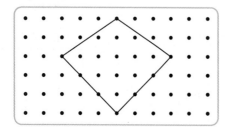

1-2 점 종이에서 꼭짓점 한 개만 옮겨서 평행사변형을 만들어 보세요.

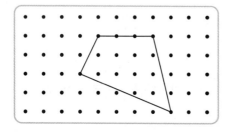

1-3 주어진 선분을 두 변으로 하는 평행선이 두 쌍인 사각형을 그려 보세요.

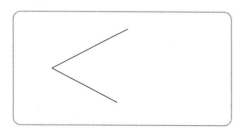

플러스 유형 ❷   수선도 있고 평행선도 있는 도형 찾기

2-1 수선도 있고 평행선도 있는 도형을 모두 찾아 기호를 써 보세요.

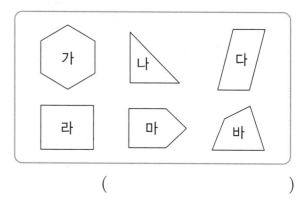

(   )

2-2 수선도 있고 평행선도 있는 도형을 모두 찾아 기호를 써 보세요.

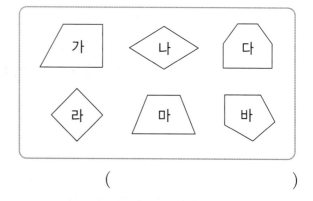

(   )

2-3 수선도 있고 평행선도 있는 자음을 모두 찾아 써 보세요.

(   )

플러스 유형 ③ 　 사각형의 이름이 될 수 있는 것 찾기

3-1 다음 사각형의 이름이 될 수 있는 것을 모두 찾아 기호를 써 보세요.

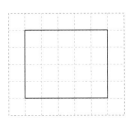

　　⊙ 사다리꼴　　　ⓒ 평행사변형
　　ⓒ 마름모　　　　ⓔ 정사각형

(　　　　　　　　)

사고력 유형

3-2 주어진 막대 4개를 변으로 하여 만들 수 있는 사각형의 이름을 1가지만 써 보세요.

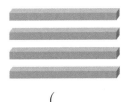

(　　　　　　　　)

플러스 유형 **처방전**

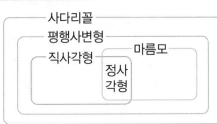

플러스 유형 ④ 　 이유 쓰기

서술형

4-1 다음 도형은 평행사변형인가요? 그렇게 생각한 이유를 써 보세요.

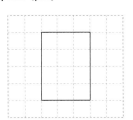

답 _____

이유 _____
_____

서술형

4-2 다음 도형은 마름모인가요? 그렇게 생각한 이유를 써 보세요.

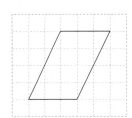

답 _____

이유 _____
_____

서술형

4-3 시우의 설명은 옳은가요? 그렇게 생각한 이유를 써 보세요.

 　 직사각형은 정사각형이야.
시우

답 _____

이유 _____
_____

4 단원

사각형

111

플러스 유형 ❺   평행선 사이의 거리 구하기

플러스 유형 ❻   도형에서 굵은 선의 길이 구하기

5-1 선분 ㄱㅂ, 선분 ㄷㄴ, 선분 ㄹㅁ은 서로 평행합니다. 선분 ㄱㅂ과 선분 ㄹㅁ 사이의 거리는 몇 cm인가요?

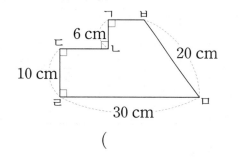

(   )

6-1 모양과 크기가 같은 마름모 4개를 겹치지 않게 이어 붙여 만든 도형입니다. 이 도형에서 굵은 선의 길이는 모두 몇 cm인가요?

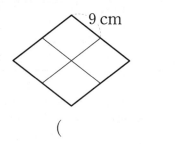

(   )

서술형

5-2 직선 가, 직선 나, 직선 다는 서로 평행합니다. 직선 가와 직선 다 사이의 거리는 몇 cm인지 풀이 과정을 쓰고 답을 구해 보세요.

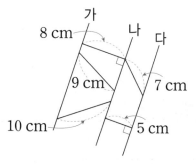

서술형

6-2 모양과 크기가 같은 마름모 5개를 겹치지 않게 이어 붙여 만든 도형입니다. 이 도형에서 굵은 선의 길이는 모두 몇 cm인지 풀이 과정을 쓰고 답을 구해 보세요.

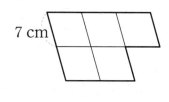

풀이 ▶

답 _____

사고력 유형

6-3 모양과 크기가 같은 평행사변형 6개를 겹치지 않게 이어 붙여 만든 도형입니다. 이 도형에서 굵은 선의 길이는 모두 몇 cm인가요?

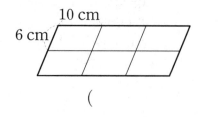

(   )

풀이 ▶

답 _____

플러스 유형 처방전

평행선 사이의 수선의 길이를 각각 찾아 두 길이를 더해용~

플러스 유형 ❼ 　 크고 작은 사각형의 수 구하기

독해력 유형

7-1 그림에서 찾을 수 있는 크고 작은 평행사변형은 모두 몇 개인지 구해 보세요.

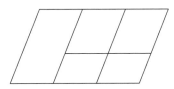

단계 **1** 작은 평행사변형 1개로 이루어진 평행사변형은 몇 개인가요?

(　　　　　)

단계 **2** 작은 평행사변형 2개로 이루어진 평행사변형은 몇 개인가요?

(　　　　　)

단계 **3** 다음 개수만큼으로 이루어진 평행사변형은 각각 몇 개인가요?

작은 평행사변형 3개 (　　　)

작은 평행사변형 4개 (　　　)

작은 평행사변형 5개 (　　　)

단계 **4** 그림에서 찾을 수 있는 크고 작은 평행사변형은 모두 몇 개인가요?

(　　　　　)

7-2 그림에서 찾을 수 있는 크고 작은 정사각형은 모두 몇 개인지 구해 보세요.

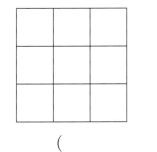

(　　　　　)

플러스 유형 ❽ 　 평행선 사이에 수선을 그어 각도 구하기

독해력 유형

8-1 그림에서 직선 가와 직선 나는 서로 평행합니다. 각 ㄱㄴㄷ의 크기를 구해 보세요.

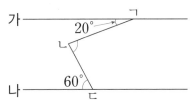

단계 **1** 점 ㄱ에서 직선 나에 수선을 그어 사각형 ㄱㄴㄷㄹ을 만들었습니다. 각 ㄴㄱㄹ과 각 ㄴㄷㄹ의 크기는 각각 몇 도인가요?

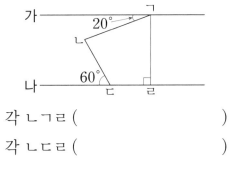

각 ㄴㄱㄹ (　　　　　)

각 ㄴㄷㄹ (　　　　　)

단계 **2** 각 ㄱㄴㄷ의 크기는 몇 도인가요?

(　　　　　)

8-2 그림에서 직선 가와 직선 나는 서로 평행합니다. 각 ㄱㄴㄷ의 크기를 구해 보세요.

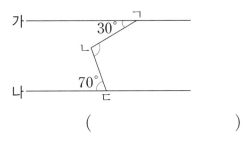

(　　　　　)

4
단원

사각형

113

1 두 직선이 서로 수직인 것에 ○표 하세요.

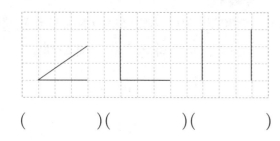

(   )(   )(   )

2 도형에서 서로 평행한 변을 찾아 써 보세요.

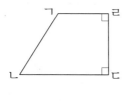

(   )

[3~4] 사각형을 보고 물음에 답해 보세요.

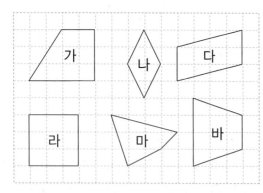

3 평행사변형을 모두 찾아 기호를 써 보세요.

(   )

4 마름모를 모두 찾아 기호를 써 보세요.

(   )

5 평행선 사이의 거리를 재어 보세요.

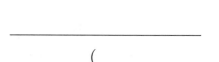

(   )

6 평행사변형입니다. □ 안에 알맞은 수를 써넣으세요.

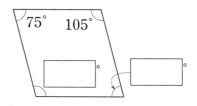

7 주어진 선분을 두 변으로 하는 사다리꼴을 완성해 보세요.

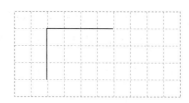

8 마름모입니다. □ 안에 알맞은 수를 써넣으세요.

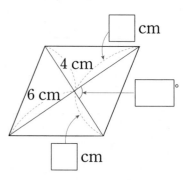

[9~10] 수직인 직선과 평행한 직선을 그으려고 합니다. 물음에 답해 보세요.

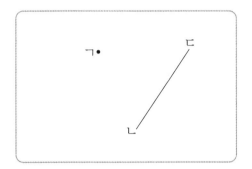

9 점 ㄱ을 지나고 직선 ㄴㄷ에 수직인 직선을 그어 보세요.

10 점 ㄱ을 지나고 직선 ㄴㄷ에 평행한 직선을 그어 보세요.

11 직선 가에 수직인 직선은 몇 개 그을 수 있나요? ············· (   )

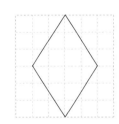

① 1개   ② 2개   ③ 10개
④ 그을 수 없습니다.
⑤ 셀 수 없이 많습니다.

12 직사각형 모양의 종이띠를 선을 따라 잘랐을 때 잘라 낸 도형들 중 사다리꼴은 모두 몇 개 인가요?

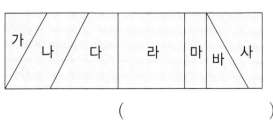

(   )

13 바르게 말한 사람의 이름을 써 보세요.

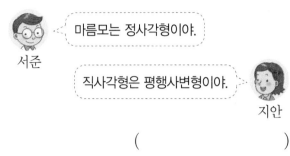

서준: 마름모는 정사각형이야.

지안: 직사각형은 평행사변형이야.

(   )

14 다음 사각형의 이름이 될 수 <u>없는</u> 것을 모두 고르세요. ···················· (   )

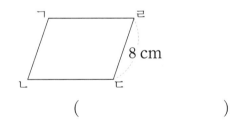

① 사다리꼴
② 평행사변형
③ 마름모
④ 직사각형
⑤ 정사각형

15 평행사변형 ㄱㄴㄷㄹ의 네 변의 길이의 합은 38 cm입니다. 변 ㄱㄹ의 길이는 몇 cm인 가요?

(   )

16 수선도 있고 평행선도 있는 알파벳을 모두 찾아 써 보세요.

A E K H N L

(   )

4
단원

사각형

115

서술형

17 다음 도형은 정사각형인가요? 그렇게 생각한 이유를 써 보세요.

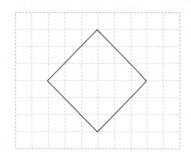

답 _____

이유 _____

_____

_____

서술형

18 직선 가, 직선 나, 직선 다는 서로 평행합니다. 직선 가와 직선 다 사이의 거리는 몇 cm인지 풀이 과정을 쓰고 답을 구해 보세요.

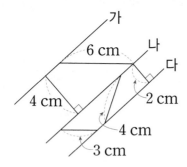

풀이 _____

_____

_____

_____

답 _____

서술형

19 모양과 크기가 같은 마름모 8개를 겹치지 않게 이어 붙여 만든 도형입니다. 이 도형에서 굵은 선의 길이는 모두 몇 cm인지 풀이 과정을 쓰고 답을 구해 보세요.

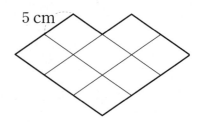

풀이 _____

_____

_____

_____

_____

답 _____

독해력 유형 서술형

20 그림에서 찾을 수 있는 크고 작은 평행사변형은 모두 몇 개인지 풀이 과정을 쓰고 답을 구해 보세요.

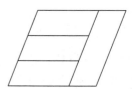

풀이 _____

_____

_____

_____

_____

답 _____

소수 두 자리 수, 소수 세 자리 수

① □ 안에 알맞은 소수를 써넣으세요.

(1) 0.1이 5개, 0.01이 8개인 수는 [＿＿＿] 입니다.

(2) 1이 3개, 0.1이 4개, 0.001이 7개인 수는 [＿＿＿] 입니다.

소수 사이의 관계

② 빈칸에 알맞은 수를 써넣으세요.

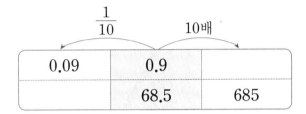

| 0.09 | 0.9 | |
| | 68.5 | 685 |

소수의 덧셈

③ 계산 결과를 비교하여 ○ 안에 >, =, <를 알맞게 써넣으세요.

$$0.9+2.8 \bigcirc 1.7+2.1$$

소수의 뺄셈

④ 우유를 현아는 0.38 L, 진우는 0.51 L 마셨습니다. 현아와 진우 중에서 누가 우유를 몇 L 더 많이 마셨나요?

식 ＿＿＿＿＿＿＿＿＿＿＿＿＿＿＿＿＿＿＿

답 ＿＿＿＿＿＿ , ＿＿＿＿＿＿

4
단원

사각형

117

개미들이 이동하는 길을 찾아라!

창의 1 개미 A와 개미 B는 밧줄을 타고 직선 가에서 직선 라까지 이동하려고 합니다. 대화를 보고 □ 안에 알맞은 수를 써넣으세요. (단, 직선 가, 나, 다, 라는 서로 평행합니다.)

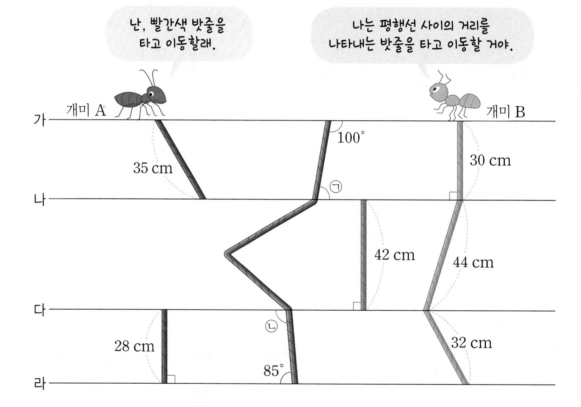

1 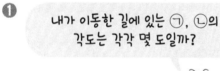 내가 이동한 길에 있는 ㉠, ㉡의 각도는 각각 몇 도일까?

⟶ ㉠=□°
㉡=□°

2 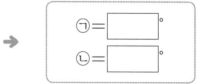 내가 이동한 길에 있는 밧줄의 길이는 모두 몇 cm일까?

⟶ □ cm

칠교판으로 집을 만들자!

햄스터 삼형제가 여러 가지 사각형 모양의 집을 만들려고 합니다. 칠교판을 이용하여 각자 만들고 싶어 하는 집 모양을 만들어 보세요.

칠교판의 조각은 모두 7개이고 칠교판 조각에는 삼각형 5개와 사각형 2개가 있어.

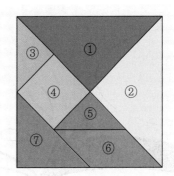

난 ③, ④, ⑤ 조각으로 사다리꼴 모양의 집을 만들고 싶어.

난 ①, ② 조각으로 커다란 마름모 모양의 집을 만들 거야.

난 ③, ④, ⑤, ⑥, ⑦ 조각으로 정사각형 모양의 집을 만들래.

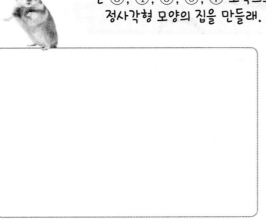

5 꺾은선그래프

STEP 1 개념별 유형

개념 1 꺾은선그래프

꺾은선그래프: 수량을 점으로 표시하고, 그 점들을 선분으로 이어 그린 그래프

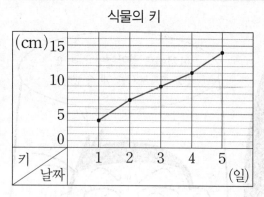

식물의 키

(1) 가로는 날짜, 세로는 키를 나타냅니다.

(2) 세로 눈금 한 칸은 1 cm를 나타냅니다.

(3) 꺾은선은 식물의 키의 변화를 나타냅니다.

 꺾은선그래프는 시간에 따라 변화하는 자료를 나타내기에 알맞은 그래프야.

5단원

꺾은선그래프

유형

122

1 농촌 마을의 귀농 가구 수를 조사하여 나타낸 그래프입니다. 이와 같은 그래프를 무슨 그래프라고 하나요?

귀농 가구 수

▢ 그래프

[2~4] 연희가 5일 동안 한 줄넘기 개수를 조사하여 나타낸 꺾은선그래프입니다. 물음에 답해 보세요.

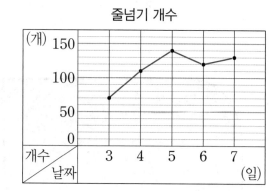

줄넘기 개수

2 가로와 세로는 각각 무엇을 나타내나요?

가로 (　　　　　), 세로 (　　　　　)

3 세로 눈금 한 칸은 몇 개를 나타내나요?

(　　　　　)

4 꺾은선은 무엇을 나타내나요?

(　　　　　)

5 꺾은선그래프로 나타내기에 알맞은 자료를 찾아 기호를 써 보세요.

㉠ 과목별 단원 평가 점수
㉡ 개월별 아기 몸무게의 변화
㉢ 마을별 감자 생산량

(　　　　　)

[6~8] 현수네 농장의 월별 귤 생산량을 조사하여 두 그래프로 나타내었습니다. 물음에 답해 보세요.

(가) 귤 생산량   (나) 귤 생산량

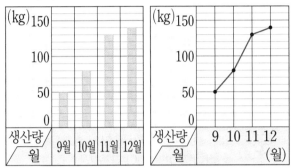

6 각 그래프의 이름을 찾아 이어 보세요.

(가) •   • 꺾은선그래프

(나) •   • 막대그래프

7 (가)와 (나) 그래프 중 귤 생산량의 변화를 한눈에 알아보기 쉬운 그래프는 어느 것인가요?

(   )

8 막대그래프와 꺾은선그래프의 같은 점과 다른 점을 잘못 말한 사람을 찾아 이름을 써 보세요.

지안

가로는 월, 세로는 생산량을 나타내.

세로 눈금 한 칸의 크기가 같아.

시우

우진

막대그래프는 선분으로, 꺾은선그래프는 막대로 나타내었어.

(   )

개념 **2**   꺾은선그래프를 보고 내용 알아보기

교실의 기온

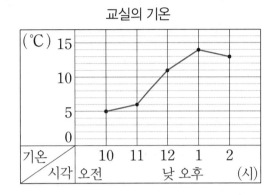

(1) 기온이 가장 높은 때는 오후 1시입니다.
└ 점이 가장 높게 찍힌 시각

(2) 기온이 가장 많이 변한 때는 오전 11시와 낮 12시 사이입니다.
└ 선이 가장 많이 기울어진 때

참고
• 선의 기울기에 따른 변화

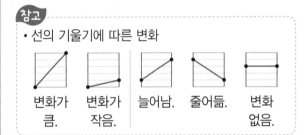

변화가 큼.   변화가 작음.   늘어남.   줄어듦.   변화 없음.

유형

[9~10] 희선이가 키우는 토끼의 몸무게를 조사하여 나타낸 꺾은선그래프입니다. ☐ 안에 알맞은 수를 써넣으세요.

토끼의 몸무게

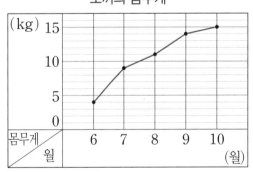

9 7월에 토끼의 몸무게는 ☐ kg입니다.

10 토끼의 몸무게가 가장 많이 변한 때는 ☐월과 ☐월 사이입니다.

5
단원

꺾은선그래프

123

[11~14] 주아네 아파트에서 요일별 재활용품 배출량을 조사하여 나타낸 꺾은선그래프입니다. 물음에 답해 보세요.

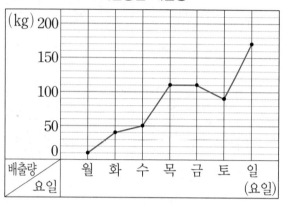

재활용품 배출량

11 재활용품 배출량이 가장 많은 때는 무슨 요일인가요?

(   )

12 전날과 비교하여 재활용품 배출량의 변화가 없는 때는 무슨 요일인가요?

(   )

13 전날과 비교하여 재활용품 배출량이 줄어든 때는 무슨 요일인가요?

(   )

14 일요일은 토요일보다 재활용품 배출량이 몇 kg 늘어났나요?

(   )

개념 3 꺾은선그래프에서 물결선의 필요성

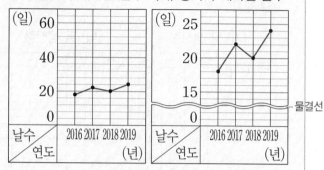

(가) 황사가 계속된 날수   (나) 황사가 계속된 날수

(나) 그래프와 같이 물결선을 사용하여 나타내면 어떤 점이 좋을까?

필요 없는 부분을 줄여서 세로 눈금 한 칸의 크기를 작게 하여 나타내기 때문에 변화하는 모습이 잘 나타나.

유형

15 어느 도시의 월별 관광객 수를 조사하여 두 꺾은선그래프로 나타내었습니다. 바르게 설명한 것의 기호를 써 보세요.

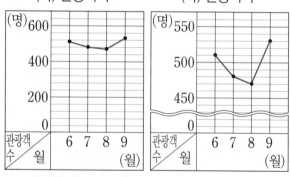

(가) 관광객 수   (나) 관광객 수

㉠ (가)와 (나) 그래프의 세로 눈금 한 칸의 크기가 같습니다.

㉡ (나) 그래프는 필요 없는 부분을 물결선으로 줄여서 나타내었습니다.

(   )

16 윤지의 몸무게를 3개월마다 조사하여 나타낸 꺾은선그래프입니다. (가)와 (나) 그래프 중에서 몸무게의 변화하는 모습이 더 뚜렷하게 나타나는 그래프는 어느 것인가요?

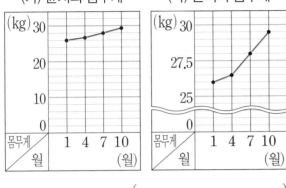

(

)

[17~18] 어느 지역의 연도별 출생아 수를 조사하여 나타낸 꺾은선그래프입니다. 물음에 답해 보세요.

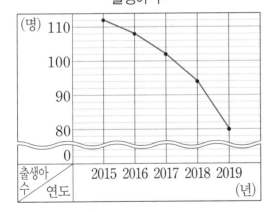

17 세로 눈금이 물결선 위로 80명부터 시작한 이유를 써 보세요.

이유 ☐ 명과 ☐ 명 사이는 필요 없는

부분이기 때문입니다.

18 2018년에 출생아 수는 몇 명인가요?

(

)

[19~21] 지호의 키를 재어 나타낸 꺾은선그래프입니다. 물음에 답해 보세요.

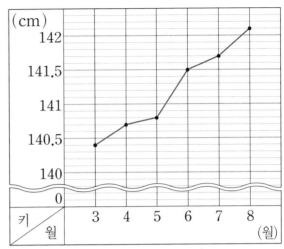

19 잘못 말한 사람의 이름을 써 보세요.

세로 눈금
한 칸은 0.1 cm를
나타내.

하윤

세로 눈금
0 cm와 150 cm 사이를
물결선으로 나타내었어.

지호

(

)

20 키가 가장 많이 자란 때는 몇 월과 몇 월 사이인가요?

( )월과 ( )월 사이

21 키가 가장 적게 자란 때는 몇 월과 몇 월 사이인가요?

( )월과 ( )월 사이

[1~4] 어느 지역의 기온이 영하로 내려간 날수를 월별로 조사하여 나타낸 꺾은선그래프입니다. □ 안에 알맞은 수나 말을 써넣으세요.

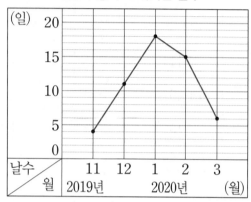

기온이 영하로 내려간 날수

[5~8] 어느 대리점의 연도별 휴대전화 판매량을 조사하여 나타낸 꺾은선그래프입니다. □ 안에 알맞은 수나 말을 써넣으세요.

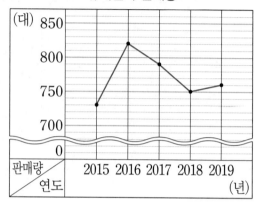

휴대전화 판매량

1 세로 눈금 한 칸은 □ 일을 나타냅니다.

5 0대와 □ 대 사이를 물결선으로 나타내었습니다.

2 가로는 □ , 세로는 □ 을/를 나타냅니다.

6 꺾은선은 휴대전화 □ 의 변화를 나타냅니다.

3 2019년 12월에 기온이 영하로 내려간 날수는 □ 일입니다.

7 휴대전화 판매량이 790대인 때는 □ 년입니다.

4 기온이 영하로 내려간 날수가 가장 많은 달은 2020년 □ 월입니다.

8 전년과 비교하여 휴대전화 판매량이 가장 많이 변한 때는 □ 년입니다.

유형 진단 TEST

점수

/10점

[1~4] 희수가 1월의 어느 날 야영장의 기온 변화를 조사하여 나타낸 꺾은선그래프입니다. 물음에 답해 보세요.

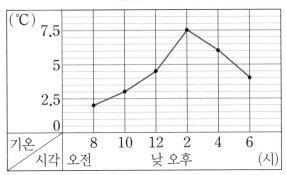

야영장의 기온

1 세로 눈금 한 칸은 몇 ℃를 나타내나요? [1점]

(　　　　　　　　)

2 설명이 틀린 것을 찾아 기호를 써 보세요. [1점]

> ㉠ 가로는 시각을 나타냅니다.
> ㉡ 세로는 기온을 나타냅니다.
> ㉢ 꺾은선은 시각의 변화를 나타냅니다.

(　　　　　　　　)

3 기온이 가장 높은 때는 몇 시이고, 그때의 기온은 몇 ℃인가요? [1점]

(　　　　　), (　　　　　)

4 기온이 가장 많이 변한 때는 몇 시와 몇 시 사이인가요? [2점]

(　　　　　　　　)

[5~7] 어느 지역의 미세먼지 농도를 매일 오전 8시에 조사하여 나타낸 꺾은선그래프입니다. 물음에 답해 보세요.

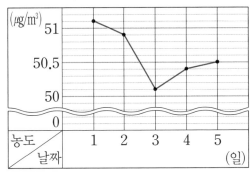

미세먼지 농도

5 물결선을 몇 $\mu g/m^3$와 몇 $\mu g/m^3$ 사이에 넣었나요? [1점]

□ $\mu g/m^3$와 □ $\mu g/m^3$ 사이

6 2일과 3일의 미세먼지 농도의 차는 얼마인가요? [2점]

(　　　　　　) $\mu g/m^3$

서술형

7 이 지역의 미세먼지 농도가 어떻게 변했는지 써 보세요. [2점]

_____

_____

개념 4 꺾은선그래프로 나타내기

• 꺾은선그래프로 나타내는 방법

① 가로와 세로에 나타낼 것을 정하기

② 세로 눈금 한 칸의 크기를 정하기

③ 조사한 수 중에서 가장 큰 수를 나타낼 수 있
도록 눈금의 수를 정하기

④ 가로 눈금과 세로 눈금이 만나는 자리에 점을
찍고 점들을 선분으로 잇기

⑤ 꺾은선그래프에 알맞은 제목을 붙이기

예 모은 헌 종이의 양

월	3	4	5	6	7
헌 종이의 양(kg)	4	7	11	8	3

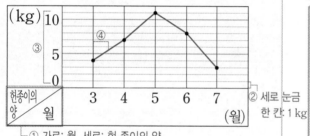
⑤ – 모은 헌 종이의 양

② 세로 눈금 한 칸: 1 kg

① 가로: 월, 세로: 헌 종이의 양

128

유형

1 꺾은선그래프로 바르게 나타낸 것을 찾아 기호
를 써 보세요.

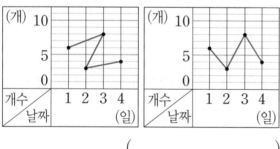
㉮ 턱걸이 개수   ㉯ 턱걸이 개수

(   )

[2~5] 소율이가 일주일 간격으로 감자 싹의 키
를 재어 나타낸 표를 보고 꺾은선그래프로
나타내려고 합니다. 물음에 답해 보세요.

감자 싹의 키

날짜(일)	1	8	15	22	29
키(cm)	1	4	5	9	14

2 꺾은선그래프의 가로에 날짜를 쓴다면 세로
에는 무엇을 써야 하나요?

(   )

3 세로 눈금 한 칸은 몇 cm를 나타내어야
하는지 알맞은 것에 ◯표 하세요.

(1 cm , 10 cm)

4 세로 눈금은 적어도 몇 cm까지 나타낼 수
있어야 하나요?

(   )

5 꺾은선그래프를 완성해 보세요.

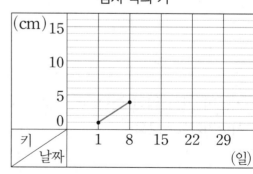
감자 싹의 키

[6~7] 도서관을 이용한 학생 수를 조사하여 나타낸 표를 보고 꺾은선그래프로 나타내려고 합니다. 물음에 답해 보세요.

도서관을 이용한 학생 수

날짜(일)	3	4	5	6	7
학생 수(명)	120	90	40	50	70

6 세로 눈금 한 칸은 몇 명을 나타내어야 하나요?

(   )

7 꺾은선그래프를 완성해 보세요.

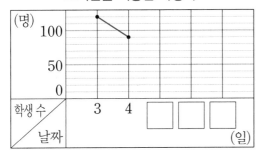

도서관을 이용한 학생 수

8 연못의 수온을 3시간마다 조사하여 나타낸 표입니다. 표를 보고 꺾은선그래프로 나타내어 보세요.

연못의 수온

시각(시)	오전 9	낮 12	오후 3	오후 6	오후 9
수온(℃)	6	13	17	10	8

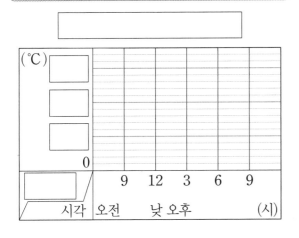

개념 5 물결선을 이용하여 꺾은선그래프로 나타내기

• 물결선을 이용하여 꺾은선그래프로 나타내는 방법

① 가로와 세로에 나타낼 것을 정하기
② 세로 눈금 한 칸의 크기를 정하기
③ 물결선으로 나타낼 수의 범위를 정하기
　　　　　　└─ 필요 없는 부분
④ 가로 눈금과 세로 눈금이 만나는 자리에 점을 찍고 점들을 선분으로 잇기
⑤ 꺾은선그래프에 알맞은 제목을 붙이기

유형

[9~10] 대희가 모둠발로 앞으로 줄넘기를 한 개수를 조사하여 나타낸 표를 보고 꺾은선그래프로 나타내려고 합니다. 물음에 답해 보세요.

모둠발로 앞으로 줄넘기를 한 개수

날짜(일)	1	2	3	4	5
개수(개)	91	94	93	98	102

9 꺾은선그래프의 가로에 날짜를 쓴다면 세로에는 무엇을 써야 하나요?

(   )

10 꺾은선그래프를 완성해 보세요.

모둠발로 앞으로 줄넘기를 한 개수

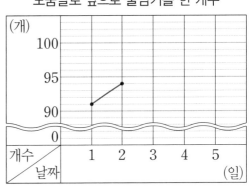

[11~14] 어느 회사의 월별 불량품 수를 조사하여 나타낸 표를 보고 꺾은선그래프로 나타내려고 합니다. 물음에 답해 보세요.

불량품 수

월	6	7	8	9	10
불량품 수(개)	810	900	920	870	850

11 물결선을 넣는다면 세로 눈금 한 칸은 몇 개를 나타내어야 하나요?

( )

12 물결선을 몇 개와 몇 개 사이에 넣으면 좋을지 바르게 말한 사람의 이름을 써 보세요.

 0개와 800개 사이

하윤

 0개와 900개 사이

현서

( )

13 꺾은선그래프로 나타내어 보세요.

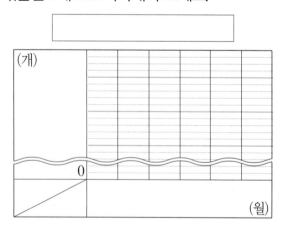

14 불량품 수가 가장 많은 때와 가장 적은 때는 각각 몇 월인지 써 보세요.

가장 많은 때 ( )
가장 적은 때 ( )

개념 **6** 꺾은선그래프를 보고 해석하기

예) 스피드 스케이팅 선수의 대회별 최고 기록

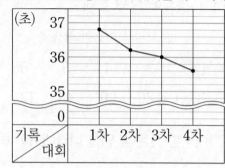

(1) 이 선수의 기록은 점점 좋아지고 있습니다.
└ 기록이 짧아질수록 기록이 좋아지는 것입니다.

(2) 전 대회와 비교하여 기록이 가장 많이 좋아진 때는 2차 대회입니다.

유형

[15~16] 세 가지 식물 (가), (나), (다)의 키의 변화를 조사하여 나타낸 꺾은선그래프입니다. □ 안에 알맞은 식물을 찾아 써넣으세요.

식물 (가)의 키

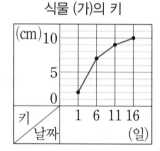

식물 (나)의 키

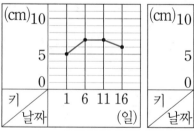

식물 (다)의 키

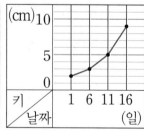

15 처음에는 천천히 자라다가 시간이 지나면서 빠르게 자라는 식물 ➡ 식물 □

16 조사하는 동안 시들기 시작한 식물 ➡ 식물 □

[17~19] 피겨 스케이팅 선수의 프리 스케이팅 기록을 조사하여 나타낸 꺾은선그래프입니다. 물음에 답해 보세요.

기술 점수

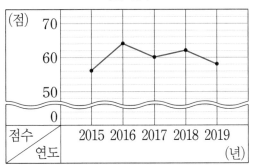

프로그램 구성 요소 점수

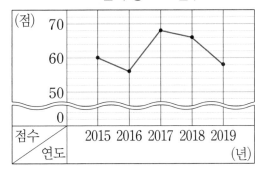

17 기술 점수 중에서 가장 높은 점수는 몇 점인가요?

( )

18 전년과 비교하여 프로그램 구성 요소 점수가 가장 많이 떨어진 때는 몇 년인가요?

( )

19 2017년에 기술 점수와 프로그램 구성 요소 점수를 더하면 몇 점인가요?

( )

[20~22] 12월 한 달 동안 어느 지역의 해 뜨는 시각과 해 지는 시각을 일주일마다 조사하여 나타낸 꺾은선그래프입니다. 물음에 답해 보세요.

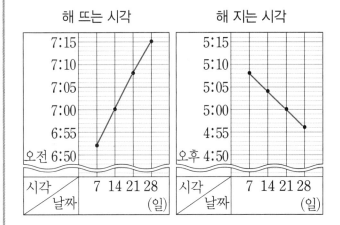

20 알맞은 말에 ○표 하세요.

해 뜨는 시각은 (늦어지고 , 빨라지고) 있습니다.

21 해 지는 시각은 어떻게 변하고 있나요?

( )

22 일주일 후인 1월 4일에 해 뜨는 시각과 해 지는 시각은 언제일지 예상해 보세요.

 꺾은선그래프의 선을 보고 비슷한 기울어진 정도로 시각을 예상해 보렴.

해 뜨는 시각은 오전 7시 □ 분으로 예상했어요.

해 지는 시각은 오후 4시 □ 분일 것 같아요.

[1~4] 표를 보고 꺾은선그래프로 나타낸 후, □ 안에 알맞게 써넣거나 알맞은 말에 ○표 하세요.

1 학교 누리집 방문자 수

요일	월	화	수	목	금
방문자 수(명)	18	15	17	10	6

학교 누리집 방문자 수

전날과 비교하여 방문자 수가 가장 많이 줄어든 때는 □ 요일입니다.

2 1월 최고 기온

날짜(일)	1	8	15	22	29
기온(℃)	1.4	3.6	2.8	2.2	1.8

1월 최고 기온

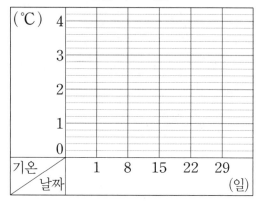

최고 기온이 가장 낮은 때는 □ 일이고 그때의 기온은 □ ℃입니다.

3 전자 대리점의 노트북 판매량

연도(년)	2016	2017	2018	2019
판매량(대)	730	690	630	660

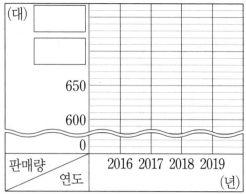

전년과 비교하여 판매량이 늘어난 때는 □ 년입니다.

4 100 m 달리기 기록

회(회)	1	2	3	4
기록(초)	17.3	17	16.9	16.5

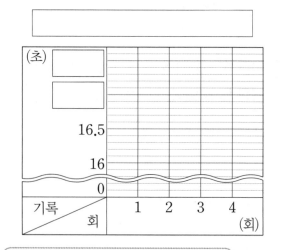

100 m 달리기 기록은 점점 (좋아지고, 나빠지고) 있습니다.

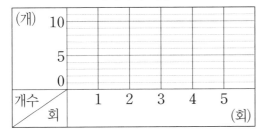
유형 진단 TEST 점수 /10점

[1~2] 영우의 제기차기 개수를 조사하여 나타낸 표를 보고 꺾은선그래프로 나타내려고 합니다. 물음에 답해 보세요.

제기차기 개수

회(회)	1	2	3	4	5
개수(개)	4	2	5	9	11

1 세로 눈금은 적어도 몇 개까지 나타낼 수 있어야 하나요? [1점]

(　　　　)

2 꺾은선그래프로 나타내어 보세요. [1점]

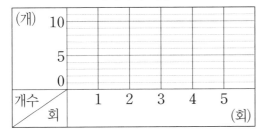

3 어느 지역의 월별 강수량을 조사하여 나타낸 꺾은선그래프입니다. 바르게 설명한 것의 기호를 써 보세요. [2점]

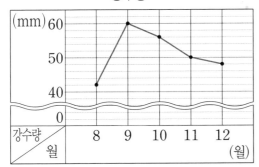

┌─────────────────────────────┐
│ ㉠ 9월은 8월보다 강수량이 줄었습니다. │
│ ㉡ 전달과 비교하여 강수량이 가장 많이 │
│ 　줄어든 때는 11월입니다. │
└─────────────────────────────┘

(　　　　)

[4~7] 어느 지역의 연도별 문화 시설 수를 조사하여 나타낸 표를 보고 꺾은선그래프로 나타내려고 합니다. 물음에 답해 보세요.

문화 시설 수

연도(년)	2015	2016	2017	2018	2019
시설 수(개)	2100	2200	2400	2800	3300

4 물결선을 넣는다면 세로 눈금 한 칸은 몇 개를 나타내어야 하나요? [1점]

(　　　　)

5 물결선을 몇 개와 몇 개 사이에 넣는 것이 좋은가요? [1점]

(　　　　)

6 꺾은선그래프로 나타내어 보세요. [2점]

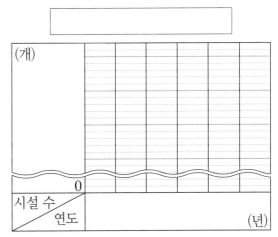

서술형

7 위 **6**의 꺾은선그래프를 보고 알 수 있는 내용을 1가지 써 보세요. [2점]

_____

_____

1 표(꺾은선그래프)로 나타내기

기본 유형

1 12월 중 하루의 기온을 조사하여 나타낸 꺾은선그래프입니다. 꺾은선그래프를 보고 표로 나타내어 보세요.

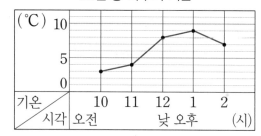

12월 중 하루의 기온

12월 중 하루의 기온

시각(시)	오전 10	오전 11	낮 12	오후 1	오후 2
기온(℃)					

변형 유형

2 진하가 동생의 몸무게를 1개월마다 조사하여 나타낸 표입니다. 표를 보고 꺾은선그래프로 나타내어 보세요.

동생의 몸무게

나이(개월)	4	5	6	7	8
몸무게(kg)	7.1	7.5	8	8.5	8.9

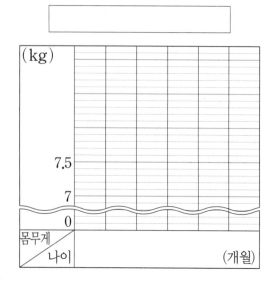

2 꺾은선그래프에 나타나지 않은 값 예상하기

기본 유형

3 소희네 텃밭에 있는 파의 키를 3일마다 재어 나타낸 꺾은선그래프입니다. 10일에 잰 파의 키는 몇 cm였을지 예상해 보세요.

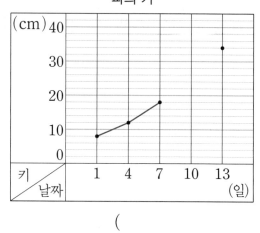

파의 키

( )

변형 유형

4 구멍난 수조에 물을 채운 후 남은 물의 양을 5분마다 재어 나타낸 꺾은선그래프입니다. 15분이 지났을 때 남은 물의 양은 몇 L였을지 예상해 보세요.

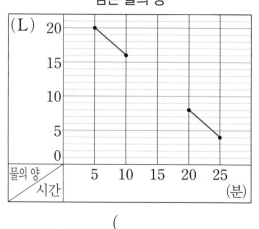

남은 물의 양

( )

❸ 가장 많이 줄어든 때 구하기

기본 유형
5 연아의 윗몸 말아 올리기 개수를 조사하여 나타낸 꺾은선그래프입니다. 전날과 비교하여 윗몸 말아 올리기 개수가 가장 많이 줄어든 때는 무슨 요일이고, 전날보다 몇 개 줄어들었는지 써 보세요.

윗몸 말아 올리기 개수

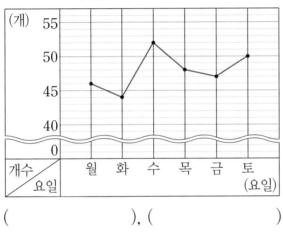

(　　　　　), (　　　　　)

실생활 유형
6 민호의 모바일 게임 시간을 조사하여 나타낸 꺾은선그래프입니다. 전날과 비교하여 모바일 게임 시간이 가장 많이 줄어든 때는 며칠이고, 전날보다 몇 분 줄어들었는지 써 보세요.

모바일 게임 시간

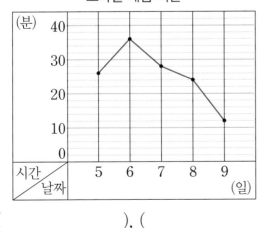

(　　　　　), (　　　　　)

❹ 꺾은선그래프를 보고 예상하기

기본 유형
7 어느 자동차 회사의 수출량을 조사하여 나타낸 꺾은선그래프입니다. 8월에 자동차 수출량은 몇 대가 될 것이라고 예상할 수 있나요?

자동차 수출량

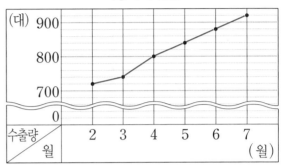

8월에 자동차 수출량은 ☐ 대가 될 것이라고 예상할 수 있습니다.

실생활 유형
8 어느 빌라의 음식물 쓰레기 양을 조사하여 나타낸 꺾은선그래프입니다. 12월에 음식물 쓰레기 양은 몇 kg이 될 것이라고 예상할 수 있나요?

음식물 쓰레기 양

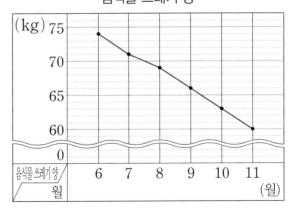

12월에 음식물 쓰레기 양은 ☐ kg이 될 것이라고 예상할 수 있습니다.

독해력 유형 1 자료의 값을 비교하여 차 구하기

어느 요가원의 월별 회원 수를 조사하여 나타낸 꺾은선 그래프입니다. 회원 수가 가장 많은 때는 가장 적은 때보다 몇 명 더 많은지 구해 보세요.

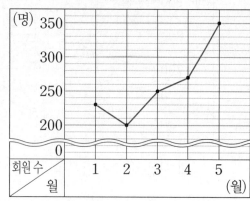

요가원의 회원 수

What? 구하려는 것을 찾아 밑줄을 그어 보세요.

How?
❶ 그래프에 찍힌 점의 높이를 비교하여 회원 수가 가장 많은 때와 가장 적은 때의 회원 수 구하기
❷ ❶에서 구한 회원 수의 차 구하기

Solve
❶ 회원 수가 가장 많은 때와 가장 적은 때는 각각 몇 명인가요?

가장 많은 때 (   )

가장 적은 때 (   )

❷ 회원 수가 가장 많은 때는 가장 적은 때보다 몇 명 더 많은가요?

(   )

쌍둥이 유형 1-1

민석이가 읽은 책 수가 가장 많은 때는 가장 적은 때보다 몇 권 더 많은지 구해 보세요.

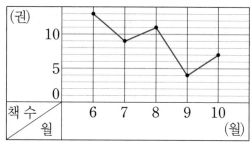

민석이가 읽은 책 수

❶

❷

답 _____

쌍둥이 유형 1-2

농산물 시장의 사과 판매량이 가장 많은 때는 가장 적은 때보다 몇 상자 더 많은지 구해 보세요.

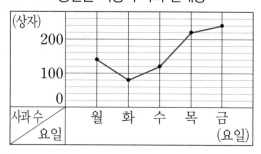

농산물 시장의 사과 판매량

❶

❷

답 _____

독해력 유형 ❷　자료의 값을 구하여 꺾은선그래프 완성하기

희주네 학교에 있는 나무의 키를 조사하여 나타낸 꺾은선 그래프입니다. 2017년에 나무의 키는 2018년에 나무의 키보다 10 cm 더 작을 때 꺾은선그래프를 완성해 보세요.

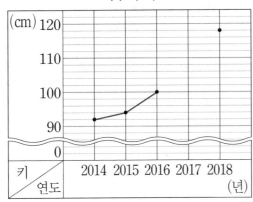

쌍둥이 유형 2-1

주민센터 방문자 수가 목요일에는 금요일보다 3명 더 적었습니다. 꺾은선그래프를 완성해 보세요.

❸

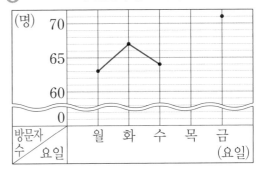

❶

❷

What?　구하려는 것을 찾아 밑줄을 그어 보세요.

How?
❶ 꺾은선그래프를 보고 2018년에 나무의 키 구하기
❷ ❶에서 구한 키보다 10 cm 더 작은 키를 구하여 2017년에 나무의 키 구하기
❸ 꺾은선그래프를 완성하기

쌍둥이 유형 2-2

500 m 스피드 스케이팅 선수의 3차 대회의 기록은 2차 대회의 기록보다 0.3초 더 빨랐다고 합니다. 꺾은선그래프를 완성해 보세요.

Solve
❶ 2018년에 나무의 키는 몇 cm인가요?
（　　　　　　）

❸ 500 m 스피드 스케이팅 선수의 대회별 기록

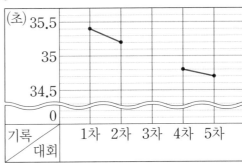

❷ 2017년에 나무의 키는 몇 cm인가요?
（　　　　　　）

❶

❸ 꺾은선그래프를 완성해 보세요.

❷

사고력 플러스 유형

플러스 유형 ❶   알맞은 그래프로 나타내기

1-1 재현이는 강낭콩을 키우면서 키의 변화를 알아보려고 합니다. 막대그래프와 꺾은선그래프 중 알맞은 그래프로 나타내어 보세요.

강낭콩의 키

날짜(일)	1	8	15	22	29
키(cm)	6	9	11	13	15

강낭콩의 키

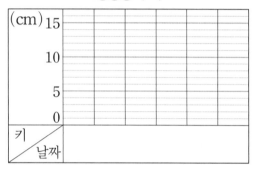

사고력 유형

1-2 평창 동계올림픽대회의 나라별 금메달 수를 비교하려고 합니다. 막대그래프와 꺾은선그래프 중 알맞은 그래프로 나타내어 보세요.

나라별 금메달 수

나라	노르웨이	독일	캐나다	미국	체코
금메달 수(개)	7	5	11	9	2

나라별 금메달 수

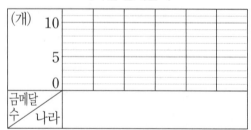

플러스 유형 처방전

막대그래프는 자료의 크기를 한눈에 쉽게 비교할 수 있고, 꺾은선그래프는 자료의 변화하는 정도를 알아보기 쉬워용~

플러스 유형 ❷   표와 꺾은선그래프 완성하기

2-1 시아가 운동한 시간을 조사하여 나타낸 표와 꺾은선그래프입니다. 표와 꺾은선그래프를 완성해 보세요.

운동한 시간

요일	월	화	수	목	금
시간(분)				48	56

운동한 시간

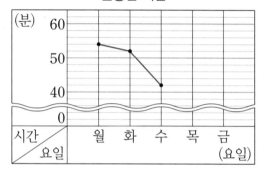

2-2 천재 초등학교의 입학생 수를 조사하여 나타낸 꺾은선그래프와 표입니다. 꺾은선그래프와 표를 완성해 보세요.

입학생 수

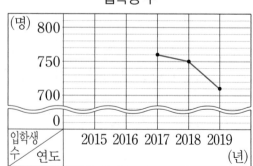

입학생 수

연도(년)	2015	2016	2017	2018	2019
입학생 수(명)	790	760			

플러스 유형 ③ (꺾은선그래프에서 알 수 있는 내용 쓰기)

서술형

3-1 제주특별자치도의 연도별 산불 발생 건수를 조사하여 나타낸 꺾은선그래프입니다. 꺾은선 그래프를 보고 알 수 있는 내용을 써 보세요.

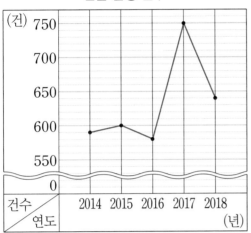

산불 발생 건수

(출처: KOSIS 국가 통계 포털)

_____

_____

서술형

3-2 월별 열차 승객 수를 조사하여 나타낸 꺾은선 그래프입니다. 꺾은선그래프를 보고 알 수 있는 내용을 2가지 써 보세요.

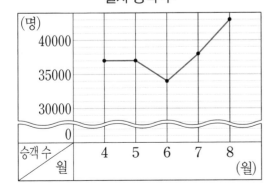

열차 승객 수

① _____

② _____

플러스 유형 ④ (꺾은선그래프에서 변화량 구하기)

4-1 명헌이네 마을의 인구를 조사하여 나타낸 꺾은선그래프입니다. 조사하는 동안 인구는 몇 명 줄어들었나요?

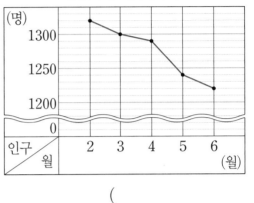

명헌이네 마을의 인구

(　　　　　)

서술형

4-2 소율이가 8월 1일에 운동장의 기온을 재어 나타낸 꺾은선그래프입니다. 조사하는 동안 기온은 몇 ℃ 올랐는지 풀이 과정을 쓰고 답을 구해 보세요.

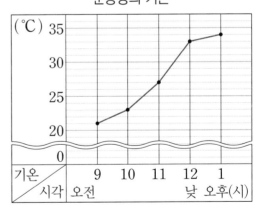

운동장의 기온

풀이 ▸ _____

_____

답 _____

플러스 유형 ⑤   꺾은선그래프를 보고 중간값 구하기

플러스 유형 ⑥   두 꺾은선그래프 비교하기

5-1 강아지의 몸무게를 2개월마다 1일에 재어 나타낸 꺾은선그래프입니다. 6월 1일에는 강아지의 몸무게가 몇 kg이었을까요?

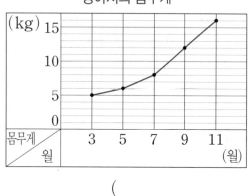

강아지의 몸무게

(   )

6-1 지애와 준호가 과녁 맞히기 놀이를 하여 얻은 점수를 나타낸 꺾은선그래프입니다. 2회에 지애와 준호가 얻은 점수의 차는 몇 점인가요?

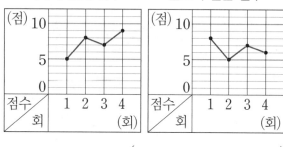

지애가 얻은 점수   준호가 얻은 점수

(   )

사고력 유형

5-2 선우가 감기에 걸린 동안 매일 오전 9시에 잰 체온을 꺾은선그래프로 나타냈습니다. 수요일 오후 9시에는 선우의 체온이 몇 ℃였을까요?

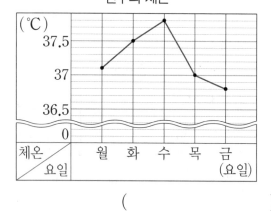

선우의 체온

(   )

서술형

6-2 상혁이의 월별 국어 점수와 영어 점수를 조사하여 나타낸 꺾은선그래프입니다. 11월에 국어 점수와 영어 점수의 차는 몇 점인지 풀이 과정을 쓰고 답을 구해 보세요.

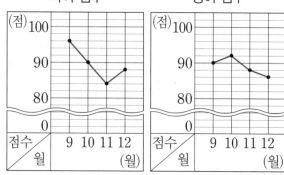

국어 점수   영어 점수

풀이

답

플러스 유형 처방전

예 2개월마다 1일에 잰 몸무게

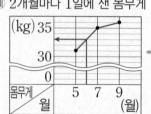

→ 6월 1일의 몸무게는 33 kg이라고 할 수 있다능~

플러스 유형 ❼   자료의 합을 구하여 문제 해결하기

독해력 유형

7-1 어느 전시회의 입장객 수를 5일 동안 조사하여 나타낸 꺾은선그래프입니다. 한 명의 입장료가 3000원일 때 5일 동안 받은 입장료는 모두 얼마인지 구해 보세요.

전시회의 입장객 수

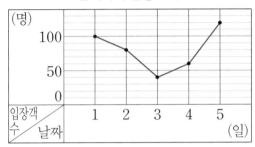

단계1 표를 완성해 보세요.

전시회의 입장객 수

날짜(일)	1	2	3	4	5	합계
입장객 수(명)	100					

단계2 5일 동안 받은 입장료는 모두 얼마인가요?

(   )

7-2 맛나 분식집의 김밥 판매량을 조사하여 나타낸 꺾은선그래프입니다. 김밥 한 줄의 가격이 2000원일 때 5일 동안 판매한 김밥의 값은 모두 얼마인가요?

김밥 판매량

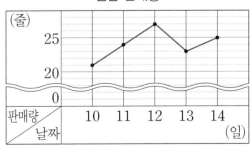

(   )

플러스 유형 ❽   꺾은선 2개로 나타낸 그래프 비교하기

독해력 유형

8-1 또와 마트의 사탕과 초콜릿의 판매량을 조사하여 나타낸 꺾은선그래프입니다. 사탕과 초콜릿의 판매량의 차가 가장 클 때는 몇 개 차이가 나는지 구해 보세요.

사탕과 초콜릿의 판매량

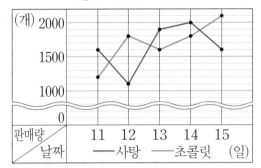

단계1 사탕과 초콜릿의 판매량의 차가 가장 클 때는 며칠인가요?

(   )

단계2 **단계1**에서 답한 때에 사탕과 초콜릿의 판매량은 몇 개 차이가 나나요?

(   )

8-2 준혁이와 상미의 월별 수학 점수를 조사하여 나타낸 꺾은선그래프입니다. 두 사람의 점수의 차가 가장 작은 때는 몇 점 차이가 나나요?

준혁이와 상미의 수학 점수

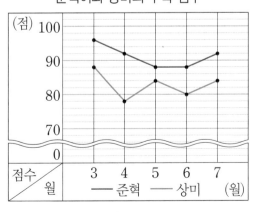

(   )

5 단원

꺾은선그래프

141

[1~6] 종민이네 거실의 온도를 조사하여 나타낸 그래프입니다. 물음에 답해 보세요.

거실의 온도

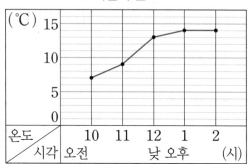

1 위와 같은 그래프를 무엇이라고 하나요?

( )

2 가로와 세로는 각각 무엇을 나타내나요?

가로 ( ), 세로 ( )

3 세로 눈금 한 칸은 몇 ℃를 나타내나요?

( )

4 꺾은선은 무엇을 나타내나요?

( )

5 1시간 전과 비교하여 온도의 변화가 없는 때는 몇 시인가요?

( )

6 기온이 가장 많이 변한 때는 몇 시와 몇 시 사이인가요?

( )시와 ( )시 사이

[7~8] 어느 지역의 연도별 적설량을 조사하여 나타낸 꺾은선그래프입니다. 물음에 답해 보세요.

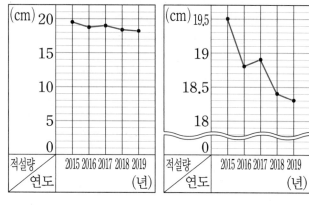

7 (가)와 (나) 그래프의 세로 눈금 한 칸은 각각 몇 cm를 나타내나요?

(가) ( ), (나) ( )

서술형
8 (나) 그래프와 같이 물결선을 사용하여 나타내면 어떤 점이 좋은지 (가) 그래프와 비교하여 써 보세요.

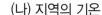

_____

_____

9 두 지역의 기온 변화를 조사하여 나타낸 꺾은선그래프입니다. (가)와 (나) 지역 중 기온이 처음에는 빠르게 오르다가 시간이 지나면서 천천히 오르는 지역은 어느 지역인가요?

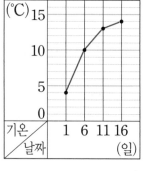

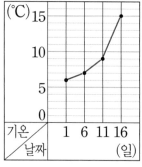

( )

[10~13] 혜미가 타자 연습을 하면서 1분당 타수를 조사하여 나타낸 표를 보고 꺾은선그래프로 나타내려고 합니다. 물음에 답해 보세요.

타수

월	3	4	5	6	7
타수(타)	140	80	160	240	320

10 꺾은선그래프의 가로에 월을 쓴다면 세로에는 무엇을 써야 하나요?

(　　　　　　　)

11 세로 눈금은 적어도 몇 타까지 나타낼 수 있어야 하나요?

(　　　　　　　)

12 꺾은선그래프로 나타내어 보세요.

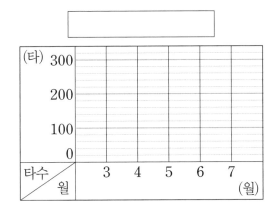

13 8월의 타수는 몇 타가 될 것이라고 예상할 수 있나요?

(　　　　　　　)

[14~15] 제자리멀리뛰기 선수의 기록을 조사하여 나타낸 표를 보고 꺾은선그래프로 나타내려고 합니다. 물음에 답해 보세요.

제자리멀리뛰기 선수의 기록

회(회)	1	2	3	4	5
기록(cm)	150.3	150.5	150.6	151.1	151.8

14 물결선을 넣는다면 세로 눈금 한 칸은 몇 cm를 나타내어야 하나요?

(　　　　　　　)

15 꺾은선그래프로 나타내어 보세요.

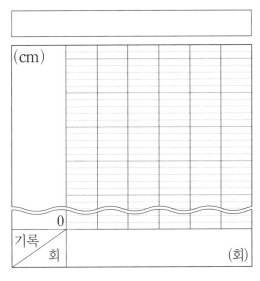

16 해바라기의 키를 조사하여 나타낸 꺾은선그래프입니다. 3월의 키는 2월의 키보다 2 cm 더 클 때 꺾은선그래프를 완성해 보세요.

해바라기의 키

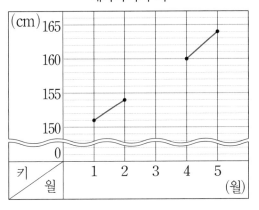

≫ 139쪽 4-2 유사 문제

서술형

17 소율이가 키우는 콩나물의 키를 재어 나타낸 꺾은선그래프입니다. 조사하는 동안 콩나물의 키는 몇 cm 자랐는지 풀이 과정을 쓰고 답을 구해 보세요.

콩나물의 키

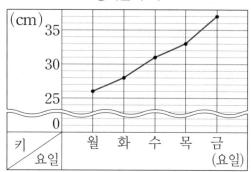

풀이

답 _____

≫ 140쪽 5-2 유사 문제

서술형

18 운동장에 세운 막대의 그림자 길이를 재어 나타낸 꺾은선그래프입니다. 오전 11시 30분에 그림자 길이는 몇 cm였을지 풀이 과정을 쓰고 답을 구해 보세요.

막대의 그림자 길이

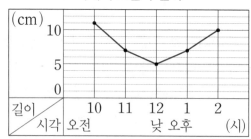

풀이

답 _____

≫ 140쪽 6-2 유사 문제

서술형

19 어느 항공사의 일본행과 대만행 승객 수를 조사하여 나타낸 꺾은선그래프입니다. 10일에 일본행과 대만행의 승객 수의 차는 몇 명인지 풀이 과정을 쓰고 답을 구해 보세요.

일본행 승객 수   대만행 승객 수

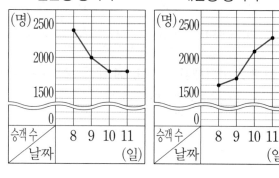

풀이

답 _____

≫ 141쪽 7-1 유사 문제

독해력 유형 서술형

20 미술관의 입장객 수를 5일 동안 조사하여 나타낸 꺾은선그래프입니다. 한 명의 입장료가 1000원일 때 5일 동안 받은 입장료는 모두 얼마인지 풀이 과정을 쓰고 답을 구해 보세요.

미술관의 입장객 수

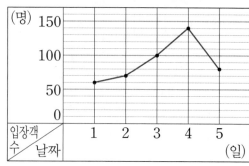

풀이

답 _____

수직

1 서로 수직인 변이 있는 도형을 모두 찾아 기호를 써 보세요.

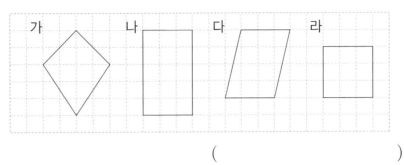

(   )

평행선 사이의 거리

2 직선 가와 직선 나는 서로 평행합니다. 평행선 사이의 거리는 몇 cm인가요?

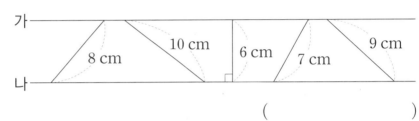

(   )

사다리꼴, 평행사변형

3 직사각형 모양의 종이띠를 선을 따라 잘랐을 때 잘라 낸 도형 중에서 사다리꼴과 평행사변형은 각각 몇 개인가요?

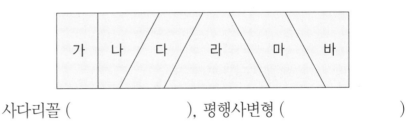

사다리꼴 (   ), 평행사변형 (   )

마름모

마름모는 네 변의 길이가 모두 같아.

4 오른쪽 그림에서 사각형 ㄱㄴㄷㄹ은 마름모입니다. 선분 ㄷㅁ의 길이는 몇 cm인가요?

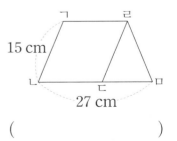

(   )

어느 그래프가 알맞을까?

창의 **1** 여러 가지 자료를 조사한 것입니다. 자료를 나타내기에 알맞은 그래프를 찾아 이어 보고, 그래프로 나타내어 보세요.

지역별 규모 3.0~4.0 지진 발생 건수

지역	서울·경기	충청	전라	경상	강원	제주
건수(건)	1	4	6	14	2	1

(2001년~2013년)

여러 지역의 지진 발생 건수를 편리하게 비교하고 싶어요.

한반도의 규모 3.0 이상 지진 발생 건수

연도(년)	2010	2011	2012	2013	2014	2015
건수(건)	5	14	9	16	8	5

지진 발생 건수의 변화를 한눈에 알아보고 싶어요.

꺾은선그래프

막대그래프

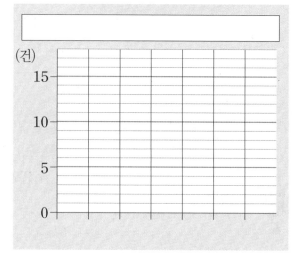

용수철의 늘어난 길이를 그래프로 나타내!

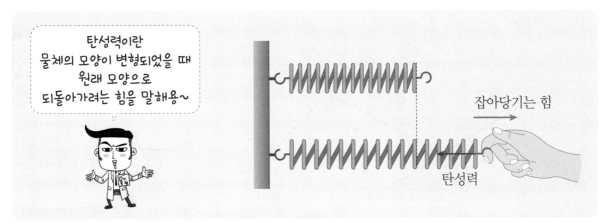

용수철에 추를 매달았을 때 늘어난 길이를 조사하여 나타낸 것입니다. 표를 보고 꺾은선그래프로 나타내어 보세요.

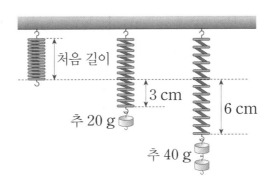

용수철의 늘어난 길이

추의 무게(g)	20	40	60	80
늘어난 길이(cm)	3	6	9	12

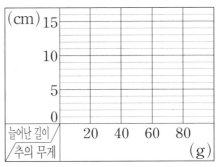

용수철의 늘어난 길이

용수철에 매단 추의 무게가
2배, 3배, 4배……가 되면
늘어난 길이도 2배, 3배, 4배……가
되어 일정하게 늘어나는구나.

6 다각형

어쩌다 다쳤니?

야구놀이 하다가 홈플레이트에 슬라이딩을 잘못해서요.

홈플레이트? 그게 뭐니?

음…… 도형 중에 사각형도 아니고 삼각형도 아니고…….

보건실

이렇게 생겼어요.

크…… 그건 오각형이잖니. 다각형은 변의 수에 따라 이름이 정해진단다.

변:6개
육각형

변:7개
칠각형

변:8개
팔각형

개념 1 다각형

다각형: 선분으로만 둘러싸인 도형

다각형은 변의 수에 따라 이름이 정해져.

다각형			
변의 수(개)	6	7	8
도형의 이름	육각형	칠각형	팔각형

주의

· 다각형이 아닌 경우

| 둘러싸이지 않음. | 곡선인 부분이 있음. | 곡선으로만 둘러싸임. |

유형

1 알맞은 말에 ○표 하세요.

다각형은 (곡선 , 선분)으로만 둘러싸인 도형입니다.

2 다각형이면 ○표, 다각형이 아니면 ✕표 하세요.

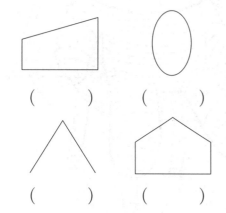

( ) ( )

( ) ( )

3 칠각형을 그린 사람의 이름을 써 보세요.

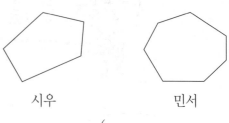

시우   민서

( )

4 그림에서 빨간색 선으로 표시한 다각형의 이름을 찾아 이어 보세요.

·

· 팔각형

·

· 오각형

5 다음 도형이 다각형이 <u>아닌</u> 이유를 **보기** 에서 찾아 기호를 써 보세요.

보기

㉠ 곡선인 부분이 있습니다.

㉡ 곡선으로만 둘러싸여 있습니다.

㉢ 선분으로 둘러싸이지 않고 열려 있습니다.

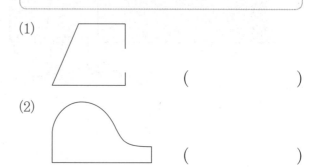

(1)   ( )

(2)   ( )

6 점 종이에 그려진 선분을 이용하여 칠각형을 완성해 보세요.

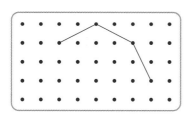

7 다음 안전 표지판에서 볼 수 있는 다각형의 이름을 써 보세요.

(　　　　　)

8 다은이가 말하는 도형의 이름을 써 보세요.

9개의 선분으로만 둘러싸인 도형이야.

다은

(　　　　　)

9 ㉠과 ㉡의 차를 구해 보세요.

십각형의 변의 수: ㉠개
팔각형의 변의 수: ㉡개

(　　　　　)

개념 **2** 변의 길이와 각의 크기가 모두 같은 다각형

정다각형: 변의 길이가 모두 같고, 각의 크기가 모두 같은 다각형

정다각형	△	□	⬠	⬡
변의 수 (개)	3	4	5	6
도형의 이름	정삼각형	정사각형	정오각형	정육각형

주의
• 정다각형이 아닌 경우

각의 크기가 모두　　　　변의 길이가 모두
같지 않음.　　　　　　같지 않음.

유형

10 정다각형에 대한 설명입니다. □ 안에 알맞은 말을 써넣으세요.

□의 길이가 모두 같고, □의 크기가 모두 같습니다.

11 정다각형을 모두 찾아 기호를 써 보세요.

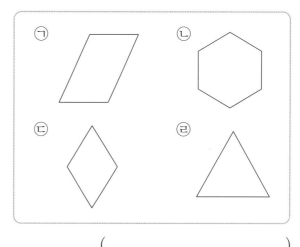

(　　　　　)

6
단원

다각형

151

1 STEP 개념별 유형

12 오른쪽 정다각형의 변의 수를 세어 보고, 이름을 써 보세요.

변의 수(개)	정다각형의 이름

13 정다각형입니다. □ 안에 알맞은 수를 써넣으세요.

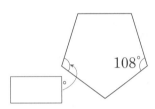

14 주어진 종이에 정육각형을 1개 그려 보세요.

15 한 변이 20 cm인 정오각형 모양의 시계입니다. 시계의 5개의 변의 길이의 합은 몇 cm인가요?

( )

개념 3 대각선

1. 대각선 알아보기

대각선: 다각형에서 선분 ㄱㄷ, 선분 ㄴㄹ과 같이 서로 이웃하지 않는 두 꼭짓점을 이은 선분

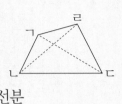

2. 사각형의 대각선의 성질 알아보기

사다리꼴 평행사변형 마름모 직사각형 정사각형

한 대각선이 다른 대각선을 똑같이 둘로 나누는 사각형
➡ 평행사변형, 마름모, 직사각형, 정사각형

두 대각선이 서로 수직으로 만나는 사각형
➡ 마름모, 정사각형

두 대각선의 길이가 같은 사각형
➡ 직사각형, 정사각형

유형

16 사각형에 대각선을 옳게 나타낸 것의 기호를 써 보세요.

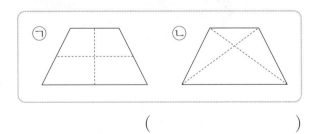

( )

17 사각형에 대각선을 모두 그어 보세요.

152

[18~20] 그림을 보고 각 대각선의 성질에 알맞은 사각형을 모두 찾아 기호를 써 보세요.

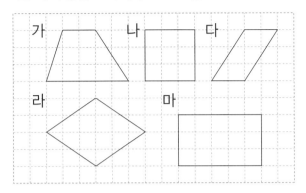

18   두 대각선의 길이가 같은 사각형

(   )

19   한 대각선이 다른 대각선을
         똑같이 둘로 나누는 사각형

(   )

20   두 대각선이 서로 수직으로 만나는 사각형

(   )

21 평행사변형입니다. □ 안에 알맞은 수를 써넣으세요.

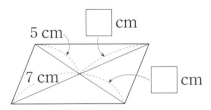

22 마름모입니다. □ 안에 알맞은 수를 써넣으세요.

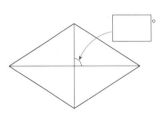

23 삼각형을 보고 바르게 말한 사람의 이름을 써 보세요.

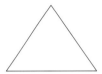

지호   삼각형에는 2개의 대각선을 그을 수 있어.

  삼각형은 꼭짓점 3개가 서로 이웃하고 있기 때문에 대각선을 그을 수 없어. 서아

(   )

24 표시된 꼭짓점에서 그을 수 있는 대각선을 모두 그어 보고, 몇 개인지 써 보세요.

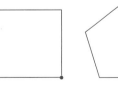

□개   □개   □개

STEP 1 개념별 유형

개념 4 모양 만들기

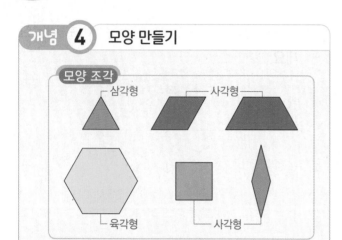

모양 조각

삼각형 / 사각형 / 육각형 / 사각형

• **모양 조각으로 모양 만들기**

예

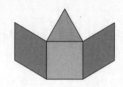

(1) 길이가 같은 변끼리 이어 붙입니다.

(2) 모양 조각이 서로 겹치지 않게 만듭니다.

 같은 모양 조각을 여러 번 사용할 수 있어.

6단원 다각형

25 모양을 만드는 데 사용한 다각형을 모두 찾아 ○표 하세요.

(삼각형 , 사각형 , 육각형)

26 다음 모양을 만들려면  모양 조각은 몇 개 필요한가요?

→ ☐ 개

27 모양을 만드는 데 사용한 다각형은 각각 몇 개 인가요?

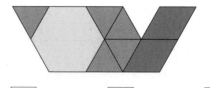

삼각형 ☐ 개, 사각형 ☐ 개, 육각형 ☐ 개

28 다음 모양 조각 중에서 2가지를 골라 주어진 사다리꼴을 만들어 보세요.

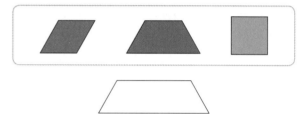

29 모양 조각을 모두 사용하여 모양을 만들고, 만든 모양에 이름을 붙여 보세요. (단, 같은 모양 조각을 여러 번 사용할 수 있습니다.)

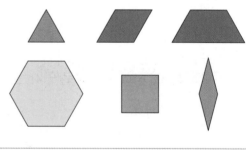

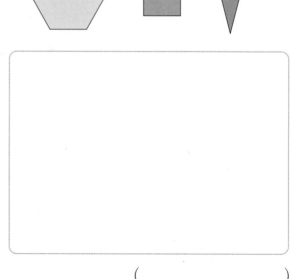

( )

개념 5 모양 채우기

 정육각형을 다음과 같이 여러 가지 방법으로 모양 조각을 사용하여 채울 수 있어.

1가지 모양 조각만으로 채우기

예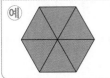

2가지 모양 조각으로 채우기	3가지 모양 조각으로 채우기
예 	예 

주의

모양 조각이 서로 겹치거나 빈틈이 생기지 않게 채워야 합니다.

 유형

30 한 가지 다각형을 사용하여 꾸민 모양입니다. 모양을 채우고 있는 다각형의 이름에 각각 ○표 하세요.

 ➡ (삼각형 , 사각형)

 ➡ (삼각형 , 사각형)

31 다음 모양 조각을 사용하여 평행사변형을 채워 보세요.

32  모양 조각을 모두 사용하여 직사각형을 채워 보세요. (단, 같은 모양 조각을 여러 번 사용할 수 있습니다.)

33 오른쪽 모양을 한 가지 모양 조각만으로 채우려고 합니다. 사용할 수 있는 모양 조각을 찾아 기호를 써 보세요.

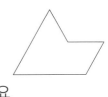

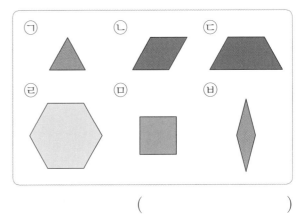

( )

34  모양 조각을 모두 사용하여 서로 다른 방법으로 사다리꼴을 채워 보세요. (단, 같은 모양 조각을 여러 번 사용할 수 있습니다.)

1 알맞은 것끼리 이어 보세요.

[2~4] 각각의 도형에 대각선을 모두 그어 보세요.

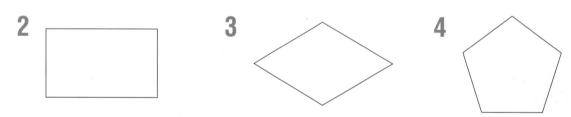

2

3

4

[5~6] 모양을 만드는 데 사용한 다각형을 모두 찾아 색칠해 보세요.

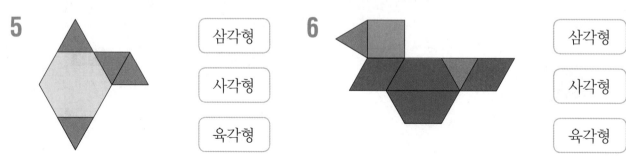

5

삼각형

사각형

육각형

6

삼각형

사각형

육각형

1 모양자에서 다각형을 모두 찾아 기호를 써 보세요. [1점]

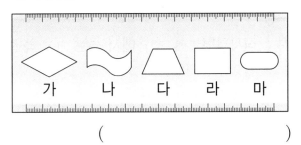

( )

2 점 종이에 팔각형을 그려 보세요. [1점]

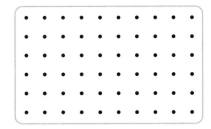

3 도형을 이루고 있는 모양 조각 중 정다각형을 모두 찾아 색칠해 보고, 색칠한 정다각형의 이름을 써 보세요. [2점]

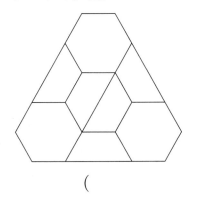

( )

4 한 대각선이 다른 대각선을 똑같이 둘로 나누지 <u>않는</u> 사각형을 찾아 기호를 써 보세요. [2점]

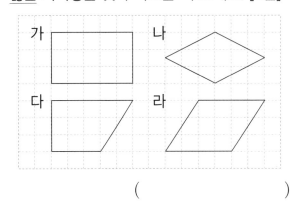

( )

5 두 도형에 그을 수 있는 대각선의 수의 합은 몇 개인가요? [2점]

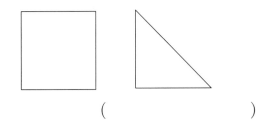

( )

6 모양 조각을 모두 사용하여 주어진 모양을 채워 보세요. (단, 같은 모양 조각을 여러 번 사용할 수 있습니다.) [2점]

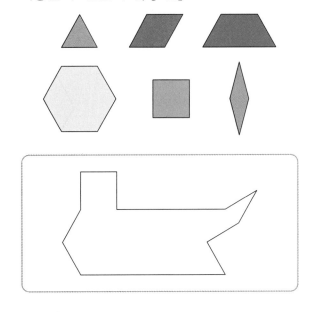

6 단원

다각형

157

① **바르게(잘못) 설명한 것 찾기**

기본 유형

1 바르게 설명한 것을 찾아 기호를 써 보세요.

> ㉠ 다각형은 변의 수와 꼭짓점의 수가 다릅니다.
> ㉡ 정다각형은 변의 길이가 모두 같고 각의 크기도 모두 같습니다.

(   )

변형 유형

2 잘못 말한 사람을 찾아 이름을 써 보세요.

 지호
> 다각형은 삼각형, 사각형처럼 선분으로만 둘러싸인 도형이야.

> 마름모는 변의 길이가 모두 같으므로 정다각형이야.

 다은

(   )

실생활 유형

3 오른쪽은 장기알을 위에서 본 것입니다. 바르게 말한 사람을 모두 찾아 이름을 써 보세요.

> 은우: 정육각형이야.
> 상민: 변의 길이가 모두 같지는 않아.
> 강희: 각의 크기가 모두 같아.

(   )

② **직사각형에서 대각선의 길이 구하기**

기본 유형

4 직사각형 ㄱㄴㄷㄹ에서 선분 ㄱㄷ의 길이는 몇 cm인가요?

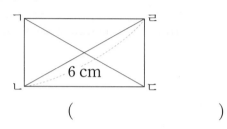

6 cm

(   )

변형 유형

5 직사각형 ㄱㄴㄷㄹ에서 선분 ㄴㄹ의 길이는 몇 cm인가요?

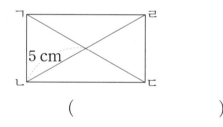

5 cm

(   )

실생활 유형

6 그림은 직사각형 모양의 42인치 텔레비전입니다. 선분 ㄴㄹ의 길이는 몇 인치인가요? (단, 1인치는 약 2.54 cm에 해당하는 길이의 단위입니다.)

42인치

(   )인치

6 단원

다각형

158

❸ 정다각형의 한 변의 길이 구하기

기본유형

7 모든 변의 길이의 합이 48 cm인 정육각형의 한 변의 길이는 몇 cm인가요?

（　　　　　　）

변형유형

8 모든 변의 길이의 합이 96 cm인 정다각형입니다. 이 정다각형의 한 변의 길이는 몇 cm인가요?

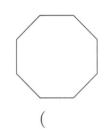

（　　　　　　）

변형유형

9 한 변의 길이가 7 cm인 정오각형의 모든 변의 길이의 합은 몇 cm인가요?

（　　　　　　）

실생활유형

10 모든 변의 길이의 합이 80 m인 정오각형 모양의 울타리가 있습니다. 이 울타리의 한 변의 길이는 몇 m인가요?

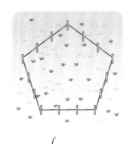

（　　　　　　）

❹ 필요한 모양 조각의 수 구하기

기본유형

11 보기의 모양 조각으로 다음 모양을 채우려면 모양 조각은 몇 개 필요한가요?

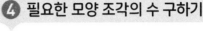

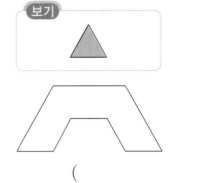

（　　　　　　）

변형유형

12 보기의 모양 조각 중 알맞은 것을 골라 다음 모양을 채우려면 모양 조각은 몇 개 필요한가요?

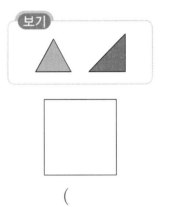

（　　　　　　）

실생활유형

13 왼쪽 타일로 오른쪽 빈 바닥을 채우려면 타일은 몇 개 필요한가요?

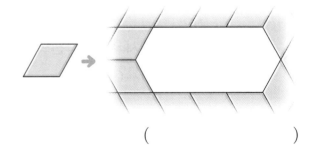

（　　　　　　）

6
단원

다각형

159

사각형에서 두 대각선의 길이의 합 구하기

오른쪽 정사각형에서 두 대각선의 길이의 합은 몇 cm인지 구해 보세요.

What? 구하려는 것을 찾아 밑줄을 그어 보세요.

How? ❶ 정사각형에서 한 대각선의 길이 구하기

> 정사각형은 한 대각선이 다른 대각선을 똑같이 둘로 나눠.

❷ 정사각형에서 두 대각선의 길이에 대한 성질 알아보기

❸ ❶과 ❷를 이용하여 정사각형에서 두 대각선의 길이의 합 구하기

Solve ❶ 정사각형에서 한 대각선의 길이는 몇 cm인가요?

(   )

❷ 정사각형에서 두 대각선의 길이는 같은가요, 다른가요?

(   )

❸ 정사각형에서 두 대각선의 길이의 합은 몇 cm인가요?

(   )

정사각형에서 두 대각선의 길이의 합은 몇 cm인지 구해 보세요.

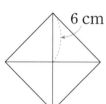

❶

❷

❸

답 _____

직사각형에서 두 대각선의 길이의 합은 몇 cm인지 구해 보세요.

❶

❷

❸

답 _____

독해력 유형 2 필요한 모양 조각 수의 차 구하기

오른쪽 모양을 모양 조각만으로 채우거나 모양 조각만으로 채우려고 합니다. 각각 필요한 모양 조각 수의 차는 몇 개인지 구해 보세요.

What? 구하려는 것을 찾아 밑줄을 그어 보세요.

How?
❶ 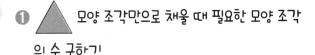 모양 조각만으로 채울 때 필요한 모양 조각의 수 구하기

❷ 모양 조각만으로 채울 때 필요한 모양 조각의 수 구하기

❸ ❶과 ❷에서 필요한 모양 조각 수의 차 구하기

Solve
❶ 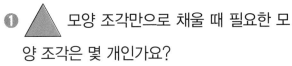 모양 조각만으로 채울 때 필요한 모양 조각은 몇 개인가요?

(   )

❷ 모양 조각만으로 채울 때 필요한 모양 조각은 몇 개인가요?

(   )

❸ ❶과 ❷에서 필요한 모양 조각 수의 차는 몇 개인가요?

(   )

쌍둥이 유형 2-1

다음 모양을 모양 조각만으로 채우거나 모양 조각만으로 채우려고 합니다. 각각 필요한 모양 조각 수의 차는 몇 개인지 구해 보세요.

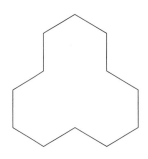

❶

❷

❸

답 _____

6
단원

다각형

161

플러스 유형 **1**   도형의 이름 알아보기

1-1 설명하는 도형의 이름을 써 보세요.

> • 선분으로만 둘러싸인 도형입니다.
> • 변이 10개입니다.

(   )

1-2 두 사람이 설명하는 도형의 이름을 써 보세요.

> 선분으로만
> 둘러싸인 도형이야.

> 변이 12개야.

(   )

1-3 설명하는 도형의 이름을 써 보세요.

> • 선분으로만 둘러싸인 도형입니다.
> • 변의 길이가 모두 같고, 각의 크기가 모두
>   같습니다.
> • 변이 8개입니다.

(   )

플러스 유형 **2**   대각선의 수 구하기

2-1 도형에 대각선을 모두 긋고, 몇 개인지 써 보세요.

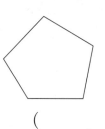

(   )

2-2 도형에 대각선을 모두 긋고, 몇 개인지 써 보세요.

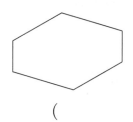

(   )

사고력 유형

2-3 대각선의 수가 많은 도형부터 차례로 기호를 써 보세요.

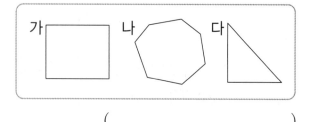

(   )

플러스 유형 **처방전**

다각형은 변의 수에 따라 변이 ■개이면 ■각형이
라고 불러용~

플러스 유형 ❸   이유 쓰기

서술형

3-1 다각형이 <u>아닌</u> 것을 찾아 기호를 쓰고, 그 이유를 써 보세요.

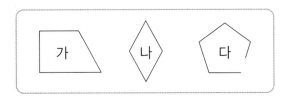

기호 _____

이유 _____

_____

_____

_____

서술형

3-2 정다각형이 <u>아닌</u> 것을 찾아 기호를 쓰고, 그 이유를 써 보세요.

기호 _____

이유 _____

_____

_____

_____

플러스 유형 ❹   여러 가지 방법으로 도형 채우기

4-1 모양 조각을 모두 사용하여 서로 다른 방법으로 정사각형을 채워 보세요. (단, 같은 모양 조각을 여러 번 사용할 수 있습니다.)

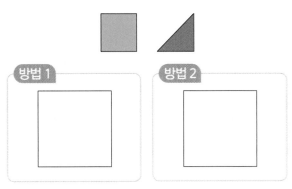

4-2 모양 조각을 모두 사용하여 서로 다른 방법으로 평행사변형을 채워 보세요. (단, 같은 모양 조각을 여러 번 사용할 수 있습니다.)

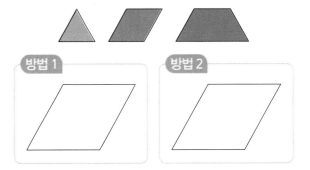

사고력 유형

4-3 4가지 모양 조각을 모두 사용하여 사다리꼴을 채워 보세요.

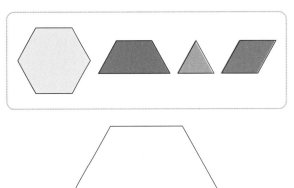

6 단원

다각형

163

플러스 유형 ❺ 사각형의 두 대각선의 길이의 차 구하기

플러스 유형 ❻ 정다각형의 한 변의 길이 구하기

5-1 마름모입니다. 두 대각선의 길이의 차는 몇 cm 인가요?

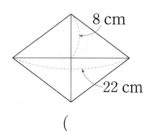

8 cm

22 cm

(   )

6-1 정사각형과 정오각형의 모든 변의 길이의 합이 같습니다. 정오각형의 한 변의 길이는 몇 cm인가요?

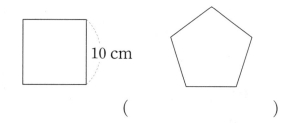

10 cm

(   )

서술형

5-2 평행사변형입니다. 두 대각선의 길이의 차는 몇 cm인지 풀이 과정을 쓰고 답을 구해 보세요.

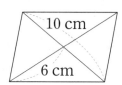

10 cm

6 cm

풀이 ▸ _____

_____

_____

_____

답 _____

서술형

6-2 정오각형과 정팔각형의 모든 변의 길이의 합이 같습니다. 정팔각형의 한 변의 길이는 몇 cm인지 풀이 과정을 쓰고 답을 구해 보세요.

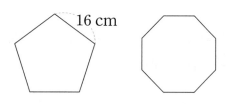

16 cm

풀이 ▸ _____

_____

_____

_____

답 _____

플러스 유형 **처방전**

마름모와 평행사변형은 한 대각선이 다른 대각선을 똑같이 둘로 나눈다능~

플러스 유형 ➐ 정다각형의 한 각의 크기 구하기

독해력 유형

7-1 정육각형의 한 각의 크기를 구해 보세요.

단계 1 표시된 꼭짓점에서 그을 수 있는 대각선을 모두 그으면 정육각형은 삼각형 몇 개로 나누어지나요?

(　　　　　　　)

단계 2 정육각형의 모든 각의 크기의 합은 몇 도인가요?

단계 1 에서 구한 삼각형의 수

$180° × \boxed{} = \boxed{}°$

단계 3 정육각형의 한 각의 크기는 몇 도인가요?

(　　　　　　　)

7-2 정오각형의 한 각의 크기를 구해 보세요.

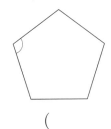

(　　　　　　　)

플러스 유형 처방전

정다각형을 한 꼭짓점을 기준으로 삼각형으로 나누어 모든 각의 크기의 합을 구한 후 한 각의 크기를 구해 봐용~

(모든 각의 크기의 합)=180°×(삼각형의 수)
(한 각의 크기)=(모든 각의 크기의 합)÷(각의 수)

플러스 유형 ➑ 대각선의 성질을 이용하여 각도 구하기

독해력 유형

8-1 직사각형 ㄱㄴㄷㄹ에서 각 ㅁㄹㄷ의 크기를 구해 보세요.

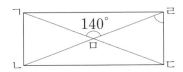

단계 1 각 ㄹㅁㄷ의 크기는 몇 도인가요?

(　　　　　　　)

단계 2 □ 안에 알맞게 써넣고, 알맞은 말에 ○표 하세요.

삼각형 ㄹㅁㄷ은 변 ㅁㄹ과
변 $\boxed{}$ 의 길이가 같으므로
(이등변삼각형 , 직각삼각형)입니다.

단계 3 각 ㅁㄹㄷ의 크기는 몇 도인가요?

(　　　　　　　)

8-2 직사각형 ㄱㄴㄷㄹ에서 각 ㅁㄹㄷ의 크기를 구해 보세요.

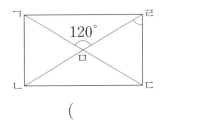

(　　　　　　　)

6 단원

다각형

165

6 단원

다각형

166

1 다각형이면 ○표, 다각형이 아니면 ×표 하세요.

(   )   (   )   (   )

2 변의 길이가 모두 같고, 각의 크기가 모두 같은 다각형을 무엇이라고 하나요?

(   )

[3~4] 비 오는 날에 창밖을 내려다본 풍경입니다. 물음에 답해 보세요.

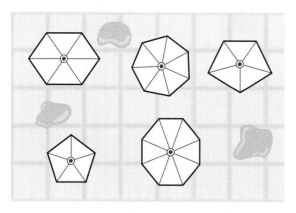

3 오각형 모양의 우산은 파란색, 육각형 모양의 우산은 노란색, 팔각형 모양의 우산은 빨간색으로 모두 색칠해 보세요.

4 3에서 색칠하지 못한 우산은 어떤 다각형인지 이름을 써 보세요.

(   )

5 각각의 도형에 대각선을 모두 그어 보세요.

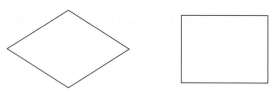

6 오른쪽 안전 표지판에서 볼 수 있는 정다각형의 이름을 써 보세요.

(   )

7  모양 조각을 사용하여 평행사변형을 채워 보세요.

8 다각형을 사용하여 각각 꾸민 모양입니다. 모양 채우기 방법을 잘못 설명한 것을 찾아 기호를 써 보세요.

┌─────────────────────────────────────┐
│ ㉠ 빈틈없이 이어 붙였습니다.   │
│ ㉡ 서로 겹치지 않게 이어 붙였습니다.   │
│ ㉢ 길이가 서로 다른 변끼리 이어 붙였습 │
│   니다.   │
└─────────────────────────────────────┘

(   )

9 점 종이에 그려진 선분을 이용하여 오각형을 완성해 보세요.

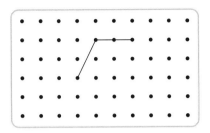

10 모양을 만드는 데 사용한 다각형을 모두 찾아 이름을 써 보세요.

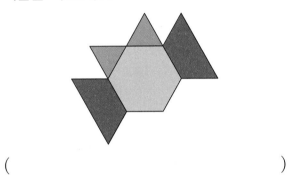

(　　　　　　　　　　　)

[11~12] 그림을 보고 물음에 답해 보세요.

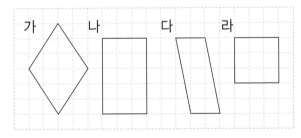

11 두 대각선이 서로 수직으로 만나는 사각형을 모두 찾아 기호를 써 보세요.

(　　　　　　　　)

12 두 대각선의 길이가 같은 사각형을 모두 찾아 기호를 써 보세요.

(　　　　　　　　)

13 모양을 만드는 데 사용한 다각형은 각각 몇 개인가요?

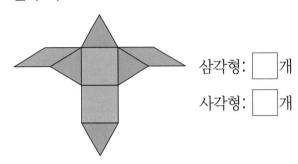

삼각형: ☐ 개

사각형: ☐ 개

14 모든 변의 길이의 합이 78 cm인 정다각형입니다. 이 정다각형의 한 변의 길이는 몇 cm인가요?

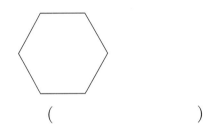

(　　　　　　　　)

15 5가지 모양 조각을 모두 사용하여 주어진 모양을 채워 보세요.

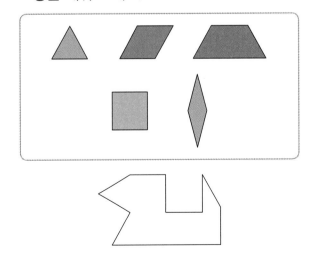

16 대각선의 수가 가장 많은 도형을 찾아 기호를 써 보세요.

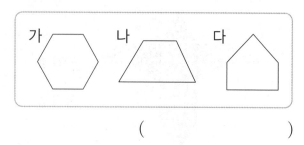

(   )

17 주어진 모양을 △ 모양 조각만으로 채우거나 ▱ 모양 조각만으로 채우려고 합니다. 각각 필요한 모양 조각은 몇 개인가요?

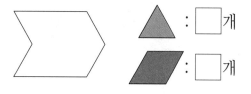

△ : ☐ 개

▱ : ☐ 개

서술형   ≫ 163쪽 3-1 유사 문제

18 다각형이 아닌 것을 찾아 기호를 쓰고, 그 이유를 써 보세요.

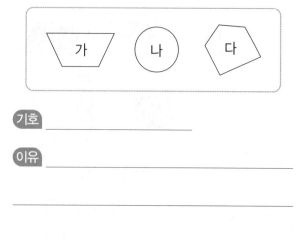

기호 _____

이유 _____

_____

서술형   ≫ 164쪽 5-2 유사 문제

19 평행사변형입니다. 두 대각선의 길이의 차는 몇 cm인지 풀이 과정을 쓰고 답을 구해 보세요.

풀이 _____

_____

_____

_____

답 _____

서술형   ≫ 164쪽 6-2 유사 문제

20 정팔각형과 정사각형의 모든 변의 길이의 합이 같습니다. 정사각형의 한 변의 길이는 몇 cm인지 풀이 과정을 쓰고 답을 구해 보세요.

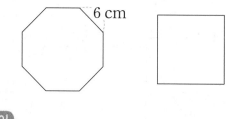

풀이 _____

_____

_____

_____

답 _____

[1~2] 4월 중 하루의 기온 변화를 조사하여 나타낸 꺾은선그래프입니다. 물음에 답해 보세요.

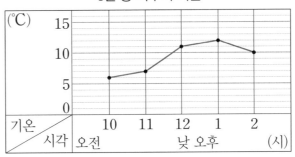

4월 중 하루의 기온

꺾은선그래프

1 세로 눈금 한 칸은 몇 ℃를 나타내나요?

( )

꺾은선그래프를 보고 내용 알아보기

2 기온이 가장 많이 변한 때는 몇 시와 몇 시 사이인가요?

( )시와 ( )시 사이

꺾은선그래프로 나타내기

3 어느 지역의 연도별 초등학교 입학생 수를 조사하여 나타낸 표입니다. 표를 보고 꺾은선그래프로 나타내어 보세요.

세로 눈금 한 칸이 몇 명을 나타내는지 알아봐.

초등학교 입학생 수

연도(년)	2016	2017	2018	2019
입학생 수(명)	1040	1020	980	910

초등학교 입학생 수

관문을 통과하는 도형을 찾아라!

코딩 1 각 관문에 쓰여진 도형만 통과한다고 합니다. 빈칸에 알맞은 도형을 모두 찾아 기호를 써 보세요.

길을 따라가며 관문에 쓰여진 도형을 찾아봐용~

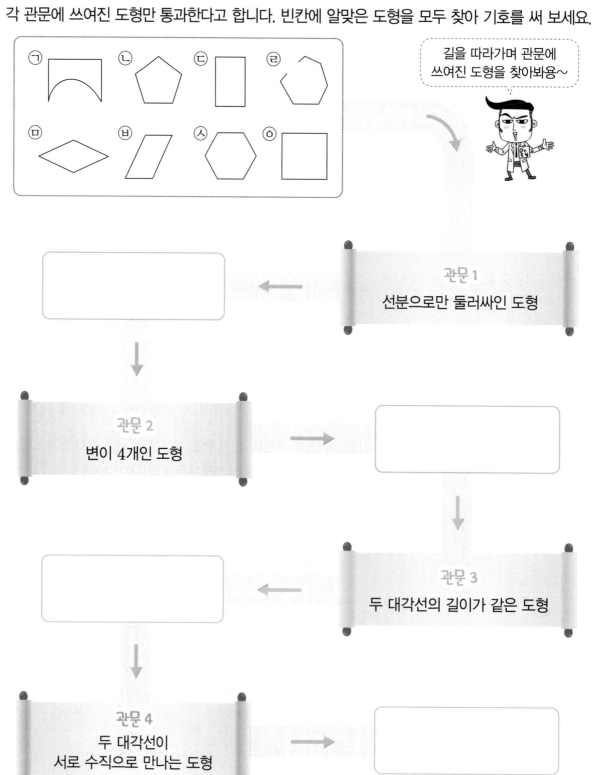

6 단원

170

다각형

관문 1
선분으로만 둘러싸인 도형

관문 2
변이 4개인 도형

관문 3
두 대각선의 길이가 같은 도형

관문 4
두 대각선이
서로 수직으로 만나는 도형

가로·세로 낱말 퍼즐

창의 2

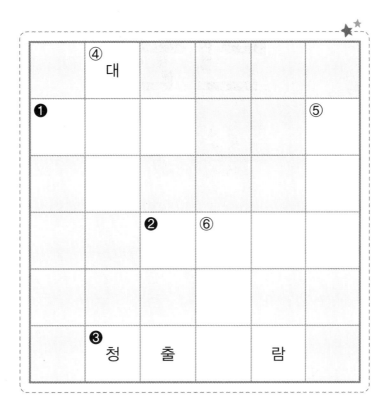

	④ 대				
❶				⑤	
		❷	⑥		
	❸ 청	출		람	

가로 낱말 퀴즈 →

❶ 변이 6개인 다각형의 이름은?

❷ 변이 5개인 정다각형의 이름은?

❸ 제자가 스승보다 더 나음을 비유하는 고사성어는?

세로 낱말 퀴즈 ↓

④ 다각형에서 서로 이웃하지 않는 두 꼭짓점을 이은 선분은?

⑤ 선분으로만 둘러싸인 도형은?

⑥ 왼쪽 사진의 동물의 이름은?

단원 평가

점선대로 잘라서 파이널 테스트지로 활용하세요.

1 색칠한 부분을 각각 분수로 나타내고 두 분수의 차를 구해 보세요.

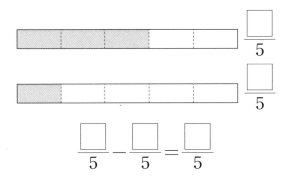

$$\frac{\square}{5} - \frac{\square}{5} = \frac{\square}{5}$$

⏰ 계산해 보세요. (2~3)

2 $\dfrac{5}{9} + \dfrac{5}{9}$

3 $1\dfrac{4}{7} - \dfrac{2}{7}$

4 보기 와 같이 계산해 보세요.

보기
$$4\frac{2}{5} - 1\frac{4}{5} = \frac{22}{5} - \frac{9}{5} = \frac{13}{5} = 2\frac{3}{5}$$

$3\dfrac{2}{8} - 1\dfrac{3}{8}$

5 빈칸에 알맞은 수를 써넣으세요.

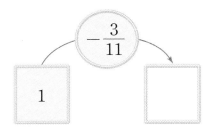

6 두 수의 합을 구해 보세요.

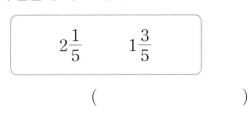

(   )

7 □ 안에 알맞은 수를 써넣으세요.

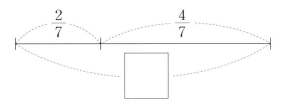

8 계산 결과가 $\dfrac{3}{10}$ 인 것에 ○표 하세요.

$\dfrac{9}{10} - \dfrac{5}{10}$	$1 - \dfrac{7}{10}$	$\dfrac{7}{10} - \dfrac{2}{10}$
( )	( )	( )

9 관계있는 것끼리 이어 보세요.

$3\dfrac{1}{7} + 1\dfrac{1}{7}$ •

$1\dfrac{3}{7} + 2\dfrac{5}{7}$ •

• $4\dfrac{1}{7}$

• $4\dfrac{2}{7}$

• $4\dfrac{3}{7}$

10 계산 결과를 비교하여 ○ 안에 >, =, <를 알맞게 써넣으세요.

$$\dfrac{3}{11} + \dfrac{5}{11} \; \bigcirc \; \dfrac{10}{11} - \dfrac{2}{11}$$

11 병에 우유가 $2\,L$ 들어 있습니다. 그중 $\dfrac{3}{5}\,L$ 를 마셨다면 남은 우유는 몇 L인가요?

식 ＿＿＿＿＿＿＿＿＿＿＿＿＿

답 ＿＿＿＿＿＿＿

12 $3\dfrac{2}{5}-1\dfrac{4}{5}$ 를 잘못 계산한 것입니다. 잘못된 곳을 찾아 바르게 계산해 보세요.

$$3\dfrac{2}{5}-1\dfrac{4}{5}=(3-1)+\left(\dfrac{2}{5}-\dfrac{4}{5}\right)$$
$$=2+\dfrac{2}{5}=2\dfrac{2}{5}$$

$3\dfrac{2}{5}-1\dfrac{4}{5}$

13 길이가 $\dfrac{5}{9}$ m인 철사와 $\dfrac{8}{9}$ m인 철사를 겹치지 않게 이어 붙이면 몇 m가 되나요?

( )

14 흰색 페인트 $1\dfrac{5}{10}$ L와 빨간색 페인트 $\dfrac{7}{10}$ L를 섞어 분홍색 페인트를 만들었습니다. 만들어진 분홍색 페인트는 몇 L인가요?

( )

15 □ 안에 알맞은 대분수를 써넣으세요.

$$7\dfrac{4}{5}-\boxed{}=3\dfrac{1}{5}$$

16 보기 에서 두 수를 골라 □ 안에 써넣어 계산 결과가 가장 큰 뺄셈식을 만들고 답을 구해 보세요.

> 보기
> 3, 4, 6

$$7-\dfrac{\boxed{}}{\boxed{}\ 11}$$

( )

17 □ 안에 들어갈 수 있는 자연수를 모두 구해 보세요.

$$\dfrac{4}{7}+\dfrac{\boxed{}}{7}<1\dfrac{1}{7}$$

( )

18 집에서 가장 먼 곳은 집에서 가장 가까운 곳보다 몇 km 더 먼가요?

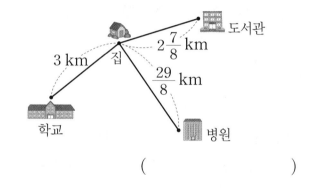

( )

19 사과 상자의 무게는 $10\dfrac{4}{7}$ kg이고, 감 상자는 사과 상자보다 $2\dfrac{3}{7}$ kg 더 가볍습니다. 사과 상자와 감 상자의 무게를 합하면 몇 kg인가요?

( )

20 분모가 8인 진분수가 2개 있습니다. 합이 $\dfrac{7}{8}$, 차가 $\dfrac{3}{8}$인 두 진분수를 구해 보세요.

( ), ( )

분수의 덧셈과 뺄셈

1 이등변삼각형을 찾아 ○표 하세요.

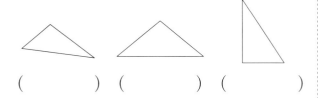

(   ) (   ) (   )

2 정삼각형입니다. □ 안에 알맞은 수를 써넣으세요.

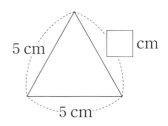

⏰ 예각삼각형이면 '예', 직각삼각형이면 '직', 둔각삼각형이면 '둔'이라고 써 보세요. **(3~4)**

3
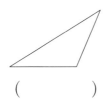
(   )

4

(   )

5 정삼각형의 성질에 대한 설명입니다. □ 안에 알맞은 말을 각각 써넣으세요.

> • 세 □의 길이가 같습니다.
> • 세 □의 크기가 같습니다.

6 이등변삼각형입니다. 나머지 한 변의 길이는 몇 cm인가요?

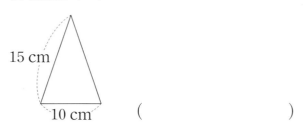

(   )

7 □ 안에 알맞은 수를 써넣으세요.

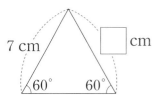

⏰ 직사각형 모양의 종이를 선을 따라 오려서 여러 개의 삼각형을 만들었습니다. 물음에 답해 보세요. **(8~9)**

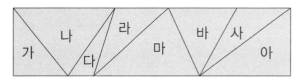

8 직각삼각형을 모두 찾아 기호를 써 보세요.

(   )

9 예각삼각형과 둔각삼각형은 각각 몇 개인지 써 보세요.

예각삼각형 (   )

둔각삼각형 (   )

10 이등변삼각형이면서 둔각삼각형인 도형을 찾아 기호를 써 보세요.

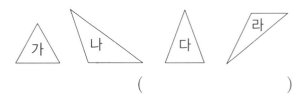

(   )

11 바르게 설명한 사람의 이름을 써 보세요.

> 승재: 이등변삼각형은 정삼각형이라고 할 수 있어.
> 유빈: 정삼각형은 예각삼각형이야.
> 민영: 둔각삼각형은 세 각이 모두 둔각이야.

(   )

2 단원

삼각형

3

12 □ 안에 알맞은 수를 써넣으세요.

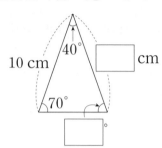

13 변의 길이와 각의 크기에 따라 삼각형을 분류하여 기호를 써 보세요.

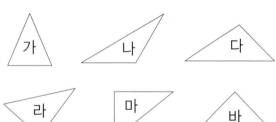

	예각 삼각형	둔각 삼각형	직각 삼각형
이등변삼각형		나	
세 변의 길이가 모두 다른 삼각형	라		

14 다음 삼각형의 이름이 될 수 있는 것을 모두 고르세요. ·····( )

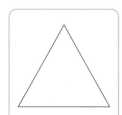

① 정삼각형
② 이등변삼각형
③ 예각삼각형
④ 직각삼각형
⑤ 둔각삼각형

15 길이가 27 cm인 끈으로 만들 수 있는 가장 큰 정삼각형의 한 변의 길이는 몇 cm인가요?
( )

16 보기 에서 설명하는 도형을 그려 보세요.

보기
• 이등변삼각형입니다.
• 예각삼각형입니다.

17 삼각형의 세 각 중에서 두 각의 크기가 35°, 110°입니다. 이 삼각형은 어떤 삼각형인지 이름을 모두 써 보세요.
( )

18 오른쪽 삼각형 ㄱㄴㄷ은 이등변삼각형입니다. 이 삼각형의 세 변의 길이의 합이 32 cm일 때 변 ㄴㄷ의 길이는 몇 cm인가요?
( )

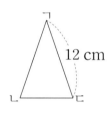

19 삼각형 ㄱㄴㄷ은 이등변삼각형입니다. ㉠의 각도를 구해 보세요.

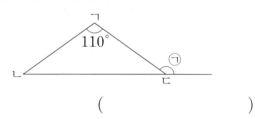

( )

20 그림에서 찾을 수 있는 크고 작은 예각삼각형은 모두 몇 개인가요?

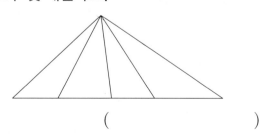

( )

삼각형

1 □ 안에 알맞은 수를 써넣으세요.

2 다음 분수를 소수로 나타내고, 읽어 보세요.

$$\frac{34}{1000}$$

쓰기 (　　　　　　　　　)

읽기 (　　　　　　　　　)

3 □ 안에 알맞은 수나 말을 써넣으세요.

1.254에서 4는 소수 □ 자리 숫자이고,

□ 을/를 나타냅니다.

4 빈칸에 알맞은 수를 써넣으세요.

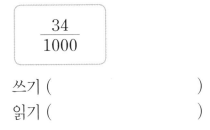

5 두 수의 크기를 비교하여 ○ 안에 >, =, < 를 알맞게 써넣으세요.

1.78 ◯ 1.752

6 빈칸에 알맞은 수를 써넣으세요.

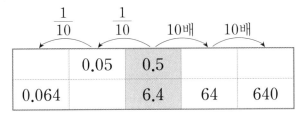

$\frac{1}{10}$	$\frac{1}{10}$	10배	10배
	0.05	0.5		
0.064		6.4	64	640

7 다음 수를 소수로 써 보세요.

1이 3개, 0.1이 8개, 0.01이 2개인 수

(　　　　　　　　　)

8 설명하는 수가 얼마인지 구해 보세요.

1.94보다 0.37만큼 더 큰 수

(　　　　　　　　　)

9 배 한 개의 무게는 485 g입니다. 배 한 개의 $\frac{1}{10}$ 은 몇 g인가요?

(　　　　　　　　　)

10 3이 나타내는 수가 0.03인 소수는 어느 것인가요?... (　　　)

① 0.3　　　② 1.73　　　③ 3.27

④ 0.153　　⑤ 8.361

11 0.35보다 큰 수를 모두 찾아 ○표 하세요.

> 0.337   0.4   0.348   0.359

12 □ 안에 알맞은 수를 써넣으세요.

> • 1.2는 0.12의 □ 배입니다.
> • 70은 0.7의 □ 배입니다.

13 은하가 두 달 전에 강낭콩의 길이를 재었더니 0.5 m였습니다. 오늘 다시 재어 보니 두 달 전보다 0.4 m가 더 자랐습니다. 오늘 잰 강낭콩의 길이는 몇 m인가요?

식 _____

답 _____

14 가장 큰 수와 가장 작은 수의 차를 구해 보세요.

> 5.92   5.36   5.64

(   )

15 달걀이 들어 있는 바구니의 무게는 2.4 kg입니다. 빈 바구니의 무게가 0.15 kg일 때 바구니에 들어 있는 달걀만의 무게는 몇 kg인가요?

(   )

16 □ 안에 들어갈 수 있는 가장 큰 소수 한 자리 수를 구해 보세요.

> 2.4＋3.8＞□

(   )

17 ㉠이 나타내는 수는 ㉡이 나타내는 수의 몇 배인가요?

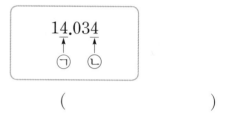

(   )

18 희은이는 물을 0.64 L 마시고 지섭이는 물을 800 mL 마셨습니다. 두 사람이 마신 물은 모두 몇 L인지 소수로 써 보세요.

(   )

19 4장의 카드를 한 번씩 모두 사용하여 소수 두 자리 수를 만들려고 합니다. 만들 수 있는 가장 큰 수와 가장 작은 수를 차례로 써 보세요.

> 4   7   1   .

(   ), (   )

20 어떤 수에서 6.5를 빼야 할 것을 잘못하여 더했더니 15.9가 되었습니다. 바르게 계산하면 얼마인가요?

(   )

4. 사각형

4학년   이름 :

날짜   .   .

점수

⏰ 그림을 보고 물음에 답해 보세요. (1~2)

1 직선 가에 수직인 직선을 모두 찾아 써 보세요.
(   )

2 서로 평행한 직선을 찾아 써 보세요.
(   )와 (   )

3 평행선 사이의 거리를 나타내는 선분은 어느 것인가요? ·········· (   )

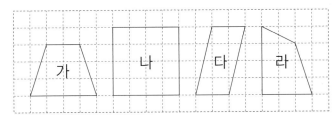

⏰ 도형을 보고 물음에 답해 보세요. (4~5)

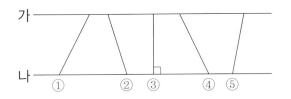

4 사다리꼴은 모두 몇 개인가요?
(   )

5 평행사변형을 모두 찾아 기호를 써 보세요.
(   )

6 도형에서 변 ㄷㄹ과 수직인 변을 모두 찾아 써 보세요.

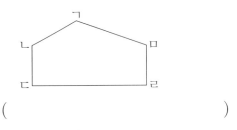

(   )

7 평행사변형입니다. □ 안에 알맞은 수를 써넣으세요.

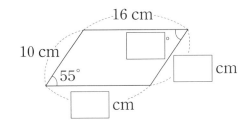

8 사각형의 이름이 될 수 있는 것을 모두 찾아 ○표 하세요.

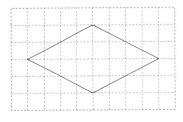

(평행사변형 , 마름모 , 정사각형)

⏰ 직사각형 모양의 종이띠를 선을 따라 잘랐습니다. 물음에 답해 보세요. (9~10)

9 잘라 낸 도형 중 사다리꼴은 몇 개인가요?
(   )

10 해당되는 사각형을 모두 찾아 기호를 써넣으세요.

평행사변형	직사각형	정사각형

11 평행선 사이의 거리는 몇 cm인지 재어 보세요.

(   )

12 직사각형과 정사각형의 공통점이 <u>아닌</u> 것을 찾아 기호를 써 보세요.

> ㉠ 마주 보는 두 쌍의 변이 평행합니다.
> ㉡ 네 각의 크기가 모두 같습니다.
> ㉢ 네 변의 길이가 모두 같습니다.

(   )

13 오른쪽 도형이 사다리꼴인지 아닌지 쓰고, 그렇게 답한 이유를 써 보세요.

답 _____

이유 _____

_____

14 수선도 있고 평행선도 있는 도형을 모두 찾아 기호를 써 보세요.

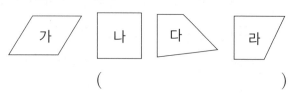

(   )

15 보기 에서 설명하는 사각형의 이름을 써 보세요.

>
> • 서로 평행한 변이 있습니다.
> • 네 각이 모두 직각입니다.
> • 네 변의 길이가 모두 같습니다.

(   )

16 길이가 72 cm인 철사를 겹치지 않게 모두 사용하여 마름모를 한 개 만들었습니다. 마름모의 한 변의 길이는 몇 cm인가요?

(   )

17 직선 가와 직선 나는 서로 수직입니다. ㉠, ㉡의 각도를 각각 구해 보세요.

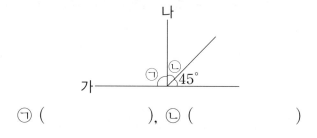

㉠ (   ), ㉡ (   )

18 평행사변형의 네 변의 길이의 합은 28 cm입니다. 변 ㄷㄹ의 길이는 몇 cm인가요?

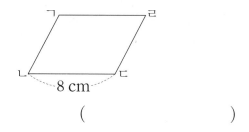

(   )

19 사각형 ㄱㄴㄷㄹ은 마름모입니다. □ 안에 알맞은 수를 써넣으세요.

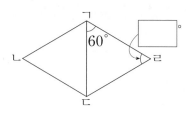

20 다음 4개의 막대를 변으로 하여 만들 수 있는 사각형의 이름을 모두 써 보세요.

(   )

사각형

4
단원

5. 꺾은선그래프

4학년 　이름 :

날짜 　.　.

점수

1 □ 안에 알맞은 말을 써넣으세요.

수량을 점으로 표시하고, 그 점들을 선분으로 이어 그린 그래프를 ☐ 그래프라고 합니다.

⏰ 운동장의 온도를 3시간마다 조사하여 나타낸 꺾은선그래프입니다. 물음에 답해 보세요.

(2~6)

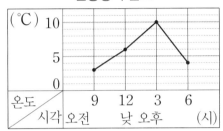

운동장의 온도

2 세로 눈금 한 칸의 크기는 몇 ℃인가요?

(　　　　　)

3 오전 9시의 운동장의 온도는 몇 ℃인가요?

(　　　　　)

4 꺾은선은 무엇을 나타내고 있나요?

(　　　　　)

5 운동장의 온도가 가장 높은 때는 몇 시인가요?

(　　　　　)

6 온도가 가장 많이 변한 때는 몇 시와 몇 시 사이 인가요?

(　　　　)와 (　　　　) 사이

⏰ 달콤 빵집의 빵 판매량을 조사하여 나타낸 꺾은선그래프입니다. 물음에 답해 보세요. **(7~8)**

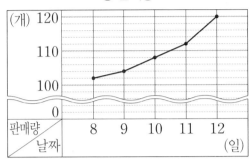

빵 판매량

7 11일에는 10일보다 빵 판매량이 몇 개만큼 늘었나요? (　　　　　)

8 빵 판매량이 가장 많은 날의 판매량은 몇 개인가요? (　　　　　)

⏰ 재윤이가 5일 동안 한 줄넘기 개수를 나타낸 표를 보고 꺾은선그래프로 나타내려고 합니다. 물음에 답해 보세요. **(9~11)**

줄넘기 개수

요일	월	화	수	목	금
개수(개)	100	150	140	160	180

9 물결선을 몇 개와 몇 개 사이에 넣으면 좋은 가요? (　　　　　)

10 세로 눈금 한 칸은 몇 개를 나타내어야 하나요? (　　　　　)

11 꺾은선그래프로 나타내어 보세요.

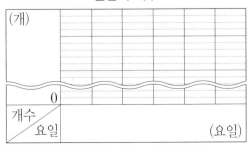

줄넘기 개수

⏰ 동물원의 입장객 수를 요일별로 조사하여 나타낸 꺾은선그래프입니다. 물음에 답해 보세요. (**12~16**)

동물원의 입장객 수

12 표로 나타내어 보세요.

동물원의 입장객 수

요일	화	수	목	금	토
입장객 수(명)					

13 전날과 비교하여 입장객 수가 줄어든 요일은 언제인가요?

( )

14 입장객 수가 가장 많은 요일과 가장 적은 요일을 차례로 써 보세요.

( ), ( )

15 입장객 수가 가장 많은 요일과 가장 적은 요일의 차는 몇 명인가요?

( )

16 동물원의 입장료는 1000원입니다. 금요일의 동물원 입장료는 모두 얼마인가요?

( )

⏰ 현아의 키를 매년 조사하여 나타낸 꺾은선그래프입니다. 물음에 답해 보세요. (**17~18**)

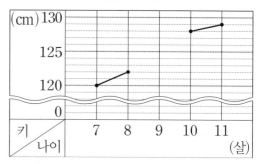

현아의 키

17 바르게 설명한 것을 찾아 기호를 써 보세요.

> ㉠ 8살 때 현아의 키는 7살 때보다 2 cm 더 컸습니다.
> ㉡ 11살 때 현아의 키는 130 cm였습니다.

( )

18 9살 때 현아의 키는 몇 cm였을 것이라고 예상할 수 있나요? ( )

⏰ 소민이와 지현이의 월별 수학 점수의 변화를 조사하여 나타낸 꺾은선그래프입니다. 물음에 답해 보세요. (**19~20**)

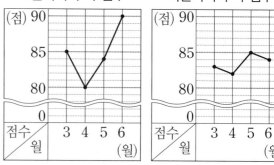

소민이의 수학 점수   지현이의 수학 점수

19 소민이가 지현이보다 수학 점수가 높은 달은 몇 번 있나요? ( )

20 소민이와 지현이의 수학 점수 중 각각 가장 높은 점수의 차는 몇 점인가요?

( )

1 다각형을 찾아 ○표 하세요.

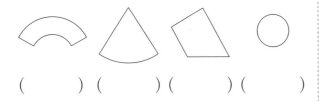

(   ) (   ) (   ) (   )

2 다각형의 이름을 써 보세요.

(   )

3 표시된 꼭짓점에서 그을 수 있는 대각선을 모두 그어 보세요.

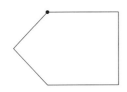

4 정오각형을 찾아 ○표 하세요.

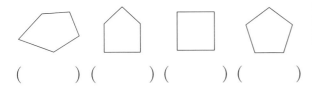

(   ) (   ) (   ) (   )

5 왼쪽의 모양을 만드는 데 사용한 모양 조각은 각각 몇 개인가요?

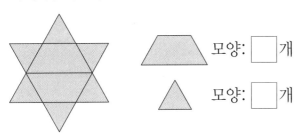

모양: ☐ 개

모양: ☐ 개

6 정육각형입니다. ☐ 안에 알맞은 수를 써넣으세요.

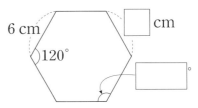

다각형을 사용하여 꾸민 모양을 보고 물음에 답해 보세요. (**7~8**)

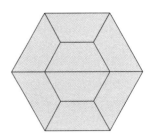

7 위의 모양을 채우고 있는 다각형의 이름을 쓰고, 몇 개인지 써 보세요.

(   ), (   )

8 위의 모양을 채우고 있는 모양 조각만 사용하여 평행사변형을 채워 보세요.

사각형을 보고 ☐ 안에 알맞은 기호를 써넣으세요. (**9~10**)

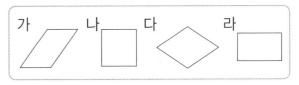

9 두 대각선이 서로 수직으로 만나는 사각형은 ☐, ☐ 입니다.

10 두 대각선의 길이가 같은 사각형은 ☐, ☐ 입니다.

11 왼쪽 2가지 모양 조각을 모두 사용하여 오른쪽에 주어진 모양을 채워 보세요. (단, 같은 모양 조각을 여러 번 사용할 수 있습니다.)

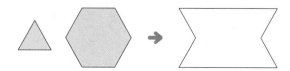

12 오른쪽 도형에 그을 수 있는 대각선은 모두 몇 개인가요?

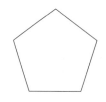

( )

13 조건 을 만족하는 도형의 이름을 써 보세요.

조건
  • 선분 12개로 둘러싸인 도형입니다.
  • 변의 길이가 모두 같습니다.
  • 각의 크기가 모두 같습니다.

( )

14 평행사변형입니다. □ 안에 알맞은 수를 써넣으세요.

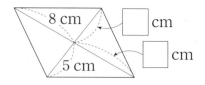

서술형
15 도형은 정육각형이 아닙니다. 그 이유를 써 보세요.

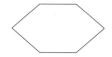

이유

16 바르게 말한 사람의 이름을 써 보세요.

유리: 꼭짓점의 수가 많을수록 대각선의 수가 많아.
수영: 삼각형의 대각선의 수는 3개야.

( )

17 한 가지 모양 조각만으로 오른쪽 모양을 채우려면 각각의 모양 조각이 몇 개 필요한가요?

( )

( )

18 모든 변의 길이의 합이 32 cm이고, 한 변의 길이가 4 cm인 정다각형의 이름을 써 보세요.

( )

19 사각형 ㄱㄴㄷㄹ은 직사각형입니다. 각 ㄴㄱㅁ의 크기는 몇 도인가요?

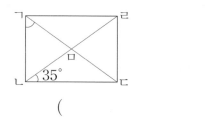

( )

20 다음 정삼각형 모양 조각으로 한 변이 9 cm인 정삼각형을 채웠습니다. 사용한 정삼각형 모양 조각은 몇 개인가요?

( )

수학 성취도 평가

4학년 2학기 과정을 모두 끝내셨나요?

한 학기 성취도를 확인해 볼 수 있도록 25문항으로 구성된 평가지입니다.
2학기 내용을 얼마나 이해했는지 평가해 보세요.

차세대 리더

반 .... 이름 ....

수학 성취도 평가
1단원 ～ 6단원

점수

1 수직선을 보고 □ 안에 알맞은 수를 써넣으세요.

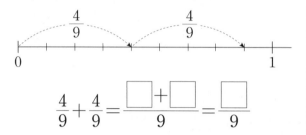

$$\frac{4}{9} + \frac{4}{9} = \frac{\boxed{} + \boxed{}}{9} = \frac{\boxed{}}{9}$$

2 계산해 보세요.

(1)
```
  0.48
+ 0.23
```

(2)
```
  5.3
- 1.7
```

3 다각형을 찾아 기호를 써 보세요.

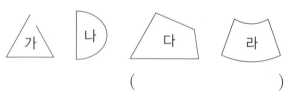

(   )

4 서로 수직인 변이 있는 도형을 찾아 기호를 써 보세요.

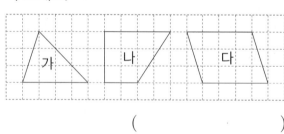

(   )

5 빈칸에 두 수의 합을 써넣으세요.

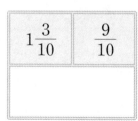

$1\frac{3}{10}$ | $\frac{9}{10}$

6 식물의 키를 조사하여 나타낸 꺾은선그래프입니다. 물음에 답해 보세요. (**6**～**7**)

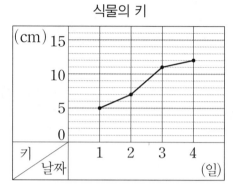

식물의 키

6 2일에 식물의 키는 몇 cm인가요?

(   )

7 식물의 키의 변화가 가장 클 때는 며칠과 며칠 사이인가요?

(   )과 (   ) 사이

8 변 ㄱㅂ과 평행한 변은 모두 몇 개인가요?

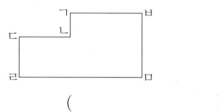

(   )

9 정삼각형입니다. □ 안에 알맞은 수를 써넣으세요.

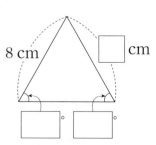

8 cm   □ cm

10 세 각의 크기가 다음과 같은 삼각형은 어떤 삼각형인지 알맞은 말에 ○표 하세요.

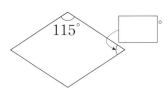

(예각 , 직각 , 둔각)삼각형

11 마름모입니다. □ 안에 알맞은 수를 써넣으세요.

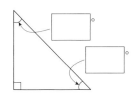

12 이등변삼각형입니다. □ 안에 알맞은 수를 써넣으세요.

13 나타내는 수가 다른 하나는 어느 것인가요?
.... (   )

① 3.5의 $\frac{1}{10}$ ② 0.01이 35개

③ 0.035의 100배   ④ 영 점 삼오

⑤ 0.35

14 길이가 $3\frac{1}{5}$ m인 통나무가 있습니다. 그중 $1\frac{4}{5}$ m를 잘라 사용했다면 남은 통나무의 길이는 몇 m인가요?

(   )

15 다각형에 대각선을 모두 그어 보고, 대각선은 모두 몇 개인지 구해 보세요.

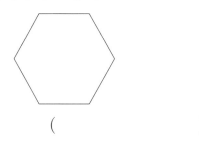

(   )

⏰ 사과 농장의 연도별 사과 수확량을 조사하여 나타낸 꺾은선그래프입니다. 물음에 답해 보세요. (**16 ~ 17**)

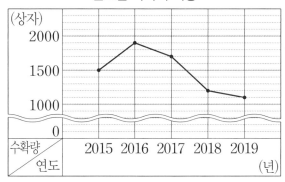

16 2016년의 사과 수확량은 2015년보다 몇 상자 더 많았나요?

(   )

17 전년과 비교하여 사과 수확량이 가장 많이 줄어든 때는 몇 년인가요?

(   )

18 사각형에 대해 잘못 설명한 것은 어느 것인가요?.. (   )

① 직사각형은 평행사변형입니다.

② 정사각형은 마름모입니다.

③ 마름모는 평행사변형입니다.

④ 평행사변형은 마름모입니다.

⑤ 직사각형은 사다리꼴입니다.

19 가장 큰 수와 가장 작은 수의 차를 구해 보세요.

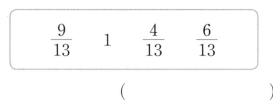

$$\frac{9}{13} \quad 1 \quad \frac{4}{13} \quad \frac{6}{13}$$

( )

20 다음 사각형 ㄱㄴㄷㄹ은 정사각형입니다. 선분 ㄴㅁ의 길이는 몇 cm인가요?

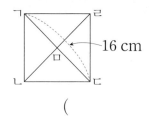

( )

서술형

21 어떤 수에서 4.7을 뺐더니 10.83이 되었습니다. 어떤 수는 얼마인지 풀이 과정을 쓰고 답을 구해 보세요.

풀이

답 _____

서술형

22 삼각형 ㄱㄴㄷ은 이등변삼각형입니다. 각 ㄴㄱㄷ의 크기는 몇 도인지 풀이 과정을 쓰고 답을 구해 보세요.

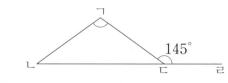

풀이

답 _____

서술형

23 정다각형 3개를 변끼리 맞닿게 이어 붙인 도형입니다. 굵은 선의 길이는 모두 몇 cm인지 풀이 과정을 쓰고 답을 구해 보세요.

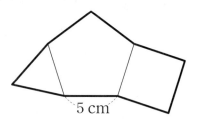

풀이

답 _____

24 6장의 수 카드 중에서 3장을 골라 □ 안에 한 번씩만 넣어 소수 두 자리 수를 만들려고 합니다. 만들 수 있는 가장 큰 수와 가장 작은 수의 차를 구해 보세요.

| 0 | 1 | 3 | 5 | 7 | 9 |

□ . □ □

( )

25 그림에서 찾을 수 있는 크고 작은 사다리꼴은 모두 몇 개인가요?

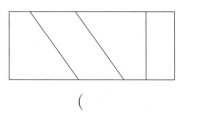

( )

미래를 바꾸는
긍정의 한마디

모든 언행을 칭찬하는 자보다
결점을 친절하게 말해주는 친구를 가까이 하라.

소크라테스(Socrates)

어리석은 사람은 박수에 웃음 짓고 현명한 사람은 비판을 들었을 때 기뻐한다고
합니다. 물론 쓴소리를 들은 직후엔 기분이 좋지 않을 수 있지만, 그 비판이 진심
어린 조언이었다면 여러분의 미래를 바꾸는 터닝포인트가 될 수 있어요.
만약 여러분에게 진심 어린 조언을 해 주는 친구가 있다면 더욱 돈독한 우정을
쌓으세요. 그 친구가 바로 진정한 친구니까요.

험난한 공부 여정의 진정한 친구, 천재교육이 항상 옆을 지켜줄게요.

#난이도별
#천재되는_수학교재

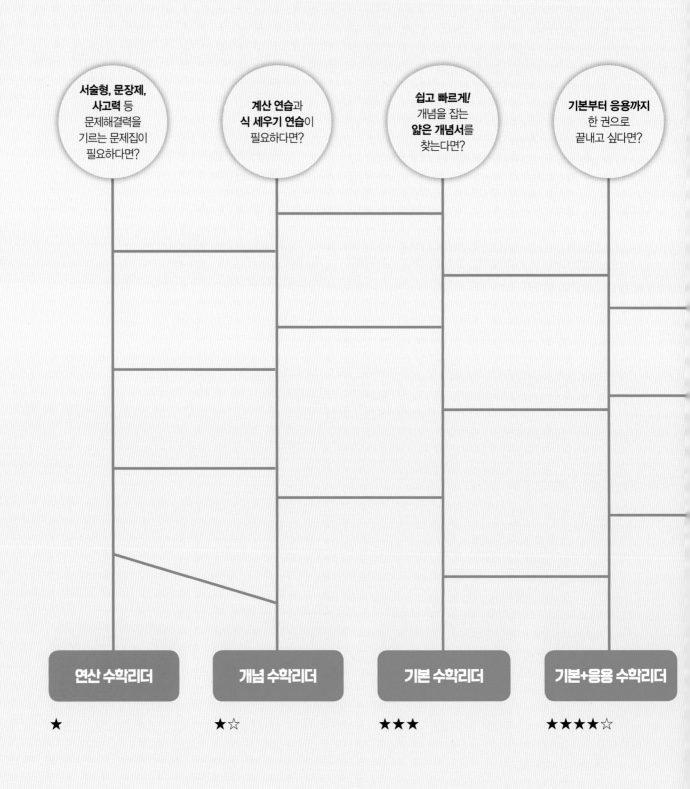

서술형, 문장제, 사고력 등
문제해결력을
기르는 문제집이
필요하다면?

계산 연습과
식 세우기 연습이
필요하다면?

쉽고 빠르게!
개념을 잡는
얇은 개념서를
찾는다면?

기본부터 응용까지
한 권으로
끝내고 싶다면?

연산 수학리더

개념 수학리더

기본 수학리더

기본+응용 수학리더

★

★☆

★★★

★★★★☆

수학리더 유형

해법 챔피언

BOOK 2

4-2

리더가 되기 위한
공부 비법

라이트 유형서

개념별 유형
+ 꼬리를 무는 유형
+ 수학 독해력 유형
+ 사고력 플러스 유형

천재교육

해법전략
포인트 3가지

▶ 혼자서도 이해할 수 있는 친절한 문제 풀이

▶ 참고, 주의 등 자세한 풀이 제시

▶ 다른 풀이를 제시하여 다양한 방법으로 문제 풀이 가능

정답 및 풀이

1. 분수의 덧셈과 뺄셈

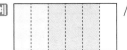
1 예  / 5

2 (1) $\dfrac{6}{7}$ (2) $1\dfrac{2}{9}\left(=\dfrac{11}{9}\right)$

3 7, 12, 12, 1, 4 4 $1\dfrac{7}{15}\left(=\dfrac{22}{15}\right)$

5 = 6 $\dfrac{2}{10}+\dfrac{1}{10}=\dfrac{3}{10}$, $\dfrac{3}{10}$ L

7 4 / 6, 2, 4 8 예 / 1

9 $\dfrac{4}{14}$ 10 $\dfrac{5}{9}$

11 ( )(○)( ) 12 $\dfrac{4}{5}-\dfrac{1}{5}=\dfrac{3}{5}$, $\dfrac{3}{5}$ kg

13 8, 5, 3, 8, 3 14 $1-\dfrac{7}{9}$에 색칠

15 $\dfrac{3}{4}$ L 16 2, 2

17 10, 15 / 10, 15, 2, 3 18 ( )(○)

19 20 <

21 $1\dfrac{3}{4}+2\dfrac{1}{4}=4$, 4 km 22 $2\dfrac{4}{6}$시간

---

3 $\dfrac{5}{8}+\dfrac{7}{8}$은 $\dfrac{1}{8}$이 5+7=12(개)이므로

$\dfrac{5}{8}+\dfrac{7}{8}=\dfrac{12}{8}=1\dfrac{4}{8}$입니다.

5 $\dfrac{3}{11}+\dfrac{8}{11}=\dfrac{3+8}{11}=\dfrac{11}{11}=1$

6 (서아가 마신 주스의 양)$+\dfrac{1}{10}=\dfrac{2}{10}+\dfrac{1}{10}=\dfrac{3}{10}$ (L)

8 $\dfrac{4}{5}$만큼 색칠한 후 $\dfrac{3}{5}$만큼 ×표 하면 $\dfrac{1}{5}$만큼이 남습니다.

---

10 $\dfrac{7}{9}-\dfrac{2}{9}=\dfrac{7-2}{9}=\dfrac{5}{9}$

> **참고**
>
> ~보다 ~만큼 더 작은 수를 구할 때에는 뺄셈식을 이용합니다.

11 · $\dfrac{5}{10}-\dfrac{2}{10}=\dfrac{3}{10}$ · $\dfrac{8}{10}-\dfrac{4}{10}=\dfrac{4}{10}$

· $\dfrac{9}{10}-\dfrac{6}{10}=\dfrac{3}{10}$

➡ 계산 결과가 다른 하나는 $\dfrac{8}{10}-\dfrac{4}{10}$입니다.

12 (처음에 있던 설탕의 양)−(사용한 설탕의 양)

$=\dfrac{4}{5}-\dfrac{1}{5}=\dfrac{3}{5}$ (kg)

13 $1-\dfrac{5}{8}$는 $\dfrac{1}{8}$이 8−5=3(개)이므로

$1-\dfrac{5}{8}=\dfrac{8}{8}-\dfrac{5}{8}=\dfrac{3}{8}$입니다.

14 · $1-\dfrac{8}{9}=\dfrac{9}{9}-\dfrac{8}{9}=\dfrac{1}{9}$ · $1-\dfrac{7}{9}=\dfrac{9}{9}-\dfrac{7}{9}=\dfrac{2}{9}$

15 (산 물의 양)−(마신 물의 양)

$=1-\dfrac{1}{4}=\dfrac{4}{4}-\dfrac{1}{4}=\dfrac{3}{4}$ (L)

18 $2\dfrac{3}{8}+1\dfrac{7}{8}$은 자연수끼리의 합이 3이고, 분수끼리의 합이 1보다 크므로 계산 결과가 4보다 큽니다.

20 · $3\dfrac{2}{5}+2\dfrac{2}{5}=5+\dfrac{4}{5}=5\dfrac{4}{5}$

· $1\dfrac{3}{7}+4\dfrac{5}{7}=5+\dfrac{8}{7}=5+1\dfrac{1}{7}=6\dfrac{1}{7}$

➡ $5\dfrac{4}{5}<6\dfrac{1}{7}$

21 (성주가 달린 거리)+(다혜가 달린 거리)

$=1\dfrac{3}{4}+2\dfrac{1}{4}=\dfrac{7}{4}+\dfrac{9}{4}=\dfrac{16}{4}=4$ (km)

22 (발표 준비를 한 시간)

$=1\dfrac{1}{6}+1\dfrac{3}{6}=2+\dfrac{4}{6}=2\dfrac{4}{6}$(시간)

개념 1~4 기초력 집중 연습   10쪽

1 $\dfrac{5}{7}$ 2 $1\left(=\dfrac{5}{5}\right)$ 3 $1\dfrac{4}{8}\left(=\dfrac{12}{8}\right)$

4 $\dfrac{3}{9}$ 5 $\dfrac{1}{7}$ 6 $3\dfrac{4}{6}$

7 $7\dfrac{3}{11}$ 8 $6\dfrac{2}{15}$

9 $\dfrac{3}{5}, \dfrac{4}{5} / 1\dfrac{2}{5}\left(=\dfrac{7}{5}\right)$ 10 $\dfrac{8}{10}, \dfrac{3}{10}, \dfrac{5}{10}$

11 $1\dfrac{7}{20}, \dfrac{11}{20} / 1\dfrac{18}{20}$ 12 $1, \dfrac{1}{4}, \dfrac{3}{4}$

유형 진단 TEST   11쪽

1 (   )(○)

2 $7\dfrac{3}{5}$ m

3 방법1 예 $1\dfrac{8}{9}+2\dfrac{4}{9}=(1+2)+\left(\dfrac{8}{9}+\dfrac{4}{9}\right)$
$\qquad\qquad\qquad = 3+\dfrac{12}{9}=3+1\dfrac{3}{9}=4\dfrac{3}{9}$

방법2 예 $1\dfrac{8}{9}+2\dfrac{4}{9}=\dfrac{17}{9}+\dfrac{22}{9}=\dfrac{39}{9}=4\dfrac{3}{9}$

4 예 분모가 같은 진분수의 덧셈은 분모는 그대로 두고 분자끼리 더해야 합니다.

5 $\dfrac{1}{8}$ L   6 1, 2, 3

---

2 $3\dfrac{1}{5}+4\dfrac{2}{5}=7+\dfrac{3}{5}=7\dfrac{3}{5}$ (m)

4 평가 기준
분모는 그대로 두고 분자끼리 더해야 한다는 말을 넣어 이유를 바르게 썼으면 정답입니다.

5 (어제 마시고 남은 우유의 양)$=1-\dfrac{3}{8}=\dfrac{5}{8}$ (L)

(오늘 마시고 남은 우유의 양)$=\dfrac{5}{8}-\dfrac{4}{8}=\dfrac{1}{8}$ (L)

6 $\dfrac{7}{11}+\dfrac{\square}{11}=\dfrac{7+\square}{11}$가 진분수이므로 $7+\square<11$ 이어야 합니다.
➡ □ 안에 들어갈 수 있는 자연수는 1, 2, 3입니다.

---

1 STEP 개념별 유형   12~15쪽

1 6 / 14, 8, 6, 1, 1   2 (1) $2\dfrac{1}{3}$ (2) $5\dfrac{2}{8}$

3

4 예 $3\dfrac{5}{9}-2\dfrac{2}{9}=(3-2)+\left(\dfrac{5}{9}-\dfrac{2}{9}\right)$
$\qquad\qquad\qquad = 1+\dfrac{3}{9}=1\dfrac{3}{9}$

5 $2\dfrac{7}{8}-1\dfrac{1}{8}=1\dfrac{6}{8}, 1\dfrac{6}{8}$ kg

6 1, 1 / 6, 1, 1   7 >

8 $2\dfrac{1}{10}$ m   9 2, 1, 5

10 12, 8, 4, 12, 8, 4   11 (왼쪽부터) 4, 7

12 5, 9, 4

13 $35-32\dfrac{4}{5}=2\dfrac{1}{5}, 2\dfrac{1}{5}$ kg

14 2   15 (1) $4\dfrac{4}{6}$ (2) $1\dfrac{7}{9}$

16 $2\dfrac{4}{5}$ 17 <

18 예 $5\dfrac{2}{11}-4\dfrac{6}{11}=4\dfrac{13}{11}-4\dfrac{6}{11}$
$\qquad\qquad\qquad = (4-4)+\left(\dfrac{13}{11}-\dfrac{6}{11}\right)=\dfrac{7}{11}$

19 (○)(   )   20 작아야에 ○표 / $7\dfrac{1}{8}$

21 $15\dfrac{1}{6}-4\dfrac{3}{6}=10\dfrac{4}{6}$ / 자전거를 타고, $10\dfrac{4}{6}$

---

3 $4\dfrac{5}{7}-2\dfrac{4}{7}=2\dfrac{1}{7}$ ➡ 계산 결과가 2와 3 사이입니다.

$5\dfrac{3}{4}-4\dfrac{1}{4}=1\dfrac{2}{4}$ ➡ 계산 결과가 1과 2 사이입니다.

$\dfrac{17}{9}-1\dfrac{7}{9}=\dfrac{1}{9}$ ➡ 계산 결과가 1보다 작습니다.

4 자연수끼리, 분수끼리의 차를 구한 후 더해야 하는데 자연수끼리, 분수끼리의 차를 구한 후 빼어 잘못되었습니다.

5 (쌀의 무게) − (보리쌀의 무게)

$= 2\dfrac{7}{8} - 1\dfrac{1}{8} = 1\dfrac{6}{8}$ (kg)

7 $5 - \dfrac{4}{9} = 4\dfrac{9}{9} - \dfrac{4}{9} = 4\dfrac{5}{9}$ ➡ $4\dfrac{5}{9} > 4\dfrac{4}{9}$

8 (처음에 있던 실의 길이) − (사용한 실의 길이)

$= 3 - \dfrac{9}{10} = 2\dfrac{10}{10} - \dfrac{9}{10} = 2\dfrac{1}{10}$ (m)

9 $3 = 2 + 1$이고 $1 = \dfrac{7}{7}$이므로 $3 = 2\dfrac{7}{7}$로 나타낼 수 있습니다.

10 $2 = \dfrac{12}{6}$이므로 2는 $\dfrac{1}{6}$이 12개이고 $1\dfrac{2}{6} = \dfrac{8}{6}$이므로 $1\dfrac{2}{6}$는 $\dfrac{1}{6}$이 8개입니다.

11 $6 - \dfrac{11}{9} = \dfrac{54}{9} - \dfrac{11}{9} = \dfrac{43}{9} = 4\dfrac{7}{9}$

12 주의

> 5에서 2를 뺀 값인 3에서 $\dfrac{5}{9}$를 더 빼야 하는 것에 주의합니다.

13 (지호의 몸무게) − (하윤이의 몸무게)

$= 35 - 32\dfrac{4}{5} = 34\dfrac{5}{5} - 32\dfrac{4}{5} = 2\dfrac{1}{5}$ (kg)

16 $9\dfrac{3}{5} > 6\dfrac{4}{5}$ ➡ $9\dfrac{3}{5} - 6\dfrac{4}{5} = 8\dfrac{8}{5} - 6\dfrac{4}{5} = 2\dfrac{4}{5}$

17 $10\dfrac{2}{9} - 5\dfrac{7}{9} = 9\dfrac{11}{9} - 5\dfrac{7}{9} = 4\dfrac{4}{9}$ ➡ $4\dfrac{4}{9} < 4\dfrac{5}{9}$

18 주의

> 빼지는 수 $5\dfrac{2}{11}$의 자연수에서 1만큼을 분수로 바꿀 때에는 자연수 5를 1 작게 만들어 계산합니다.
>
> • $5\dfrac{2}{11}$ ➡ $5\overset{13}{\dfrac{2}{11}}$ (×)   • $5\dfrac{2}{11}$ ➡ $\overset{4}{5}\overset{13}{\dfrac{2}{11}}$ (○)

19 • $5\dfrac{4}{7} - 1\dfrac{6}{7} = 4\dfrac{11}{7} - 1\dfrac{6}{7} = 3\dfrac{5}{7}$

➡ 계산 결과가 3과 4 사이입니다.

• $\dfrac{30}{7} - \dfrac{10}{7} = \dfrac{20}{7} = 2\dfrac{6}{7}$

➡ 계산 결과가 3보다 작습니다.

20 서준: 자연수끼리 빼면 $6 - 3 = 3$이고 $\dfrac{1}{8}$이 $\dfrac{4}{8}$보다 작아서 뺄 수 없으므로 계산 결과는 3보다 작습니다.

지안: 덧셈으로 확인하면

$3\dfrac{5}{8} + 3\dfrac{4}{8} = 6 + \dfrac{9}{8} = 6 + 1\dfrac{1}{8} = 7\dfrac{1}{8}$입니다.

21 $15\dfrac{1}{6} > 4\dfrac{3}{6}$이므로 자전거를 타고 가는 것이

$15\dfrac{1}{6} - 4\dfrac{3}{6} = 14\dfrac{7}{6} - 4\dfrac{3}{6} = 10\dfrac{4}{6}$ (분) 더 빠릅니다.

개념 5 ~ 8 기초력 집중 연습 16쪽

1 $1\dfrac{3}{8}$ **2** $1\dfrac{6}{14}$ **3** $3\dfrac{2}{5}$

4 $6\dfrac{8}{9}$ **5** $4\dfrac{10}{12}$ **6** $2\dfrac{2}{8}$

7 $\dfrac{2}{3}$ **8** $6\dfrac{4}{7}$

9 $3\dfrac{2}{4}$ **10** $6,\ \dfrac{1}{2},\ 5\dfrac{1}{2}$

11 $4,\ 3\dfrac{2}{10},\ \dfrac{8}{10}$ **12** $8\dfrac{2}{8},\ 5\dfrac{7}{8},\ 2\dfrac{3}{8}$

유형 진단 TEST 17쪽

1 $3\dfrac{1}{7},\ 5\dfrac{3}{7}$ **2** $3\dfrac{6}{9}$

3 방법1 예 $8\dfrac{2}{4} - 4\dfrac{3}{4} = 7\dfrac{6}{4} - 4\dfrac{3}{4}$

$\qquad = (7 - 4) + \left(\dfrac{6}{4} - \dfrac{3}{4} \right) = 3 + \dfrac{3}{4} = 3\dfrac{3}{4}$

방법2 예 $8\dfrac{2}{4} - 4\dfrac{3}{4} = \dfrac{34}{4} - \dfrac{19}{4} = \dfrac{15}{4} = 3\dfrac{3}{4}$

4 $3 - \dfrac{1}{2} = 2\dfrac{1}{2},\ 2\dfrac{1}{2}$ L

5 (1) $3\dfrac{4}{12}$ (2) $4\dfrac{3}{11}$ **6** $2\dfrac{3}{4}$ kg

2 $7 > 5\dfrac{6}{9} > 3\dfrac{3}{9}$

➡ $7 - 3\dfrac{3}{9} = 6\dfrac{9}{9} - 3\dfrac{3}{9} = 3\dfrac{6}{9}$

3 방법1 자연수에서 1만큼을 분수로 바꾸어 자연수끼리, 분수끼리 뺀 후 더합니다.

방법2 가분수로 바꾸어 분모는 그대로 두고 분자끼리 빼어 계산합니다.

4 (빈 물통에 담은 물의 양)−(화분에 준 물의 양)
$$=3-\frac{1}{2}=\frac{6}{2}-\frac{1}{2}=\frac{5}{2}=2\frac{1}{2}\ (L)$$

5 (1) $\square=8\frac{9}{12}-5\frac{5}{12}=3\frac{4}{12}$

(2) $\square=6-1\frac{8}{11}=5\frac{11}{11}-1\frac{8}{11}=4\frac{3}{11}$

> **참고**
>
> $$\begin{array}{c} \square+\bullet=\blacktriangle \\ \downarrow \\ \square=\blacktriangle-\bullet \end{array} \quad \Big| \quad \begin{array}{c} \bullet+\square=\blacktriangle \\ \times \\ \square=\blacktriangle-\bullet \end{array}$$

6 (칼국수 1그릇을 만들고 남는 밀가루의 무게)
$$=3\frac{1}{4}-\frac{1}{4}=3\ (kg)$$

(칼국수 2그릇을 만들고 남는 밀가루의 무게)
$$=3-\frac{1}{4}=2\frac{3}{4}\ (kg)$$

② STEP 꼬리를 무는 유형 18~19쪽

1 $1\frac{6}{7}$ **2** $6\frac{1}{9}$ **3** $4\frac{2}{8}$ km

4 예 $2\frac{2}{9}+3\frac{1}{9}=(2+3)+\left(\frac{2}{9}+\frac{1}{9}\right)$
$$=5+\frac{3}{9}=5\frac{3}{9}$$

5 준하 / 예 $3\frac{2}{5}-1\frac{3}{5}=1\frac{4}{5}$

6 예 분모가 같은 진분수의 덧셈은 분모는 그대로 두고 분자끼리 더해야 하니까 $\frac{4}{8}+\frac{5}{8}$는
$$\frac{4+5}{8}=\frac{9}{8}=1\frac{1}{8}$$이야.

7 4, 2   **8** 3   **9** $\frac{3}{8}$

10 $\frac{8}{12}$ **11** $6\frac{3}{6}, 1\frac{2}{6}$ / $5\frac{1}{6}$ **12** $\frac{3}{4}$ kg

2 $\square=1\frac{4}{9}+4\frac{6}{9}=5+\frac{10}{9}$
$$=5+1\frac{1}{9}=6\frac{1}{9}$$

3 (입구~쉼터)+(쉼터~정상)
$$=2\frac{3}{8}+1\frac{7}{8}=3+\frac{10}{8}=3+1\frac{2}{8}=4\frac{2}{8}\ (km)$$

4 분수끼리 더할 때 분모는 그대로 두고 분자끼리 더해야 하는데, 분모끼리 더해서 잘못되었습니다.

5 준하: $3\frac{2}{5}-1\frac{3}{5}=2\frac{7}{5}-1\frac{3}{5}=1\frac{4}{5}$

6 평가 기준

분모는 그대로 두고 분자끼리 더해야 한다는 말을 쓰고 바르게 계산했으면 정답입니다.

7 전체를 1이라 하여 계산합니다.
(색칠하지 않은 부분)=1−(색칠한 부분)
$$=1-\frac{4}{6}=\frac{2}{6}$$

8 $1-\frac{6}{9}=\frac{9}{9}-\frac{6}{9}=\frac{3}{9}$

9 케이크 전체를 1이라 하여 계산합니다.
(남은 케이크의 양)
$$=1-(\text{먹은 케이크의 양})$$
$$=1-\frac{5}{8}=\frac{3}{8}$$

10 $\frac{11}{12}>\frac{8}{12}>\frac{6}{12}>\frac{3}{12}$
➡ $\frac{11}{12}-\frac{3}{12}=\frac{8}{12}$

11 차가 가장 큰 뺄셈식은 가장 큰 수에서 가장 작은 수를 빼는 식입니다.
$6\frac{3}{6}>4\frac{5}{6}>1\frac{2}{6}$ ➡ $6\frac{3}{6}-1\frac{2}{6}=5\frac{1}{6}$

12 $1\frac{1}{4}>1>\frac{2}{4}$
➡ $1\frac{1}{4}-\frac{2}{4}=\frac{5}{4}-\frac{2}{4}=\frac{3}{4}\ (kg)$

독해력 유형 1 ❶ $2\frac{4}{8}$ m ❷ $\frac{7}{8}$ m ❸ 2개, $\frac{7}{8}$ m

쌍둥이 유형 1-1 2잔, $\frac{3}{5}$ kg

쌍둥이 유형 1-2 3개, $\frac{1}{4}$ kg

독해력 유형 2 ❶ '큰'에 ○표, '큰'에 ○표

❷ $\boxed{4\frac{2}{9}}$, $\boxed{3\frac{4}{9}}$

❸ $\boxed{4\frac{2}{9}}$ + $\boxed{3\frac{4}{9}}$ = $\boxed{7\frac{6}{9}}$

쌍둥이 유형 2-1 $\boxed{3\frac{6}{11}}$ + $\boxed{\frac{18}{11}}$ = $\boxed{5\frac{2}{11}}$

쌍둥이 유형 2-2 $\boxed{1\frac{6}{7}}$ + $\boxed{2\frac{5}{7}}$ = $\boxed{4\frac{4}{7}}$

독해력 유형 1 ❶ $4\frac{1}{8}-1\frac{5}{8}=3\frac{9}{8}-1\frac{5}{8}=2\frac{4}{8}$ (m)

❷ $2\frac{4}{8}$ m는 $1\frac{5}{8}$ m보다 더 길므로 선물을 더 포장할 수 있습니다.

$2\frac{4}{8}-1\frac{5}{8}=1\frac{12}{8}-1\frac{5}{8}=\frac{7}{8}$ (m)

❸ 리본 $\frac{7}{8}$ m로는 선물을 1개 더 포장할 수 없습니다.

➡ 선물을 2개까지 포장할 수 있고, 남는 리본은 $\frac{7}{8}$ m 입니다.

쌍둥이 유형 1-1 ❶ (딸기 주스 1잔을 만들고 남는 딸기 의 양)$=2\frac{1}{5}-\frac{4}{5}=1\frac{6}{5}-\frac{4}{5}=1\frac{2}{5}$ (kg)

❷ (딸기 주스 2잔을 만들고 남는 딸기의 양)

$=1\frac{2}{5}-\frac{4}{5}=\frac{7}{5}-\frac{4}{5}=\frac{3}{5}$ (kg)

❸ 딸기 $\frac{3}{5}$ kg으로는 딸기 주스를 1잔 더 만들 수 없으 므로 딸기 주스를 2잔까지 만들 수 있고, 남는 딸기 는 $\frac{3}{5}$ kg입니다.

쌍둥이 유형 1-2 ❶ (샌드위치 1개를 만들고 남는 감자 의 양)$=2\frac{2}{4}-\frac{3}{4}=1\frac{6}{4}-\frac{3}{4}=1\frac{3}{4}$ (kg)

❷ (샌드위치 2개를 만들고 남는 감자의 양)

$=1\frac{3}{4}-\frac{3}{4}=1$ (kg)

(샌드위치 3개를 만들고 남는 감자의 양)

$=1-\frac{3}{4}=\frac{1}{4}$ (kg)

❸ 감자 $\frac{1}{4}$ kg으로는 샌드위치를 1개 더 만들 수 없으 므로 샌드위치를 3개까지 만들 수 있고, 남는 감자는 $\frac{1}{4}$ kg입니다.

주의

감자가 $\frac{3}{4}$ kg보다 적으면 샌드위치를 만들 수 없습니다.

독해력 유형 2 ❷ $4\frac{2}{9}>3\frac{4}{9}>\frac{12}{9}\left(=1\frac{3}{9}\right)$이므로 가 장 큰 수인 $4\frac{2}{9}$와 두 번째로 큰 수인 $3\frac{4}{9}$를 골라야 합니다.

❸ 합이 가장 큰 덧셈식: $4\frac{2}{9}+3\frac{4}{9}=7\frac{6}{9}$

참고

더하는 두 수가 클수록 합은 커집니다.

쌍둥이 유형 2-1 ❶ 합이 가장 크려면 가장 큰 수와 두 번째로 큰 수를 더해야 합니다.

❷ $3\frac{6}{11}>\frac{18}{11}\left(=1\frac{7}{11}\right)>\frac{8}{11}$이므로 가장 큰 수인 $3\frac{6}{11}$과 두 번째로 큰 수인 $\frac{18}{11}$을 더해야 합니다.

❸ 합이 가장 큰 덧셈식: $3\frac{6}{11}+\frac{18}{11}=5\frac{2}{11}$

쌍둥이 유형 2-2 ❶ 합이 가장 작으려면 가장 작은 수와 두 번째로 작은 수를 더해야 합니다.

❷ $1\frac{6}{7}<2\frac{5}{7}<5\frac{1}{7}$이므로 가장 작은 수인 $1\frac{6}{7}$과 두 번째로 작은 수인 $2\frac{5}{7}$를 더해야 합니다.

❸ 합이 가장 작은 덧셈식: $1\frac{6}{7}+2\frac{5}{7}=4\frac{4}{7}$

정답 및 풀이

5

4 STEP 사고력 플러스 유형 22~25쪽

1-1 ( )(◯)　　　**1-2** (◯)( )

1-3 (◯)( )

2-1 4　　　　**2-2** $\dfrac{2}{9}$　　　　**2-3** $2\dfrac{4}{10}$ L

3-1 1, 2, 3에 ◯표　　　**3-2** 1, 2, 3, 4, 5

3-3 1, 2, 3

4-1 $\dfrac{3}{9}$, $\dfrac{5}{9}$

4-2 예 분모가 10인 진분수의 분자는 1, 2, 3, 4, 5, 6, 7, 8, 9가 될 수 있습니다. 이 중 합이 9, 차가 1인 두 수는 4와 5입니다.

따라서 두 진분수의 분자는 4와 5이고 분모는 10이므로 $\dfrac{4}{10}$, $\dfrac{5}{10}$입니다.　　답 $\dfrac{4}{10}$, $\dfrac{5}{10}$

4-3 $\dfrac{6}{13}$, $\dfrac{9}{13}$　　　**5-1** 4, 8, $2\dfrac{5}{9}$

5-2 예 계산 결과가 가장 작게 되려면 $5\dfrac{\square}{11}$는 가장 작게, $4\dfrac{\square}{11}$는 가장 크게 만들어야 합니다.

$3<5<7<9$이므로

$5\dfrac{3}{11}-4\dfrac{9}{11}=4\dfrac{14}{11}-4\dfrac{9}{11}=\dfrac{5}{11}$입니다.

답 3, 9, $\dfrac{5}{11}$

6-1 $1\dfrac{3}{6}$

6-2 예 어떤 수를 □라 하면 잘못 계산한 식은

$\square-4\dfrac{2}{5}=3\dfrac{1}{5}$입니다. ➡ $\square=3\dfrac{1}{5}+4\dfrac{2}{5}=7\dfrac{3}{5}$

따라서 어떤 수는 $7\dfrac{3}{5}$이므로 바르게 계산하면

$7\dfrac{3}{5}-2\dfrac{4}{5}=6\dfrac{8}{5}-2\dfrac{4}{5}=4\dfrac{4}{5}$입니다.　　답 $4\dfrac{4}{5}$

7-1 단계1 1 / '없는'에 ◯표

　　단계2 5, 4 / 4, 3 / 3, 2 / 2, 1

　　단계3 9

8-1 단계1 $9\dfrac{5}{8}$　단계2 $11\dfrac{2}{8}$ cm　단계3 $1\dfrac{5}{8}$ cm

8-2 $1\dfrac{4}{5}$ cm

1-1 ・$\dfrac{1}{5}+3\dfrac{3}{5}=3+\dfrac{4}{5}=3\dfrac{4}{5}$

　・$2\dfrac{3}{5}+1\dfrac{2}{5}=3+\dfrac{5}{5}=4$

1-2 ・$3\dfrac{3}{9}+3\dfrac{6}{9}=6+\dfrac{9}{9}=7$

　・$1\dfrac{5}{9}+6\dfrac{4}{9}=7+\dfrac{9}{9}=8$

1-3 ・$\dfrac{9}{8}+\dfrac{10}{8}=\dfrac{19}{8}=2\dfrac{3}{8}$

　・$\dfrac{12}{8}+\dfrac{8}{8}=\dfrac{20}{8}=2\dfrac{4}{8}$

2-1 $6-1\dfrac{2}{3}-\dfrac{1}{3}=5\dfrac{3}{3}-1\dfrac{2}{3}-\dfrac{1}{3}$

　　　　$=4\dfrac{1}{3}-\dfrac{1}{3}=4$

2-2 $4\dfrac{3}{9}-3\dfrac{4}{9}-\dfrac{6}{9}=3\dfrac{12}{9}-3\dfrac{4}{9}-\dfrac{6}{9}$

　　　　$=\dfrac{8}{9}-\dfrac{6}{9}=\dfrac{2}{9}$

2-3 (남은 물의 양)

　　$=$(떠 온 물의 양)$-$(이웃에게 준 물의 양)

　　　$-$(마신 물의 양)

　　$=8\dfrac{3}{10}-2\dfrac{1}{10}-3\dfrac{8}{10}$

　　$=6\dfrac{2}{10}-3\dfrac{8}{10}=2\dfrac{4}{10}$ (L)

3-1 $\dfrac{6}{7}-\dfrac{\square}{7}>\dfrac{2}{7}$

➡ $6-\square>2$이므로 □ 안에는 1, 2, 3이 들어갈 수 있습니다.

참고

진분수의 뺄셈은 분모는 그대로 두고 분자끼리 빼므로 분자 부분만 생각하여 □ 안에 들어갈 수 있는 자연수를 구합니다.

3-2 $\dfrac{11}{15}-\dfrac{\square}{15}>\dfrac{5}{15}$

➡ $11-\square>5$이므로 □ 안에는 1, 2, 3, 4, 5가 들어갈 수 있습니다.

3-3 $1\dfrac{1}{6}=\dfrac{7}{6}$이므로 $\dfrac{3}{6}+\dfrac{\square}{6}<\dfrac{7}{6}$입니다.

➡ $3+\square<7$이므로 □ 안에는 1, 2, 3이 들어갈 수 있습니다.

4-1 분모가 9인 진분수의 분자는 1, 2, 3, 4, 5, 6, 7, 8이 될 수 있습니다. 이 중 합이 8, 차가 2인 두 수는 3과 5입니다. ➡ $\frac{3}{9}$, $\frac{5}{9}$

참고

구한 두 진분수의 합과 차를 구하여 맞는지 확인합니다.

$\frac{3}{9}+\frac{5}{9}=\frac{8}{9}$ (○), $\frac{5}{9}-\frac{3}{9}=\frac{2}{9}$ (○)

4-2　평가 기준

합이 9, 차가 1이 되는 두 진분수의 분자를 구하여 진분수로 바르게 나타냈으면 정답입니다.

4-3 $1\frac{2}{13}=\frac{15}{13}$입니다.

분모가 13인 진분수의 분자는 1부터 12까지의 수가 될 수 있습니다. 이 중 합이 15, 차가 3인 두 수는 6과 9입니다. ➡ $\frac{6}{13}$, $\frac{9}{13}$

참고

구한 두 진분수의 합과 차를 구하여 맞는지 확인합니다.

$\frac{6}{13}+\frac{9}{13}=\frac{15}{13}=1\frac{2}{13}$ (○), $\frac{9}{13}-\frac{6}{13}=\frac{3}{13}$ (○)

5-1 계산 결과가 가장 작게 되려면 $6\frac{\square}{9}$는 가장 작게, $3\frac{\square}{9}$는 가장 크게 만들어야 합니다.

$4<5<6<8$ ➡ $6\frac{4}{9}-3\frac{8}{9}=5\frac{13}{9}-3\frac{8}{9}=2\frac{5}{9}$

5-2　평가 기준

빼지는 수는 가장 작게, 빼는 수는 가장 크게 되도록 □ 안에 알맞은 수를 찾고 바르게 계산했으면 정답입니다.

6-1 어떤 수를 □라 하면 잘못 계산한 식은

$\square-3\frac{5}{6}=3\frac{1}{6}$입니다. ➡ $\square=3\frac{1}{6}+3\frac{5}{6}=7$

따라서 어떤 수는 7이므로 바르게 계산하면

$7-5\frac{3}{6}=6\frac{6}{6}-5\frac{3}{6}=1\frac{3}{6}$입니다.

6-2　평가 기준

잘못 계산한 식을 세워 어떤 수를 구하고, 바르게 계산한 값을 구했으면 정답입니다.

7-1 단계 1 자연수끼리 빼면 $4-3=1$이므로

$\frac{★}{6}-\frac{●}{6}=\frac{1}{6}$입니다.

단계 2 분자끼리 뺀 값이 1이 되도록 뺄셈식을 만듭니다.

• $4\frac{5}{6}-3\frac{4}{6}=1\frac{1}{6}$

• $4\frac{4}{6}-3\frac{3}{6}=1\frac{1}{6}$

• $4\frac{3}{6}-3\frac{2}{6}=1\frac{1}{6}$

• $4\frac{2}{6}-3\frac{1}{6}=1\frac{1}{6}$

단계 3 $★=5$, $●=4$일 때 $★+●$가 가장 크고 그 때의 값은 $5+4=9$입니다.

8-1 단계 1 이어 붙인 색 테이프의 전체 길이는 $9\frac{5}{8}$ cm입니다.

단계 2 (색 테이프 2장의 길이의 합)

$$=4\frac{3}{8}+6\frac{7}{8}=10+\frac{10}{8}$$
$$=10+1\frac{2}{8}=11\frac{2}{8} \text{ (cm)}$$

단계 3 (색 테이프 2장의 길이의 합)
－(이어 붙인 색 테이프의 전체 길이)

$$=11\frac{2}{8}-9\frac{5}{8}$$
$$=10\frac{10}{8}-9\frac{5}{8}=1\frac{5}{8} \text{ (cm)}$$

8-2

(색 테이프 2장의 길이의 합)

$$=5\frac{1}{5}+6\frac{1}{5}=11\frac{2}{5} \text{ (cm)}$$

(겹친 부분의 길이)

$$=11\frac{2}{5}-9\frac{3}{5}=10\frac{7}{5}-9\frac{3}{5}=1\frac{4}{5} \text{ (cm)}$$

유형 TEST

1 7 **2** $1\frac{2}{9}$ **3** $\frac{5}{15}$

4 $4\frac{1}{7}$ **5** $4\frac{14}{16}$ **6** $3\frac{2}{10}$ kg

7 <

8 예 $\frac{6}{11}+\frac{8}{11}=\frac{6+8}{11}=\frac{14}{11}=1\frac{3}{11}$

9

	○	

10 $2\frac{2}{7}$

11 $4\frac{2}{5}-2\frac{1}{5}=2\frac{1}{5}$, $2\frac{1}{5}$ m **12** $4\frac{1}{10}$ km

13 $\frac{7}{14}$ **14** $\frac{2}{7}$ **15** 6개

16 2잔, $\frac{11}{16}$ kg

17 예 ❶ 분모가 12인 진분수의 분자는 1부터 11까지의 수가 될 수 있습니다.

❷ 이 중에서 합이 11, 차가 5인 두 수는 3과 8입니다.

❸ 두 진분수의 분자는 3과 8이고 분모는 12이므로 $\frac{3}{12}$, $\frac{8}{12}$입니다. 답 $\frac{3}{12}$, $\frac{8}{12}$

18 예 ❶ 계산 결과가 가장 작게 되려면 $6\frac{\square}{8}$는 가장 작게, $2\frac{\square}{8}$는 가장 크게 만들어야 합니다.

❷ 4<5<6<7이므로

$6\frac{4}{8}-2\frac{7}{8}=5\frac{12}{8}-2\frac{7}{8}=3\frac{5}{8}$입니다.

답 4, 7 / $3\frac{5}{8}$

19 예 ❶ 어떤 수를 □라 하면 잘못 계산한 식은

$\square-2\frac{1}{7}=3\frac{6}{7}$입니다.

❷ $\square=3\frac{6}{7}+2\frac{1}{7}=6$이므로 어떤 수는 6입니다.

❸ 바르게 계산하면

$6-\frac{2}{7}=5\frac{7}{7}-\frac{2}{7}=5\frac{5}{7}$입니다. 답 $5\frac{5}{7}$

20 예 ❶ (이어 붙인 색 테이프의 전체 길이)

$=8\frac{6}{10}$ cm

❷ (색 테이프 2장의 길이의 합)

$=5\frac{4}{10}+4\frac{8}{10}=9+1\frac{2}{10}=10\frac{2}{10}$ (cm)

❸ (겹친 부분의 길이)

$=10\frac{2}{10}-8\frac{6}{10}=9\frac{12}{10}-8\frac{6}{10}$

$=1\frac{6}{10}$ (cm) 답 $1\frac{6}{10}$ cm

6 $1\frac{4}{10}+1\frac{8}{10}=2+\frac{12}{10}=2+1\frac{2}{10}=3\frac{2}{10}$ (kg)

7 $4\frac{4}{12}-1\frac{8}{12}=3\frac{16}{12}-1\frac{8}{12}=2\frac{8}{12}$

➡ $2\frac{7}{12}<2\frac{8}{12}$

10 $\square+5\frac{3}{7}=7\frac{5}{7}$ ➡ $\square=7\frac{5}{7}-5\frac{3}{7}=2\frac{2}{7}$

12 $1\frac{7}{10}+2\frac{4}{10}=3+\frac{11}{10}=3+1\frac{1}{10}=4\frac{1}{10}$ (km)

13 $\frac{11}{14}>\frac{8}{14}>\frac{5}{14}>\frac{4}{14}$ ➡ $\frac{11}{14}-\frac{4}{14}=\frac{7}{14}$

14 책 전체를 1이라 하여 계산합니다.

(더 읽어야 하는 책의 양)$=1-\frac{5}{7}=\frac{7}{7}-\frac{5}{7}=\frac{2}{7}$

15 $1\frac{2}{9}=\frac{11}{9}$이므로 $\frac{4}{9}+\frac{\square}{9}<\frac{11}{9}$입니다.

➡ $4+\square<11$이므로 □ 안에는 1부터 6까지 6개의 자연수가 들어갈 수 있습니다.

16 $2\frac{7}{16}-\frac{14}{16}=\frac{39}{16}-\frac{14}{16}=\frac{25}{16}$ (kg),

$\frac{25}{16}-\frac{14}{16}=\frac{11}{16}$ (kg)

➡ 토마토 $\frac{11}{16}$ kg으로는 토마토 주스를 1잔 더 만들 수 없으므로 토마토 주스를 2잔까지 만들 수 있고, 남는 토마토는 $\frac{11}{16}$ kg입니다.

17 채점 기준

❶ 분자가 될 수 있는 수를 구함.	1점	
❷ ❶에서 합이 11, 차가 5인 두 수를 구함.	2점	5점
❸ ❷에서 구한 두 수를 분자로 하는 두 진분수를 구함.	2점	

18 채점 기준

❶ 계산 결과가 가장 작은 뺄셈식을 만드는 방법을 설명함.	2점	5점
❷ □ 안에 알맞은 수를 골라 뺄셈식을 만들고 바르게 계산함.	3점	

19 채점 기준

❶ 어떤 수를 □라 하여 잘못 계산한 식을 세움.	1점	5점
❷ 어떤 수를 구함.	2점	
❸ 바르게 계산한 값을 구함.	2점	

20 채점 기준

❶ 이어 붙인 색 테이프의 전체 길이를 앎.	1점	5점
❷ 색 테이프 2장의 길이의 합을 구함.	2점	
❸ 겹친 부분의 길이를 구함.	2점	

앞단원 유형 다시 보기   29쪽

1. 12, 16 / 4
2. 2
3. 1+3+5+7+9+11=36

1 모형의 수가 4개, 8개, 12개, 16개로 4개씩 늘어납니다.

3 6×6=36이므로 1부터 연속한 홀수를 6개 더하는 계산식을 만듭니다.

재미있는 창의·융합·코딩   30~31쪽

코딩1 ❶ $1\frac{5}{9}\left(=\frac{14}{9}\right)$ ❷ $2\frac{1}{5}$

창의2

$\frac{1}{8}+\frac{2}{8}=\frac{3}{8}$, $\frac{3}{8}$ / $1-\frac{3}{8}=\frac{5}{8}$, $\frac{5}{8}$

코딩1 ❶ 세 수를 더한 값이 출력됩니다.

➡ $\frac{4}{9}+\frac{3}{9}+\frac{7}{9}=\frac{7}{9}+\frac{7}{9}=\frac{14}{9}=1\frac{5}{9}$

❷ 가장 큰 수에서 나머지 두 수를 뺀 값이 출력됩니다. ➡ $3\frac{4}{5}-1\frac{1}{5}-\frac{2}{5}=2\frac{3}{5}-\frac{2}{5}=2\frac{1}{5}$

2. 삼각형

1 STEP 개념별 유형   34~37쪽

1. 나, 다, 바
2. 나
3. 7
4. 8, 8
5. 4, 4 / 12 cm
6. 이등변삼각형
7. (1) 75 (2) 30, 30
8. ㉠, ㉢
9. (1) 8 (2) 80
10. 예 각도기로 각의 크기를 재어 보면 두 각의 크기가 같으므로 이등변삼각형입니다.
11. 이등변삼각형
12. 예  / 같습니다에 ○표
13.
14. 60
15. 지안
16. 5, 60
17. 120
18. 같은점 예 세 각의 크기가 60°로 모두 같습니다.
    다른점 예 두 삼각형의 한 변의 길이가 서로 다릅니다.
19. 예  / 같습니다. (또는 60°입니다.)
20. 예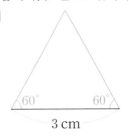

1 두 변의 길이가 같은 삼각형은 나, 다, 바입니다.

2 세 변의 길이가 같은 삼각형은 나입니다.

4 정삼각형은 세 변의 길이가 같습니다.
➡ □=8

5 정삼각형은 세 변의 길이가 같고 한 변의 길이는 4 cm입니다.
➡ (세 변의 길이의 합)=4+4+4=12 (cm)

6 서아와 서준이가 가진 막대 2개의 길이가 8 cm로 같습니다.
두 변의 길이가 같으므로 이등변삼각형입니다.

7 (1) 이등변삼각형은 길이가 같은 두 변에 있는 두 각의 크기가 같으므로 □°=75°입니다.
(2) 180°−120°=60°
➡ □°+□°=60°, □°=30°

참고
삼각형의 세 각의 크기의 합은 180°입니다.

8 이등변삼각형은 두 변의 길이가 같고, 두 각의 크기가 같습니다.

10 각도기로 세 각의 크기를 재어 보면 40°, 70°, 70°로 두 각의 크기가 같습니다.

평가 기준
각의 크기를 재어 보면 두 각의 크기가 같다고 설명했으면 정답입니다.

11 (나머지 한 각의 크기)=180°−40°−100°=40°
➡ 삼각형의 세 각의 크기가 40°, 40°, 100°로 두 각의 크기가 같으므로 이등변삼각형입니다.

14 정삼각형은 세 각의 크기가 60°로 모두 같습니다.

15 지안: 정삼각형은 한 각의 크기가 60°입니다.

16 삼각형의 나머지 한 각의 크기가
180°−60°−60°=60°이므로 정삼각형입니다.
정삼각형은 세 변의 길이가 같으므로 한 변의 길이는 5 cm입니다.

17 정삼각형은 한 각의 크기가 60°이고 직선이 이루는 각도는 180°입니다.
➡ □°=180°−60°=120°

참고
180° 직선이 이루는 각도는 180°입니다.

18 같은점 예 각 삼각형의 세 변의 길이가 같습니다.

평가 기준
두 삼각형의 같은 점과 다른 점을 1가지씩 바르게 썼으면 정답입니다.

20 선분의 양 끝에 각각 60°인 각을 그리고, 두 각의 변이 만나는 점과 선분의 양 끝을 이어 정삼각형을 그립니다.

개념 ①~⑤	기초력 집중 연습	38쪽
1 6	**2** 5	**3** 30
4 50	**5** 70	**6** 65, 65
7 3	**8** 7, 7	**9** 60, 60
10 60, 4	**11** 60, 60	
12 (왼쪽부터) 6, 60, 6		

유형 진단 TEST   39쪽

1 가, 나, 라 / 나 , 라
2 45°
3 ①, ⑤
4
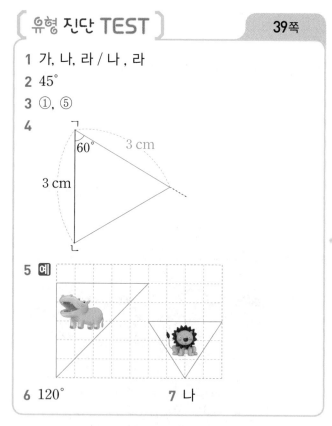
5 예
6 120°   **7** 나

2 삼각형의 세 각의 크기의 합은 180°이므로
180°−90°=90°입니다.
➡ 이등변삼각형은 두 각의 크기가 같으므로
㉠=90°÷2=45°입니다.

3 두 변의 길이만 같거나 세 변의 길이가 같으면 이등변삼각형입니다.
➡ 이등변삼각형이 아닌 것은 ①, ⑤입니다.

4 점선 위에 길이가 3 cm인 변을 그리고 그린 변의 오른쪽 끝 점과 점 ㄴ을 이어 정삼각형을 완성합니다.

6 정삼각형은 한 각의 크기가 60°이므로
(각 ㄱㄴㄹ)=60°+60°=120°입니다.

7 삼각형의 나머지 한 각의 크기를 각각 구합니다.
- 가: 180°−55°−60°=65°
- 나: 180°−40°−70°=70°
→ 나 삼각형은 세 각의 크기가 40°, 70°, 70°로 두 각의 크기가 같으므로 이등변삼각형입니다.

1 STEP 개념별 유형 40~43쪽

1 '세'에 ○표 / 예각   **2**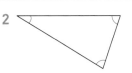

3 현서
4 예

5 다 / 예 예각삼각형은 세 각이 모두 예각이어야 하는데 다는 예각이 아닌 각이 1개 있기 때문입니다.
6 '한'에 ○표 / 둔각   **7** ( )(○)( )
8 둔각삼각형   **9** ⑤
10 예

11 예 삼각형의 나머지 한 각의 크기가
180°−40°−40°=100°로 둔각이므로 둔각삼각형입니다.
12 나 / 가 / 다, 라
13 3개, 2개
14 나, 라, 바 / 가, 다, 마
15 가, 바 / 나, 다 / 라, 마
16 (1) 이등변삼각형 (2) 예각삼각형
17 이등변삼각형, 직각삼각형에 ○표
18 ①, ⑤
19 라
20 민서
21 (위에서부터) 마 / 나 / 바 / 라

2 예각삼각형의 세 각은 모두 예각입니다.

3 세 각이 모두 예각인 각도를 말한 사람은 현서입니다.

4 세 각이 모두 예각인 삼각형이 되도록 나머지 한 꼭짓점을 정하여 예각삼각형을 그립니다.

5 평가 기준
예각삼각형이 아닌 것을 찾고, 예각이 아닌 각이 있기 때문이라는 이유를 바르게 설명했으면 정답입니다.

7 한 각이 둔각인 삼각형은 가운데 삼각형입니다.

8 한 각이 95°로 둔각이므로 둔각삼각형입니다.

9 ①, ④와 이으면 직각삼각형, ②, ③과 이으면 예각삼각형, ⑤와 이으면 둔각삼각형이 그려집니다.

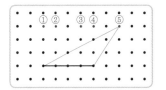

10 한 각이 둔각인 삼각형을 2개 그립니다.

11 평가 기준
삼각형의 나머지 한 각의 크기를 구하여 구한 각이 둔각이므로 둔각삼각형이라고 설명했으면 정답입니다.

13 예각삼각형: 나, 마, 바 → 3개
둔각삼각형: 다, 라 → 2개

14 • 두 변의 길이가 같은 삼각형: 나, 라, 바
• 세 변의 길이가 모두 다른 삼각형: 가, 다, 마

15 • 세 각이 모두 예각인 삼각형: 가, 바
• 한 각이 직각인 삼각형: 나, 다
• 한 각이 둔각인 삼각형: 라, 마

17 • 두 변의 길이가 같으므로 이등변삼각형입니다.
• 한 각이 직각이므로 직각삼각형입니다.

18 ① 두 각의 크기가 같으므로 이등변삼각형입니다.
⑤ 한 각이 둔각이므로 둔각삼각형입니다.

19 이등변삼각형은 나, 다, 라이고 이 중에서 둔각삼각형은 라입니다.

20 우진: 이등변삼각형은 각의 크기에 따라 예각삼각형, 직각삼각형, 둔각삼각형이 될 수 있습니다.
민서: 정삼각형은 세 각의 크기가 모두 60°로 예각이므로 예각삼각형입니다.

개념 6 ~ 9 기초력 집중 연습 44쪽

1 예   2 둔   3 예
4 둔   5 예   6 직
7 예
8 예

9 (위에서부터) 이등변삼각형 / 이등변삼각형 /
둔각삼각형 / 예각삼각형 / 직각삼각형

유형 진단 TEST 45쪽

1
2 ③

3 예 한 각이 둔각인 삼각형이므로 둔각삼각형입니다.
4 나   5 ①, ④
6 예각삼각형

2 ①, ⑤와 이으면 둔각삼각형, ②, ④와 이으면 직각
삼각형, ③과 이으면 예각삼각형이 그려집니다.

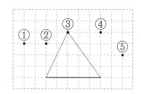

3 한 각이 둔각인 삼각형을 둔각삼각형이라고 합니다.

평가 기준

삼각형의 한 각이 둔각이므로 둔각삼각형이라는 이유를 바
르게 설명했으면 정답입니다.

4 세 변의 길이가 모두 다른 삼각형은 나, 다이고 이 중
에서 예각삼각형인 것은 나입니다.

참고

가: 이등변삼각형이면서 예각삼각형입니다.
다: 세 변의 길이가 모두 다르면서 직각삼각형입니다.

5 삼각형의 나머지 한 각의 크기는
$180° - 45° - 45° = 90°$입니다.
① 두 각의 크기가 같으므로 이등변삼각형입니다.
④ 한 각이 직각이므로 직각삼각형입니다.

6 만들 수 있는 삼각형은 세 변의 길이가 같은 정삼각
형입니다.
정삼각형은 세 각의 크기가 모두 60°로 예각이므로
예각삼각형입니다.

② STEP 꼬리를 무는 유형 46~47쪽

1 16 cm   2 34 cm
3 24 cm   4 9
5 10   6 14 cm
7 7 cm
8 (위에서부터) (1) 120, 30 (2) 50, 50
9 40°   10 35°, 35°
11 ㉡   12 (○)( )
13 예 삼각형의 나머지 한 각의 크기는
$180° - 20° - 65° = 95°$입니다. 주어진 삼각형은
세 각의 크기가 95°, 20°, 65°로 한 각이 둔각이
므로 둔각삼각형입니다.

1 이등변삼각형이므로 나머지 한 변의 길이는 6 cm입
니다.
➡ $6 + 4 + 6 = 16$ (cm)

2 이등변삼각형이므로 나머지 한 변의 길이는 9 cm입
니다.
➡ $9 + 9 + 16 = 34$ (cm)

3 정삼각형은 세 변의 길이가 같습니다.
➡ $8 + 8 + 8 = 24$ (cm)

4 정삼각형은 세 변의 길이가 같습니다.
➡ (한 변의 길이) $= 27 ÷ 3 = 9$ (cm)

5 삼각형의 나머지 한 각의 크기가
$180° - 60° - 60° = 60°$이므로 정삼각형입니다.
➡ (한 변의 길이) $= 30 ÷ 3 = 10$ (cm)

6 (한 변의 길이) $= 42 ÷ 3 = 14$ (cm)

7 (한 변의 길이) $= 21 ÷ 3 = 7$ (cm)

8 (1)

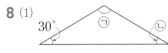

ⓒ=30°

➡ ㄱ=180°−30°−30°=120°

(2)

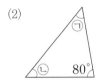

ㄱ+ㄴ=180°−80°=100°

➡ ㄱ=ㄴ=100°÷2=50°

9 두 변의 길이가 같으므로 이등변삼각형입니다.

➡ ㄱ=180°−70°−70°=40°

10 ㄱ+ㄴ=180°−110°=70°

➡ ㄱ=ㄴ=70°÷2=35°

11 삼각형의 나머지 한 각의 크기를 각각 구한 후 둔각
인 것을 찾습니다.

ㄱ 180°−20°−80°=80°

ㄴ 180°−30°−40°=110°

➡ 둔각삼각형은 ㄴ입니다.

12 삼각형의 나머지 한 각의 크기를 각각 구한 후 세 각
이 예각인 것을 찾습니다.

• 180°−65°−60°=55°

• 180°−60°−20°=100°

➡ 예각삼각형은 두 각이 65°, 60°인 것입니다.

13 평가 기준

삼각형의 나머지 한 각의 크기를 구한 후 세 각 중 한 각이
둔각이므로 둔각삼각형이라는 이유를 바르게 설명했으면 정
답입니다.

③ STEP 수학 독해력 유형 **48~49쪽**

독해력 유형 **1**	❶ 7 cm ❷ 19 cm ❸ 5
쌍둥이 유형 **1-1**	16
쌍둥이 유형 **1-2**	8
독해력 유형 **2**	❶ 65° ❷ 80° ❸ 145°
쌍둥이 유형 **2-1**	100°
쌍둥이 유형 **2-2**	85°

독해력 유형 **1** ❶ 이등변삼각형은 두 변의 길이가 같으
므로 ㄱ=7 cm입니다.

❷ 세 변의 길이의 합은 19 cm입니다.

❸ □=19−7−7=5

쌍둥이 유형 **1-1** ❶ 이등변삼각형은 두 변의 길이가 같
으므로 길이가 같은 나머지 한 변의 길이는 10 cm
입니다.

❷ 세 변의 길이의 합은 36 cm입니다.

❸ □=36−10−10=16

쌍둥이 유형 **1-2** ❶ 이등변삼각형은 두 변의 길이가 같
으므로 길이가 같은 나머지 한 변의 길이는 □ cm
입니다.

❷ 세 변의 길이의 합은 28 cm입니다.

❸ □+□=28−12=16

➡ □=16÷2=8

독해력 유형 **2** ❶ 이등변삼각형은 두 각의 크기가 같습
니다.

(각 ㄴㄱㄷ)=(각 ㄱㄴㄷ)=65°

❷ 이등변삼각형은 두 각의 크기가 같습니다.

(각 ㄱㄹㅁ)=(각 ㄱㅁㄹ)=50°

삼각형의 세 각의 크기의 합은 180°입니다.

(각 ㄹㄱㅁ)=180°−50°−50°=80°

❸ (각 ㄴㄱㅁ)=(각 ㄴㄱㄷ)+(각 ㄹㄱㅁ)
=65°+80°=145°

쌍둥이 유형 **2-1** ❶ (각 ㄴㄱㄷ)=(각 ㄱㄴㄷ)=70°

❷ (각 ㄱㄹㅁ)=(각 ㄱㅁㄹ)=75°

➡ (각 ㄹㄱㅁ)=180°−75°−75°=30°

❸ (각 ㄴㄱㅁ)=(각 ㄴㄱㄷ)+(각 ㄹㄱㅁ)
=70°+30°=100°

쌍둥이 유형 **2-2** ❶ (각 ㄴㄱㄷ)=(각 ㄱㄴㄷ)=25°

❷ 삼각형 ㄱㄹㅁ은 정삼각형이므로 세 각의 크기가
60°로 같습니다.

(각 ㄹㄱㅁ)=60°

❸ (각 ㄴㄱㅁ)=(각 ㄴㄱㄷ)+(각 ㄹㄱㅁ)
=25°+60°=85°

4 STEP 사고력 플러스 유형 50~53쪽

1-1 1, 2 　　　　**1-2** 1, 3

1-3 　　**1-4**

2-1 예 색종이에 그린 두 변의 길이는 색종이의 한 변의 길이와 같으므로 만들어진 삼각형은 세 변의 길이가 같은 정삼각형입니다.

2-2 예 정삼각형은 세 변의 길이가 같으므로 두 변의 길이가 같은 이등변삼각형이라고 할 수 있습니다.

3-1 ①, ④　　　　**3-2** 이등변삼각형, 직각삼각형

3-3 예 정삼각형, 예각삼각형

4-1 60

4-2 예 이등변삼각형이므로
(각 ㄴㄱㄷ)=(각 ㄱㄴㄷ)=75°입니다.
삼각형의 세 각의 크기의 합이 180°이므로
(각 ㄱㄷㄴ)=180°−75°−75°=30°입니다.
따라서 ㉠=180°−30°=150°입니다.　**답** 150°

4-3 100

5-1 예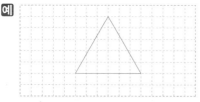

5-2 예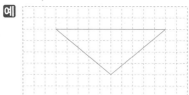

6-1 5개

6-2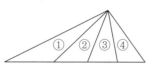

예 삼각형 1개짜리: ①, ②, ④ → 3개
삼각형 2개짜리: ①+② → 1개
삼각형 4개짜리: ①+②+③+④ → 1개
따라서 크고 작은 둔각삼각형은 모두
3+1+1=5(개)입니다.　　**답** 5개

7-1 단계① 35 cm　단계② 13　　　**7-2** 15

8-1 단계① 75°　단계② 60°　단계③ 15°

8-2 20°

1-3 둔각이 있는 두 꼭짓점을 잇는 선분을 그어 예각삼각형을 2개 만듭니다. 선분을 그어 만든 2개의 삼각형은 각각 세 각이 모두 예각이어야 합니다.

1-4 예각이 있는 두 꼭짓점을 잇는 선분을 그어 둔각삼각형을 2개 만듭니다. 선분을 그어 만든 2개의 삼각형은 각각 한 각이 둔각이어야 합니다.

2-1 　**평가 기준**
만들어진 삼각형의 세 변의 길이가 같다는 설명을 바르게 했으면 정답입니다.

2-2 　**평가 기준**
정삼각형은 세 변의 길이가 같으므로 두 변의 길이가 같은 이등변삼각형이라고 할 수 있다는 설명을 바르게 했으면 정답입니다.

3-1 (나머지 한 각의 크기)
=180°−130°−25°=25°
삼각형의 세 각의 크기가 130°, 25°, 25°이므로 이등변삼각형, 둔각삼각형입니다.

3-2 (나머지 한 각의 크기)=180°−45°−90°=45°
삼각형의 세 각의 크기가 45°, 45°, 90°이므로 이등변삼각형, 직각삼각형입니다.

3-3 (나머지 한 각의 크기)=180°−60°−60°=60°
세 각의 크기가 60°, 60°, 60°이므로 이등변삼각형, 정삼각형, 예각삼각형입니다.

4-1 (각 ㄴㄷㄱ)=(각 ㄴㄱㄷ)=30°
(각 ㄱㄴㄷ)=180°−30°−30°=120°
➡ □°=180°−120°=60°

4-2 　**평가 기준**
이등변삼각형의 성질을 이용하여 각 ㄱㄷㄴ의 크기를 구하고 ㉠의 각도를 구했으면 정답입니다.

4-3 (각 ㄴㄷㄱ)+(각 ㄴㄱㄷ)=180°−20°=160°
(각 ㄴㄷㄱ)=(각 ㄴㄱㄷ)=160°÷2=80°
➡ □°=180°−80°=100°

5-1 변이 3개이고, 각이 3개인 도형은 삼각형입니다.
두 변의 길이가 같은 삼각형은 이등변삼각형입니다.
세 각이 모두 예각인 삼각형은 예각삼각형입니다.
➡ 이등변삼각형이면서 예각삼각형인 도형을 그립니다.

5-2 변이 3개이고, 각이 3개인 도형은 삼각형입니다.
두 변의 길이가 같은 삼각형은 이등변삼각형입니다.
한 각이 둔각인 삼각형은 둔각삼각형입니다.
➡ 이등변삼각형이면서 둔각삼각형인 도형을 그립니다.

6-1

삼각형 1개짜리: ② → 1개
삼각형 2개짜리: ①+②, ②+③ → 2개
삼각형 3개짜리: ①+②+③, ②+③+④ → 2개
➡ 1+2+2=5(개)

6-2 평가 기준

삼각형 1개짜리, 2개짜리, 4개짜리 둔각삼각형의 수를 각각 구하여 답을 구했으면 정답입니다.

7-1 단계1 가의 나머지 한 변의 길이는 10 cm입니다.
(가의 세 변의 길이의 합)=10+15+10=35 (cm)
단계2 나의 세 변의 길이의 합은 35 cm이고 나머지 한 변의 길이는 □ cm입니다.
□+□+9=35, □+□=26
➡ □=26÷2=13

7-2 가의 나머지 한 변의 길이는 12 cm입니다.
(가의 세 변의 길이의 합)=12+12+20=44 (cm)
나의 세 변의 길이의 합은 44 cm이고 나머지 한 변의 길이는 □ cm입니다.
14+□+□=44, □+□=30
➡ □=30÷2=15

8-1 단계1 (각 ㄱㄴㄷ)+(각 ㄱㄷㄴ)
$=180°-30°=150°$
(각 ㄱㄴㄷ)=(각 ㄱㄷㄴ)$=150°÷2=75°$
단계2 정삼각형은 한 각의 크기가 $60°$이므로
(각 ㄹㄴㄷ)$=60°$입니다.
단계3 (각 ㄱㄴㄹ)=(각 ㄱㄴㄷ)−(각 ㄹㄴㄷ)
$=75°-60°=15°$

8-2 삼각형 ㄱㄴㄷ은 정삼각형이므로 (각 ㄱㄴㄷ)$=60°$입니다.
(각 ㄹㄴㄷ)+(각 ㄹㄷㄴ)$=180°-100°=80°$
(각 ㄹㄴㄷ)=(각 ㄹㄷㄴ)$=80°÷2=40°$
➡ (각 ㄱㄴㄹ)=(각 ㄱㄴㄷ)−(각 ㄹㄴㄷ)
$=60°-40°=20°$

---

1 나　　**2** 1개　　**3** 75, 9
4 (왼쪽부터) 8, 60, 8　　**5** (　)(○)
6　　예각삼각형　　　둔각삼각형

7 나, 라, 사 / 마, 바　**8** 라, 마 / 나, 다 / 가, 바, 사
9 $25°$　　　　　**10** 2, 2
11

12 ②, ④
13 ①, ⑤
14 39 cm
15 15

16 예 ❶ 삼각형의 나머지 한 각의 크기는
$180°-30°-80°=70°$입니다.
❷ 세 각의 크기가 $70°$, $30°$, $80°$로 크기가 같은 두 각이 없으므로 이등변삼각형이 아닙니다.

17 예 ❶ 이등변삼각형이므로
(각 ㄷㄴㄱ)=(각 ㄷㄱㄴ)$=35°$입니다.
❷ 삼각형의 세 각의 크기의 합이 $180°$이므로
(각 ㄱㄷㄴ)$=180°-35°-35°=110°$입니다.
❸ ㉠$=180°-110°=70°$입니다.　답 $70°$

18 예
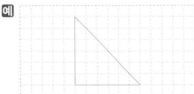

19

예 ❶ 삼각형 1개짜리: ①, ③, ⑤, ⑦ → 4개
❷ 삼각형 4개짜리:
①+④+⑥+⑤, ③+④+⑥+⑦ → 2개
❸ 크고 작은 둔각삼각형은 모두 4+2=6(개)입니다.　답 6개

20 예 ❶ 가의 나머지 한 변의 길이는 22 cm입니다.
❷ (가의 세 변의 길이의 합)
$=22+18+22=62$ (cm)
❸ 나의 세 변의 길이의 합은 62 cm이고 나머지 한 변의 길이는 □ cm이므로
□+28+□=62, □+□=34입니다.
➡ □=34÷2=17　답 17

7 ・두 변의 길이가 같은 삼각형: 가, 나, 라, 사
・세 변의 길이가 모두 다른 삼각형: 다, 마, 바

8 ・세 각이 모두 예각인 삼각형: 라, 마
・한 각이 직각인 삼각형: 나, 다
・한 각이 둔각인 삼각형: 가, 바, 사

9 두 변의 길이가 같은 삼각형이므로 이등변삼각형입니다.
$180° - 130° = 50°$ ➡ ㉠$= 50° \div 2 = 25°$

11 선분 ㄱㄴ의 양 끝에 각각 70°인 각을 그려 이등변삼각형을 완성합니다.

12 ① 예각삼각형은 세 각이 모두 예각입니다.
③ 직각삼각형에는 직각 1개, 예각 2개가 있습니다.
⑤ 이등변삼각형은 예각삼각형, 직각삼각형, 둔각삼각형일 수 있습니다.

13 ① 두 변의 길이가 같으므로 이등변삼각형입니다.
⑤ 한 각이 둔각이므로 둔각삼각형입니다.

14 세 각의 크기가 같으므로 정삼각형입니다.
➡ (세 변의 길이의 합)$= 13 + 13 + 13 = 39$ (cm)

15 이등변삼각형은 두 변의 길이가 같으므로 길이가 같은 나머지 한 변의 길이는 11 cm입니다.
□$+ 11 + 11 = 37$
➡ □$= 37 - 11 - 11 = 15$

16 채점 기준

❶ 삼각형의 나머지 한 각의 크기를 구함.	2점	
❷ 크기가 같은 두 각이 없다는 것을 알고 이유를 설명함.	3점	5점

17 채점 기준

❶ 각 ㄷㄴㄱ의 크기를 구함.	1점	
❷ 각 ㄱㄷㄴ의 크기를 구함.	2점	5점
❸ ㉠의 각도를 구함.	2점	

18 ・변이 3개이고, 각이 3개인 도형은 삼각형입니다.
・두 변의 길이가 같은 삼각형은 이등변삼각형입니다.
・한 각이 직각인 삼각형은 직각삼각형입니다.
➡ 이등변삼각형이면서 직각삼각형인 도형을 그립니다.

19 채점 기준

❶ 삼각형 1개짜리 둔각삼각형의 수를 구함.	2점	
❷ 삼각형 4개짜리 둔각삼각형의 수를 구함.	2점	5점
❸ ❶과 ❷에서 구한 둔각삼각형의 수를 더함.	1점	

20 채점 기준

❶ 가의 나머지 한 변의 길이를 구함.	1점	
❷ 가의 세 변의 길이의 합을 구함.	1점	5점
❸ □ 안에 알맞은 수를 구함.	3점	

앞단원 유형 다시 보기 57쪽

① $1\dfrac{2}{9}\left(= \dfrac{11}{9}\right)$

② $1\dfrac{4}{5} + 2\dfrac{2}{5} = 4\dfrac{1}{5}$, $4\dfrac{1}{5}$ km

③ $1\dfrac{2}{10}$ kg

② (오전에 달린 거리)+(오후에 달린 거리)

$= 1\dfrac{4}{5} + 2\dfrac{2}{5} = 3 + \dfrac{6}{5} = 3 + 1\dfrac{1}{5} = 4\dfrac{1}{5}$ (km)

③ $2\dfrac{3}{10} > 1\dfrac{7}{10} > 1\dfrac{1}{10}$ ➡ $2\dfrac{3}{10} - 1\dfrac{1}{10} = 1\dfrac{2}{10}$ (kg)

재미있는 창의·융합·코딩 58~59쪽

코딩1

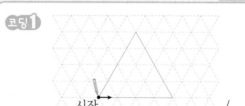

정삼각형 (또는 이등변삼각형, 예각삼각형)

코딩2 / 이등변삼각형 (또는 직각삼각형)

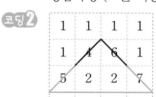

창의3

	①정				
	삼				②임
❶둔	각	삼	각	형	기
	형				응
				❸④이	등	변
		③피		발	
❷삼	각	자		소	

3. 소수의 덧셈과 뺄셈

1 0.56	**2** 0.61, 영 점 육일
3 영 점 영구, 2.73	**4** 일, 0.2, 둘째
5 0.08	**6**
7 0.17	
8 ㉢	**9** 8.34, 팔 점 삼사
10 5.39	**11** 0.374
12 4, 첫째, 둘째, 0.009	**13** 서준, 칠 점 사영육
14 (1) 7 (2) 0.142	**15** (1) 0.05 (2) 0.005
16 ㉢	**17** (1) 0.783 (2) 4.316

18 6.583, 육 점 오팔삼
19 (1) 0.47 (2) 0.339 (3) 1.805
20 (○)( )   **21** 1.352 km
22 ㉡   **23**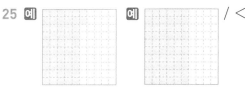
24 (1) 0.070 (2) 5.600
25 예 / 예 / <
26 2.72 2.727 2.73 2.736 2.74 / >
27 (1) < (2) >   **28** 설악산
29 2.905, 4.08에 ○표   **30** 진우
31 (위에서부터) 0.01 / 0.036, 0.36, 360
32 서준   **33** (1) 1.6, 0.16 (2) 0.3, 3
34 (위에서부터) 100, 10
35 (1) 9.34 kg (2) 0.2 kg

---

1 모눈 한 칸의 크기는 0.01입니다.
0.01이 56개이므로 0.56입니다.

5 21.38에서 8은 소수 둘째 자리 숫자이므로 0.08을 나타냅니다.

6 • 0.01이 46개인 수는 0.46입니다.
• 영 점 사구 ➡ 0.49
• $\frac{54}{100}$=0.54

7 수직선에서 작은 눈금 한 칸의 크기는 0.01입니다. 0.1에서 오른쪽으로 작은 눈금 7칸 더 간 곳은 0.17 입니다.

8 6이 나타내는 수를 각각 알아봅니다.
㉠ 1.06 ➡ 0.06 ㉡ 6.23 ➡ 6 ㉢ 7.68 ➡ 0.6

> **참고**
> 6이 0.6을 나타내려면 6이 소수 첫째 자리 숫자여야 합니다.

9
자연수 부분 ┐   ┌ 소수 첫째 자리 숫자
          │   │┌ 소수 둘째 자리 숫자
          8 . 3 4

10 1이 5개이면 5, 0.1이 3개이면 0.3, 0.01이 9개이면 0.09이므로 5.39입니다.

13 소수점 오른쪽의 수는 자릿값을 읽지 않고 숫자만 하나씩 차례로 읽어야 합니다.
서준: 7.406 ➡ 칠 점 사영육

15 (1) 0.756에서 5는 소수 둘째 자리 숫자이므로 0.05를 나타냅니다.
(2) 9.025에서 5는 소수 셋째 자리 숫자이므로 0.005를 나타냅니다.

16 소수 셋째 자리 숫자를 각각 알아봅니다.
㉠ 0.184 ➡ 4 ㉡ 2.837 ➡ 7 ㉢ 10.528 ➡ 8

17 수직선에서 작은 눈금 한 칸의 크기는 0.001입니다.
(1) 0.78에서 오른쪽으로 작은 눈금 3칸 더 간 곳은 0.783입니다.
(2) 4.31에서 오른쪽으로 작은 눈금 6칸 더 간 곳은 4.316입니다.

18 1이 6개이면 6, 0.1이 5개이면 0.5, 0.01이 8개이면 0.08, 0.001이 3개이면 0.003이므로 6.583입니다.
6.583 ➡ 육 점 오팔삼

19 (1) 1 cm=0.01 m ➡ 47 cm=0.47 m
(2) 1 mL=0.001 L ➡ 339 mL=0.339 L
(3) 1 g=0.001 kg ➡ 1 kg 805 g=1.805 kg

20 1 m=0.001 km이므로 73 m=0.073 km입니다.

21 (재훈이네 집~학교)
=1 km 352 m=1.352 km

22 소수는 오른쪽 끝자리에 0을 붙여서 나타내어도 크기가 같으므로 0.8=0.80입니다.

24 소수에서 오른쪽 끝자리의 0은 생략할 수 있습니다.

> **주의**
> 0.070에서 왼쪽 끝자리의 0과 소수 중간에 있는 0을 생략 하지 않도록 주의합니다.

26 수직선에서 작은 눈금 한 칸의 크기는 0.001입니다.
2.736은 2.73에서 오른쪽으로 작은 눈금 6칸 더 간 곳에, 2.727은 2.72에서 오른쪽으로 작은 눈금 7칸 더 간 곳에 표시합니다.
수직선에서 오른쪽에 있는 수가 더 큰 수이므로 2.736>2.727입니다.

27 (1) 3.67<3.73 (2) 13.2>1.891
└6<7┘ └13>1┘

28 1.915>1.708이므로 더 낮은 산은 설악산입니다.
└9>7┘

29 0.97<2.46<2.64<2.905<4.08
➡ 2.64보다 큰 소수는 2.905, 4.08입니다.

30 1.25<1.54이므로 진우가 물을 더 많이 마십니다.
└2<5┘

32 서아: 0.826의 100배는 82.6입니다.
서준: 826의 $\frac{1}{100}$은 8.26입니다.

35 (1) 0.934를 10배 하는 것과 같으므로 9.34 kg입니다.
(2) 2의 $\frac{1}{10}$과 같으므로 0.2 kg입니다.

18

개념 1~6 기초력 집중 연습 68쪽

1 ❶ 39 ❷ 이 점 삼구 ❸ 239 ❹ 3 ❺ 0.09
2 ❶ 758 ❷ 영 점 칠오팔 ❸ 758 ❹ 둘째 ❺ 0.008
3 < 4 < 5 =
6 > 7 > 8 <
9 17.05, 170.5, 1705 10 0.042, 0.42

유형 진단 TEST 69쪽

1 (1) 13.6 (2) 0.136 2 0.39 m
3 5.083 4 7.84에 ○표
5 승주 6 1100
7 3개

---

4 4가 나타내는 수를 각각 알아봅니다.
• 2.4̲7 ➡ 0.4 • 4̲.51 ➡ 4 • 7.84̲ ➡ 0.04

5 1.84>0.95이므로 0.95가 있는 길로 갑니다.
3.9>3.69이므로 3.69가 있는 길로 갑니다.
➡ 우진이가 도착한 곳은 승주의 집입니다.

6 • 8은 0.008의 1000배입니다. ➡ □=1000
• 3.1은 0.031의 100배입니다. ➡ □=100
➡ 1000+100=1100

7 5.355보다 크고 5.39보다 작은 소수 두 자리 수의 소수 둘째 자리 숫자는 5보다 크고 9보다 작아야 합 니다. 따라서 5.36, 5.37, 5.38로 모두 3개입니다.

---

1 STEP 개념별 유형 70~73쪽

1 0.7 2 0.9, 1.6
3 2.3 4 >
5 [선 잇기] 6 1.2+0.8=2, 2 kg
7 예 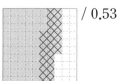 / 0.2

8 0.7 9 32, 15, 17, 1.7
10 우진
11 0.8−0.3=0.5, 0.5 kg
12 0.27 / 0.27 13 (1) 5.51 (2) 1.62
14 2.77 15 >
16
$$\begin{array}{r} {\scriptstyle 1} \\ 3.82 \\ +\ 0.7 \\ \hline 4.52 \end{array}$$

17 4.16+5.42=9.58, 9.58 g
18 예 [그림] / 0.53

19 (1) 3.18 (2) 0.82
20 1.72 21 0.32 m
22 5.46−0.52=4.94, 4.94 kg

2 수직선에서 작은 눈금 한 칸의 크기는 0.1입니다.
0.7만큼 오른쪽으로 간 후 0.9만큼 오른쪽으로 더 간 곳은 1.6입니다. ➡ 0.7+0.9=1.6

3
$$\begin{array}{r} {\scriptstyle 1} \\ 0.5 \\ +\ 1.8 \\ \hline 2.3 \end{array}$$

4 $3.6+2.7=6.3$

➡ $6.3>5.4$

5 • $0.6+0.9=1.5$ • $0.9+0.8=1.7$
 • $0.8+0.4=1.2$ • $0.7+0.8=1.5$
 • $1.4+0.3=1.7$ • $0.6+0.6=1.2$

6 (돼지고기의 무게)+(소고기의 무게)
 $=1.2+0.8=2$ (kg)

7 0.8만큼 색칠된 부분에서 0.6만큼 ×로 지우면 0.2
만큼 남습니다.
 ➡ $0.8-0.6=0.2$

8
$$\begin{array}{r} {\scriptstyle 0}\ {\scriptstyle 10} \\ \not{1}.5 \\ -\ 0.8 \\ \hline 0.7 \end{array}$$

10 민서:
$$\begin{array}{r} {\scriptstyle 4}\ {\scriptstyle 10} \\ \not{5}.4 \\ -\ 2.7 \\ \hline 2.7 \end{array}$$

11 (쌀의 무게)−(콩의 무게)
 $=0.8-0.3=0.5$ (kg)

12 수직선에서 작은 눈금 한 칸의 크기는 0.01입니다.
0.15만큼 오른쪽으로 간 후 0.12만큼 오른쪽으로 더
간 곳은 0.27입니다. ➡ $0.15+0.12=0.27$

13 (1)
$$\begin{array}{r} {\scriptstyle 1} \\ 2.04 \\ +\ 3.47 \\ \hline 5.51 \end{array}$$
(2)
$$\begin{array}{r} {\scriptstyle 1} \\ 0.72 \\ +\ 0.9 \\ \hline 1.62 \end{array}$$

14 $0.63+2.14=2.77$

15 $0.28+0.45=0.73$
 ➡ $0.73>0.71$

16 소수점끼리 맞추어 쓰지 않고 계산하여 잘못되었습니다.

> **주의**
> 소수의 덧셈과 뺄셈을 세로로 계산할 때 반드시 소수점끼리
> 맞추어 쓰고 계산하도록 합니다.

17 (50원짜리 동전의 무게)+(100원짜리 동전의 무게)
 $=4.16+5.42=9.58$ (g)

19 (1)
$$\begin{array}{r} {\scriptstyle 2}\ {\scriptstyle 10} \\ 3.\not{3}5 \\ -\ 0.17 \\ \hline 3.18 \end{array}$$
(2)
$$\begin{array}{r} {\scriptstyle 1}\ {\scriptstyle 10} \\ \not{2}.62 \\ -\ 1.8 \\ \hline 0.82 \end{array}$$

20 □$=3.27-1.55=1.72$

21 $0.96>0.64$ ➡ $0.96-0.64=0.32$ (m)

22 (토마토가 들어 있는 바구니의 무게)
 −(빈 바구니의 무게)
 $=5.46-0.52=4.94$ (kg)

개념 7 ~ 10 기초력 집중 연습 **74쪽**

1 0.9	**2** 0.7	**3** 0.7
4 0.98	**5** 6.62	**6** 16.67
7 0.41	**8** 2.08	**9** 4.58
10 2.1	**11** 0.55, 2.17	
12 1.1	**13** 0.5, 1.77	

유형 진단 TEST **75쪽**

1 9.63 **2** 1.07, 0.57
3 $5.3+3.9=9.2$, 9.2 cm
4 (1) (위에서부터) 4, 0
 (2) (위에서부터) 9, 3
5 3.66 **6** 5.8 m

3 예서의 머리핀의 길이: 5.3 cm
 주아의 머리핀의 길이: 3.9 cm
 ➡ $5.3+3.9=9.2$ (cm)

4 (1)
$$\begin{array}{r} 7.8 \\ -\ 7.\bigcirc \\ \hline \bigtriangleup.4 \end{array}$$
• $8-\bigcirc=4$이므로 $\bigcirc=4$
• $7-7=\bigtriangleup$이므로 $\bigtriangleup=0$

 (2)
$$\begin{array}{r} 0.\bigcirc \\ +\ 2.6 \\ \hline \bigtriangleup.5 \end{array}$$
• $\bigcirc+6=15$이므로 $\bigcirc=9$
• $1+0+2=\bigtriangleup$이므로 $\bigtriangleup=3$

5 서아: 1이 9개이면 9, 0.1이 4개이면 0.4, 0.01이 6
개이면 0.06이므로 9.46입니다.
 시우: 자연수 부분이 5이고, 소수 첫째 자리 숫자가
8인 소수 한 자리 수는 5.8입니다.
 ➡ $9.46-5.8=3.66$

6 (처음에 있던 철사의 길이)−3.5−3.5
 $=12.8-3.5-3.5=9.3-3.5=5.8$ (m)

2 STEP 꼬리를 무는 유형 76~77쪽

1 ㉠	**2** ( )( )(○)
3 문구점	**4** 4.94
5 1.26	**6** 9.6 km
7 2.646, 2.657	
8 (위에서부터) 0.38, 0.369	**9** 1.4 m
10 0.75	**11** 6.6
12 1.78	**13** 1.05 L

1
$$\begin{array}{c} \underbrace{2<9}\\ 1.829 < 1.89 < 1.902 \\ \underbrace{8<9} \end{array}$$

2 $1.94 < 2.05 < 2.2$
$\underbrace{1<2}\ \underbrace{0<2}$

3 가장 가까운 장소를 찾아야 하므로 집에서부터의 거리를 나타낸 소수가 가장 작은 장소를 찾습니다.
0.805 < 0.842 < 0.92이므로 집에서 가장 가까운 장소는 문구점입니다.

4 $1.47 + 2.33 + 1.14$
$= 3.8 + 1.14 = 4.94$

5 □ $= 0.34 + 0.52 + 0.4$
$= 0.86 + 0.4 = 1.26$

6 (성판악 탐방 안내소 ~ 정상)
$= 4.1 + 3.2 + 2.3 = 7.3 + 2.3 = 9.6$ (km)

7 0.001 작은 수는 소수 셋째 자리 숫자가 1 작은 수입니다.
0.01 큰 수는 소수 둘째 자리 숫자가 1 큰 수입니다.

8 0.001 큰 수는 소수 셋째 자리 숫자가 1 큰 수입니다.
0.01 작은 수는 소수 둘째 자리 숫자가 1 작은 수입니다.

9 1.39보다 0.01 큰 수는 1.4이므로 민서의 키는 1.4 m입니다.

10 □ $= 1.49 - 0.74 = 0.75$

> **참고**
> □에 0.74를 더해서 1.49가 되었으므로 □는 1.49에서 0.74를 뺀 값과 같습니다.

11 □ $= 0.43 + 6.17 = 6.6$

12 어떤 수를 □라 하면 $4.3 + □ = 6.08$입니다.
➡ □ $= 6.08 - 4.3 = 1.78$

13 처음 병에 들어 있던 간장의 양을 □ L라 하면
□ $+ 1.25 = 2.3$입니다.
➡ □ $= 2.3 - 1.25 = 1.05$ (L)

3 STEP 수학 독해력 유형 78~79쪽

독해력 유형 ① ❶ 100 ❷ 2.07 ❸ 0.207	
쌍둥이 유형 1-1 1.456	
쌍둥이 유형 1-2 81.9	
독해력 유형 ② ❶ 6, 5, 3 ❷ 3, 5, 6 ❸ 2.97	
쌍둥이 유형 2-1 8.88	
쌍둥이 유형 2-2 71.73	

독해력 유형 ① ❷ $\dfrac{1}{100}$을 하면 소수점을 기준으로 수가 오른쪽으로 두 자리 이동합니다.
➡ 207의 $\dfrac{1}{100}$은 2.07입니다.

❸ 2.07의 $\dfrac{1}{10}$은 0.207입니다.

쌍둥이 유형 1-1 ❶ 어떤 수를 10배 한 수가 1456이므로 1456의 $\dfrac{1}{10}$을 하면 어떤 수가 됩니다.

❷ 어떤 수는 1456의 $\dfrac{1}{10}$이므로 145.6입니다.

❸ 어떤 수의 $\dfrac{1}{100}$은 145.6의 $\dfrac{1}{100}$이므로 1.456입니다.

쌍둥이 유형 1-2 ❶ 어떤 수의 $\dfrac{1}{10}$이 0.819이므로 0.819를 10배 하면 어떤 수가 됩니다.

❷ 어떤 수는 0.819를 10배 한 수이므로 8.19입니다.

❸ 어떤 수를 10배 한 수는 8.19의 10배이므로 81.9입니다.

독해력 유형 ② ❶ $6 > 5 > 3$
➡ 가장 큰 소수 두 자리 수: 6.53

❷ $3 < 5 < 6$ ➡ 가장 작은 소수 두 자리 수: 3.56

❸ $6.53 - 3.56 = 2.97$

쌍둥이 유형 2-1 ❶ $7 > 4 > 1$
➡ 가장 큰 소수 두 자리 수: 7.41

❷ $1 < 4 < 7$ ➡ 가장 작은 소수 두 자리 수: 1.47

❸ 가장 큰 수와 가장 작은 수의 합:
$7.41 + 1.47 = 8.88$

쌍둥이 유형 2-2 ① 8>5>3>1

→ 가장 큰 소수 두 자리 수: 85.31

② 1<3<5<8 → 가장 작은 소수 두 자리 수: 13.58

③ 가장 큰 수와 가장 작은 수의 차:
85.31−13.58=71.73

---

4 STEP 사고력 플러스 유형   80~83쪽

1-1 0.88 m   **1-2** 0.4 L

1-3 2.1 kg

2-1 5.3   **2-2** 4.2

2-3 1.67   **2-4** 4.53

3-1 10배   **3-2** 100배

3-3 $\dfrac{1}{100}$

4-1 6, 7, 8, 9

4-2 예 자연수 부분이 같고 소수 첫째 자리 숫자가 같습니다. 소수 셋째 자리 숫자를 비교하면 1<5이므로 □ 안에는 7과 같거나 7보다 큰 수가 들어갈 수 있습니다. → 7, 8, 9   답 7, 8, 9

4-3 0, 1, 2, 3, 4

5-1 (위에서부터) 4, 4, 2

5-2 예 소수 둘째 자리: 10+㉠−9=4 → ㉠=3
소수 첫째 자리: 8−1−㉡=1 → ㉡=6
일의 자리: 7−2=㉢ → ㉢=5
답 ㉠ 3, ㉡ 6, ㉢ 5

5-3 ㉠ 2, ㉡ 4, ㉢ 7

6-1 4.195

6-2 예 1보다 작으므로 자연수 부분은 0입니다.
소수 첫째 자리 숫자는 6, 소수 둘째 자리 숫자는 0을 나타내므로 0, 소수 셋째 자리 숫자는 4로 나누어떨어지는 수 중 가장 큰 수이므로 8입니다.
따라서 조건을 만족하는 소수 세 자리 수는 0.608입니다.   답 0.608

7-1 단계1 □−4.5=3.6
단계2 8.1   단계3 13.5

7-2 2.91

8-1 단계1 0.15 km   단계2 0.39 km
단계3 0.86 km

8-2 3.91 km

1-1 1 cm=0.01 m이므로 52 cm=0.52 m입니다.
→ 0.36+0.52=0.88 (m)

1-2 1 mL=0.001 L이므로 900 mL=0.9 L입니다.
→ 1.3−0.9=0.4 (L)

1-3 1 g=0.001 kg이므로 820 g=0.82 kg입니다.
→ 2.92−0.82=2.1 (kg)

2-1 0.1이 45개인 수는 4.5입니다. → 4.5+0.8=5.3

2-2 1이 6개이면 6, 0.1이 3개이면 0.3이므로 6.3입니다.
→ 6.3−2.1=4.2

2-3 수직선에서 작은 눈금 한 칸의 크기는 0.01입니다.
㉠=0.74 → 0.74+0.93=1.67

2-4 ㉠=8.75 → 8.75−4.22=4.53

3-1 ㉠의 5는 소수 첫째 자리 숫자이므로 0.5를, ㉡의 5는 소수 둘째 자리 숫자이므로 0.05를 나타냅니다.
→ 0.5는 0.05의 10배입니다.

> **참고**
> 10배 하면 소수점을 기준으로 수가 왼쪽으로 한 자리 이동하므로 0.5는 0.05의 10배입니다.

3-2 ㉠의 9는 소수 첫째 자리 숫자이므로 0.9를, ㉡의 9는 소수 셋째 자리 숫자이므로 0.009를 나타냅니다.
→ 0.9는 0.009의 100배입니다.

3-3 ㉠의 1은 일의 자리 숫자이므로 1을, ㉡의 1은 소수 둘째 자리 숫자이므로 0.01을 나타냅니다.
→ 0.01은 1의 $\dfrac{1}{100}$입니다.

4-1 자연수 부분이 같고 소수 첫째 자리 숫자가 같습니다. 소수 셋째 자리 숫자를 비교하면 6>2이므로 □ 안에는 5보다 큰 수가 들어갈 수 있습니다.
→ 6, 7, 8, 9

4-2 **평가 기준**
> 자연수 부분, 소수 첫째, 소수 셋째 자리 숫자를 각각 비교하여 □ 안에 들어갈 수 있는 수를 바르게 구했으면 정답입니다.

4-3 자연수 부분이 같습니다. 소수 둘째 자리 숫자를 비교하면 2>0이므로 □ 안에는 5보다 작은 수가 들어갈 수 있습니다.
→ 0, 1, 2, 3, 4

5-1 소수 둘째 자리: $6-\square=2 \Rightarrow \square=4$

소수 첫째 자리: $10+\square-5=9 \Rightarrow \square=4$

일의 자리: $4-1-1=\square \Rightarrow \square=2$

5-2 **평가 기준**

받아내림이 있는 것을 생각하고 소수 둘째, 소수 첫째, 일의 자리의 순서로 계산하여 ㉠, ㉡, ㉢에 알맞은 숫자를 바르게 구했으면 정답입니다.

5-3 소수 둘째 자리: $3+\text{㉡}=7 \Rightarrow \text{㉡}=4$

소수 첫째 자리: $8+9=1\text{㉢} \Rightarrow \text{㉢}=7$

일의 자리: $1+\text{㉠}+3=6 \Rightarrow \text{㉠}=2$

6-1 4보다 크고 5보다 작으므로 자연수 부분은 4이고, 소수 첫째 자리 숫자는 1입니다. 소수 둘째 자리 숫자는 10배 한 수의 소수 첫째 자리 숫자와 같으므로 9, 소수 셋째 자리 숫자는 0.005를 나타내므로 5입니다. $\Rightarrow 4.195$

6-2 **평가 기준**

첫 번째 조건에서 자연수 부분이 얼마인지 구하고, 나머지 조건을 통해 각 자리의 숫자를 알아내어 소수 세 자리 수로 나타내었으면 정답입니다.

7-1 **단계1** 어떤 수에서 4.5를 빼었더니 3.6이 되었습니다.

$\underset{\square}{} \quad \underset{-4.5}{} \quad \underset{=3.6}{}$

단계2 $\square=3.6+4.5=8.1 \Rightarrow$ 어떤 수는 8.1입니다.

단계3 $8.1+5.4=13.5$

7-2 어떤 수에서 0.37을 빼었더니 1.81이 되었으므로 어떤 수를 $\square$라 하면 $\square-0.37=1.81$입니다.

$\Rightarrow \square=1.81+0.37=2.18$

따라서 바르게 계산하면 $2.18+0.73=2.91$입니다.

8-1 **단계1** $1\text{ m}=0.001\text{ km} \Rightarrow 150\text{ m}=0.15\text{ km}$

단계2 (다~라)=(나~라)-(나~다)

$=0.54-0.15=0.39\text{ (km)}$

단계3 (가~라)=(가~다)+(다~라)

$=0.47+0.39=0.86\text{ (km)}$

8-2 (B~C)=830 m=0.83 km

(C~D)=(B~D)-(B~C)

$=3.2-0.83=2.37\text{ (km)}$

(A~D)=(A~C)+(C~D)

$=1.54+2.37=3.91\text{ (km)}$

다른 풀이

(A~D)=(A~C)+(B~D)-(B~C)

$=1.54+3.2-0.83=4.74-0.83=3.91\text{ (km)}$

유형 TEST 84~86쪽

1 0.07   **2** 3.9   **3** 1.6

4 2.09∅, 0.084, 7.2∅∅   **5** 0.9, 0.09

6 $<$ **7**
$$\begin{array}{r} 7.83 \\ -\ 2.6 \\ \hline 5.23 \end{array}$$

8 1.053, 일 점 영오삼   **9** ②, ⑤

10 ㉠ 100, ㉡ $\frac{1}{10}$ **11** 0.45 m

12 $2.41+3.03=5.44$, 5.44 kg

13 0.23 kg   **14** ㉠

15 주스   **16** 1.345

17 **예** ❶ 자연수 부분이 같고 소수 첫째 자리 숫자가 같습니다.

❷ 소수 셋째 자리 숫자를 비교하면 3>1입니다.

❸ □ 안에는 7보다 큰 수가 들어갈 수 있습니다. $\Rightarrow$ 8, 9   **답** 8, 9

18 **예** ❶ 소수 둘째 자리: $9-8=\text{㉢} \Rightarrow \text{㉢}=1$

❷ 소수 첫째 자리: $10+\text{㉠}-2=8 \Rightarrow \text{㉠}=0$

❸ 일의 자리: $6-1-\text{㉡}=1 \Rightarrow \text{㉡}=4$

답 ㉠ 0, ㉡ 4, ㉢ 1

19 **예** ❶ 7보다 크고 8보다 작으므로 자연수 부분은 7입니다.

❷ 소수 첫째 자리 숫자는 0.5를 나타내므로 5이고, 소수 둘째 자리 숫자는 2, 소수 셋째 자리 숫자는 3으로 나누어떨어지는 수 중에서 가장 큰 수이므로 9입니다.

❸ 따라서 조건을 만족하는 소수 세 자리 수는 7.529입니다.   **답** 7.529

20 **예** ❶ $1\text{ m}=0.001\text{ km}$이므로

(나~다)=1360 m=1.36 km입니다.

❷ (다~라)=(나~라)-(나~다)

$=4.16-1.36=2.8\text{ (km)}$

(가~라)=(가~다)+(다~라)

$=3.42+2.8=6.22\text{ (km)}$

답 6.22 km

---

3 $0.9<2.5 \Rightarrow 2.5-0.9=1.6$

6 $\underset{\overset{\displaystyle\llcorner}{0}<\overset{\displaystyle\lrcorner}{7}}{4.306<4.371}$

7 소수점끼리 맞추어 쓰지 않고 계산하여 잘못되었습니다.

8 $\frac{53}{1000}=0.053$이므로 $1\frac{53}{1000}=1.053$입니다.
1.053은 일 점 영오삼이라고 읽습니다.

9 ① 팔 점 영사라고 읽습니다.
③ 일의 자리 숫자는 8입니다.
④ 소수 첫째 자리 숫자는 0입니다.

10 • 2.4는 0.024의 100배입니다. ➡ ㉠$=100$
• 3.029는 30.29의 $\frac{1}{10}$입니다. ➡ ㉡$=\frac{1}{10}$

11 수직선에서 작은 눈금 한 칸의 크기는 0.01 m입니다. 0.4 m보다 0.05 m 더 긴 길이는 0.45 m입니다.

12 (고구마의 무게)$+$(감자의 무게)
$=2.41+3.03=5.44$ (kg)

13 (자두의 무게)$=80$ g$=0.08$ kg
➡ (사과의 무게)$+$(자두의 무게)$=0.15+0.08$
$=0.23$ (kg)

14 8이 나타내는 수를 각각 알아봅니다.
㉠ 0.41<u>8</u> ➡ 0.008   ㉡ 5.<u>8</u>3 ➡ 0.8
㉢ 2.0<u>8</u>7 ➡ 0.08

15 900 mL$=0.9$ L
$1.72>1.5>0.9$이므로 가장 많은 것은 주스입니다.

16 어떤 수를 100배 한 수가 1345이므로 어떤 수는 1345의 $\frac{1}{100}$입니다. ➡ (어떤 수)$=13.45$
13.45의 $\frac{1}{10}$은 1.345입니다.

17 채점 기준

❶ 자연수 부분과 소수 첫째 자리 숫자를 각각 비교함.	1점	5점
❷ 소수 셋째 자리 숫자를 비교함.	2점	
❸ □ 안에 들어갈 수 있는 수를 모두 구함.	2점	

18 채점 기준

❶ ㉢에 알맞은 숫자를 구함.	1점	5점
❷ ㉠에 알맞은 숫자를 구함.	2점	
❸ ㉡에 알맞은 숫자를 구함.	2점	

19 채점 기준

❶ 자연수 부분을 구함.	1점	5점
❷ 소수 첫째, 둘째, 셋째 자리 숫자를 각각 구함.	3점	
❸ 조건을 만족하는 소수 세 자리 수를 구함.	1점	

20 채점 기준

❶ 나에서 다까지의 거리를 km 단위로 바꿈.	2점	5점
❷ 알맞은 식을 세워 가에서 라까지의 거리를 구함.	3점	

✔ 앞단원 유형 다시 보기   87쪽

1 (1) 70 (2) 35, 35
2 지안
3 ①, ③

1 (1) 이등변삼각형은 길이가 같은 두 변에 있는 두 각의 크기가 같으므로 □°$=70$°입니다.
(2) 180°-110°$=70$°
➡ □°$+$□°$=70$°, □°$=35$°

2 시우: 정삼각형은 세 변의 길이가 모두 같습니다.
다은: 정삼각형의 한 각의 크기는 60°입니다.

3 • 두 변의 길이가 같으므로 이등변삼각형입니다. ➡ ①
• 세 각이 모두 예각이므로 예각삼각형입니다. ➡ ③

재미있는 창의·융합·코딩   88~89쪽

코딩**1** ❶ (위에서부터) 0.48 / 0.48, 48
❷ (위에서부터) 0.75, 7.5 / 750
창의**2** 꽃게

코딩**1** ❶ • 48의 $\frac{1}{100}$은 0.48
• 4.8의 $\frac{1}{10}$은 0.48 ➡ 0.48의 100배는 48
❷ • 75의 $\frac{1}{100}$은 0.75 ➡ 0.75의 10배는 7.5
• 7500의 $\frac{1}{10}$은 750

창의**2** 물: 일 점 칠구 → 1.79, 빛: $\frac{376}{1000}$ → 0.376,
돈: 영 점 영이일 → 0.021,
꽃: $0.87+0.14=$<u>1.01</u>, 새: $2.6-1.4=1.2$,
차: 이 점 오팔 → 2.58,
용: 0.01이 73개인 수 → 0.73,
불: $1\frac{64}{100}$ → 1.64,
게: 0.001이 483개인 수 → <u>0.483</u>
(서아 → 꽃), (현서 → 게) ➡ '꽃게'

4. 사각형

1 (○)( )　　　**2** ③
3 (1) 라　(2) 수선　　**4** 나
5 예

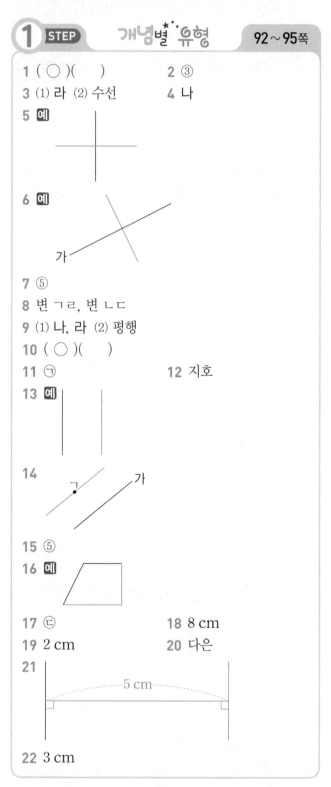

6 예

7 ⑤
8 변 ㄱㄹ, 변 ㄴㄷ
9 (1) 나, 라　(2) 평행
10 (○)( )
11 ㉠　　　　　　　　　**12** 지호
13 예

14

15 ⑤
16 예

17 ㉢　　　　　　　　**18** 8 cm
19 2 cm　　　　　　　**20** 다은
21

22 3 cm

1 한 직선을 긋고 삼각자에서 직각을 낀 변 중 한 변을 그은 직선에 맞추고 직각을 낀 다른 한 변을 따라 선을 그은 것을 찾습니다.

2 각도기에서 90°가 되는 눈금 위에 있는 점 ③과 이어야 합니다.

4 만나서 이루는 각이 직각인 두 변이 있는지 찾습니다.
➡ 나

6

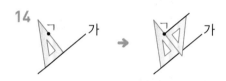

7 한 직선에 대한 수선은 셀 수 없이 많이 그을 수 있습니다.

8 직선 가와 수직으로 만나는 변은 변 ㄱㄹ, 변 ㄴㄷ입니다.

11 ㉠ 변 ㄴㄷ과 변 ㄹㄷ은 서로 수직입니다.
변 ㄴㄷ과 변 ㄱㄹ이 서로 평행합니다.

12 지호: 평행한 두 직선은 길게 늘여도 서로 만나지 않습니다.

14

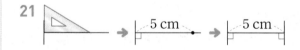

15 한 직선과 평행한 직선은 셀 수 없이 많이 그을 수 있습니다.

18 평행선은 변 ㄱㄹ과 변 ㄴㄷ이고, 변 ㄱㄹ과 변 ㄴㄷ 사이의 거리는 변 ㄹㄷ의 길이로 8 cm입니다.

19 평행선의 한 직선에서 다른 직선에 수선을 긋고, 그은 선분의 길이를 자로 잽니다.

20 다은: 평행선 사이의 거리는 어디에서 재어도 길이가 같습니다.

21

22 평행선은 변 ㄱㄴ과 변 ㄹㄷ입니다.

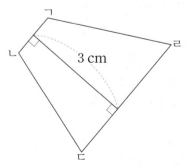

변 ㄱㄴ과 변 ㄹㄷ 사이에 수선을 긋고, 그은 선분의 길이를 자로 재면 3 cm입니다.

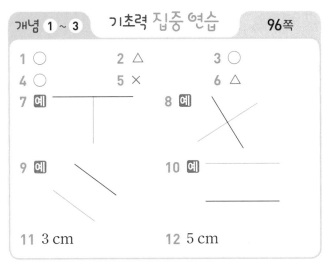

1 ○	2 △	3 ○
4 ○	5 ×	6 △
7 예		8 예
9 예		10 예
11 3 cm		12 5 cm

11 평행선은 변 ㄱㄹ과 변 ㄴㄷ입니다.
　 변 ㄱㄹ과 변 ㄴㄷ 사이의 거리를 재면 3 cm입니다.

12 평행선은 변 ㄴㄷ과 변 ㅁㄹ입니다.
　 변 ㄴㄷ과 변 ㅁㄹ 사이의 거리를 재면 5 cm입니다.

유형 진단 TEST　　　　　97쪽

1 (　)(○)(○)(　)　　2 5 cm
3 직선 다와 직선 마　　　　 4 현서
5 다, 가, 나
6

1 두 직선이 만나서 이루는 각이 직각일 때, 두 직선은
　 서로 수직이라고 합니다.

2 평행선 사이의 수선의 길이는 5 cm입니다.

3 한 직선에 수직인 두 직선을 그었을 때, 그 두 직선은
　 서로 평행하므로 직선 가에 수직인 직선 다와 직선
　 마는 서로 평행합니다.

4 시우: 한 직선에 대한 수선은 셀 수 없이 많이 그을
　 수 있습니다.

5

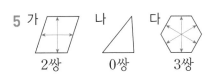

　 가　　　　나　　　　다
　 2쌍　　　 0쌍　　　 3쌍

6 주어진 직선의 왼쪽과 오른쪽에 평행선 사이의 거리
　 가 2 cm가 되도록 평행한 직선을 1개씩 긋습니다.

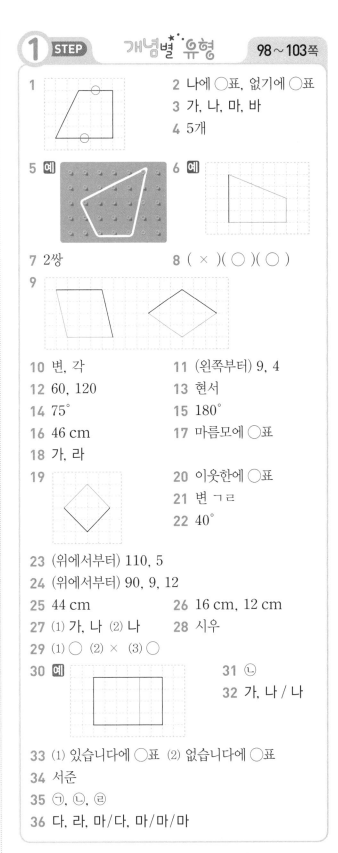

1
2 나에 ○표, 없기에 ○표
3 가, 나, 마, 바
4 5개
5 예　　　　　　　6 예
7 2쌍　　　　　　8 (×)(○)(○)
9
10 변, 각　　　　　11 (왼쪽부터) 9, 4
12 60, 120　　　　13 현서
14 75°　　　　　　15 180°
16 46 cm　　　　　17 마름모에 ○표
18 가, 라
19　　　　　　　 20 이웃한에 ○표
　　　　　　　　 21 변 ㄱㄹ
　　　　　　　　 22 40°
23 (위에서부터) 110, 5
24 (위에서부터) 90, 9, 12
25 44 cm　　　　　26 16 cm, 12 cm
27 (1) 가, 나 (2) 나　　28 시우
29 (1) ○ (2) × (3) ○
30 예　　　　　　　31 ㉡
　　　　　　　　 32 가, 나 / 나
33 (1) 있습니다에 ○표 (2) 없습니다에 ○표
34 서준
35 ㉠, ㉢, ㉣
36 다, 라, 마 / 다, 마 / 마 / 마

3 평행한 변이 한 쌍이라도 있는 사각형은 가, 나, 마,
　 바입니다.

4 잘라 낸 도형 가, 나, 다, 라, 마는 모두 위와 아래의
　 변이 평행한 사각형이므로 사다리꼴입니다.
　 ➡ 5개

7

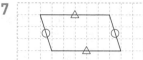

○ 표시한 변끼리, △ 표시한 변끼리 평행하므로 서로 평행한 변은 모두 2쌍입니다.

8 왼쪽 사각형은 평행한 변이 한 쌍 있으므로 평행사변형이 아닙니다.

13 현서: 마주 보는 두 각의 크기가 같고, 이웃한 두 각의 크기의 합은 180°입니다.

14 평행사변형은 이웃한 두 각의 크기의 합이 180°이므로 $105°+$(각 ㄱㄴㄷ)$=180°$입니다.
➡ (각 ㄱㄴㄷ)$=180°-105°=75°$

15 평행사변형은 이웃한 두 각의 크기의 합이 180°이므로 ㉠과 ㉡의 각도의 합은 180°입니다.

16 평행사변형은 마주 보는 두 변의 길이가 같습니다.
➡ (네 변의 길이의 합)$=13+10+13+10=46$ (cm)

17 네 변의 길이가 모두 같은 사각형이 만들어집니다.
➡ 마름모

> **주의**
> 네 변의 길이는 모두 같지만 네 각이 모두 직각이 아니므로 정사각형이 아닙니다.

18 네 변의 길이가 모두 같은 사각형은 가, 라입니다.

19 네 변의 길이가 모두 같은 사각형이 되도록 그립니다.

21 마름모는 마주 보는 두 변이 서로 평행합니다.

22 마름모는 마주 보는 두 각의 크기가 같으므로
(각 ㄱㄹㄷ)$=$(각 ㄱㄴㄷ)$=40°$입니다.

23 마름모는 네 변의 길이가 모두 같고 이웃하는 두 각의 크기의 합이 180°입니다.

24 마름모는 마주 보는 꼭짓점끼리 이은 선분이 수직으로 만나고 똑같이 둘로 나눕니다.

25 마름모는 네 변의 길이가 모두 같습니다.
➡ $11×4=44$ (cm)

26 (선분 ㄱㄷ)$=8×2=16$ (cm)
(선분 ㄴㄹ)$=6×2=12$ (cm)

27 > **참고**
> ⑴ 정사각형은 직사각형이라고 할 수 있습니다.

28 서준: 직사각형은 네 변의 길이가 모두 같은 것은 아닙니다.

29 ⑵ 네 각이 모두 직각이므로 마주 보는 두 각의 크기가 같습니다.

30 직사각형의 짧은 변의 길이가 정사각형의 한 변의 길이가 되도록 선분을 긋습니다.

31 주어진 도형은 네 변의 길이는 모두 같지만 네 각이 모두 직각이 아닙니다.

33 ⑴ 평행사변형은 마주 보는 두 쌍의 변이 서로 평행하므로 사다리꼴이라고 할 수 있습니다.
⑵ 사다리꼴은 마주 보는 두 쌍의 변이 서로 평행한 것은 아니므로 평행사변형이라고 할 수 없습니다.

34 서준: 직사각형은 네 변의 길이가 모두 같은 것은 아니므로 마름모가 아닙니다.

35 ㉠ 평행한 변이 한 쌍이라도 있으므로 사다리꼴입니다.
㉡ 마주 보는 두 쌍의 변이 서로 평행하므로 평행사변형입니다.
㉢ 네 변의 길이가 모두 같으므로 마름모입니다.

개념 4 ~ 10   기초력 집중 연습   104쪽

1 한 / 가, 나, 다, 라, 마, 사

2 두 / 가, 다, 라, 사

3 네 / 가, 라, 사

4 변, 직각(또는 90°) / 라, 사

5 (위에서부터) 13, 16   **6** 120

7 (위에서부터) 50, 130   **8** (위에서부터) 90, 5

유형 진단 TEST   105쪽

1 사다리꼴   **2** (왼쪽부터) 65, 115

3 15 m, 40 m   **4** 90°

5 **예** 네 변의 길이가 모두 같은 사각형이기 때문입니다.

6 정사각형

7 사다리꼴, 평행사변형, 직사각형에 ○표

1 한 쌍의 변이 평행한 사다리꼴이 만들어집니다.

2 평행사변형은 마주 보는 두 각의 크기가 같고, 이웃한 두 각의 크기의 합이 180°입니다.

3 (선분 ㄱㅁ)=(선분 ㄱㄷ)÷2=30÷2=15 (m)
 (선분 ㄴㄹ)=(선분 ㄴㅁ)×2=20×2=40 (m)

4 마름모는 마주 보는 꼭짓점끼리 이은 선분이 수직으로 만납니다.

5 평가 기준
> 네 변의 길이가 모두 같다는 말을 넣어 이유를 바르게 썼으면 정답입니다.

6 네 각의 크기가 모두 같은 사각형은 직사각형과 정사각형이고, 이 중에서 네 변의 길이가 모두 같은 사각형은 정사각형입니다.

7 같은 길이의 막대가 2개씩 있으므로 마주 보는 두 변의 길이가 같은 사각형을 만들 수 있습니다.
 ➡ 사다리꼴, 평행사변형, 직사각형

② STEP 꼬리를 무는 유형 106~107쪽

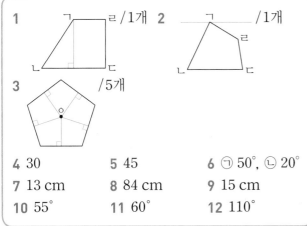

1 ㄱㄴㄷㄹ /1개	**2** /1개	
3 /5개		
4 30	**5** 45	**6** ㉠ 50°, ㉡ 20°
7 13 cm	**8** 84 cm	**9** 15 cm
10 55°	**11** 60°	**12** 110°

1 삼각자에서 직각을 낀 변 중 한 변을 변 ㄴㄷ에 맞추고, 직각을 낀 다른 한 변이 점 ㄱ을 지나도록 놓은 후 선을 긋습니다.

2 삼각자에서 직각을 낀 변 중 한 변을 변 ㄴㄷ에 맞추고 직각을 낀 다른 한 변이 점 ㄱ을 지나도록 놓은 후 다른 삼각자의 직각 부분을 점 ㄱ에 맞추어 변 ㄴㄷ에 평행한 직선을 긋습니다.

4 직선 가와 직선 나가 만나서 이루는 각도는 90°입니다. ➡ □°=90°-60°=30°

5 □°=90°-45°=45°

6 ㉠=90°-40°=50°, ㉡=90°-70°=20°

7 마름모는 네 변의 길이가 모두 같습니다.
 ➡ (한 변의 길이)=52÷4=13 (cm)

8 (네 변의 길이의 합)=21×4=84 (cm)

9 (한 변의 길이)=60÷4=15 (cm)

10 평행사변형은 마주 보는 두 각의 크기가 같으므로 (각 ㄴㄷㄹ)=125°입니다.
 ➡ 직선이 이루는 각도는 180°이므로
 ㉠=180°-125°=55°입니다.

11 마름모는 마주 보는 두 각의 크기가 같으므로 (각 ㄴㄱㄹ)=120°입니다.
 ➡ 직선이 이루는 각도는 180°이므로
 ㉠=180°-120°=60°입니다.

12

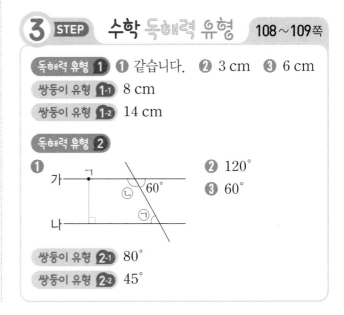

겹쳐진 부분은 마주 보는 두 쌍의 변이 서로 평행한 사각형이므로 평행사변형입니다.
평행사변형은 마주 보는 두 각의 크기가 같으므로 ㉡=70°입니다.
 ➡ 직선이 이루는 각도는 180°이므로
 ㉠=180°-70°=110°입니다.

③ STEP 수학 독해력 유형 108~109쪽

독해력 유형 **1**	❶ 같습니다.	❷ 3 cm ❸ 6 cm
쌍둥이 유형 **1-1**	8 cm	
쌍둥이 유형 **1-2**	14 cm	
독해력 유형 **2**		
❶ 가 ㄱ ㉡ 60° 나		❷ 120° ❸ 60°
쌍둥이 유형 **2-1**	80°	
쌍둥이 유형 **2-2**	45°	

독해력 유형 1 ② (변 ㄱㄴ)=(변 ㄹㄷ)=3 cm
③ (변 ㄱㄹ)+(변 ㄴㄷ)=18-3-3=12 (cm)
(변 ㄱㄹ)=12÷2=6 (cm)

쌍둥이 유형 1-1 ① 평행사변형은 마주 보는 두 변의 길이가 같습니다.
② (변 ㄱㄴ)=(변 ㄹㄷ)=7 cm
③ (변 ㄱㄹ)+(변 ㄴㄷ)=30-7-7=16 (cm)
➡ (변 ㄱㄹ)=16÷2=8 (cm)

쌍둥이 유형 1-2 ① 직사각형은 마주 보는 두 변의 길이가 같습니다.
② (변 ㄴㄷ)=(변 ㄱㄹ)=11 cm
③ (변 ㄱㄴ)+(변 ㄹㄷ)=50-11-11=28 (cm)
➡ (변 ㄱㄴ)=28÷2=14 (cm)

독해력 유형 2 ② 직선이 이루는 각도는 180°이므로
ⓒ=180°-60°=120°입니다.
③ 사각형의 네 각의 크기의 합은 360°이므로
ⓐ=360°-90°-90°-120°=60°입니다.

쌍둥이 유형 2-1 ① 직선 가와 직선 나 사이에 수선을 긋습니다.

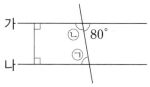

② 직선이 이루는 각도는 180°이므로
ⓒ=180°-80°=100°입니다.
③ 사각형의 네 각의 크기의 합은 360°이므로
ⓐ=360°-90°-90°-100°=80°입니다.

쌍둥이 유형 2-2 ① 직선 가와 직선 나 사이에 수선을 긋습니다.

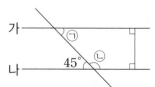

② 직선이 이루는 각도는 180°이므로
ⓒ=180°-45°=135°입니다.
③ 사각형의 네 각의 크기의 합은 360°이므로
ⓐ=360°-90°-90°-135°=45°입니다.

4 STEP 사고력 플러스 유형 110~113쪽

1-1
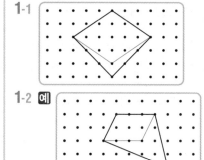

1-2 **예**

1-3

2-1 라, 마   2-2 가, 다, 라   2-3 ㄹ, ㅁ, ㅂ
3-1 ㉠, ㉡   3-2 **예** 마름모
4-1 평행사변형입니다. /
예 마주 보는 두 쌍의 변이 서로 평행한 사각형이기 때문입니다.
4-2 마름모가 아닙니다. /
예 네 변의 길이가 모두 같은 사각형이 아니기 때문입니다.
4-3 옳지 않습니다. /
예 직사각형은 네 각이 모두 직각이지만 네 변의 길이가 모두 같은 것은 아니기 때문에 정사각형이 아닙니다.
5-1 16 cm
5-2 **예** 직선 가와 직선 나 사이의 거리는 8 cm이고 직선 나와 직선 다 사이의 거리는 5 cm입니다. 따라서 직선 가와 직선 다 사이의 거리는 8+5=13 (cm)입니다.   **답** 13 cm
6-1 72 cm
6-2 **예** 마름모는 네 변의 길이가 모두 같습니다. 만든 도형에서 굵은 선은 길이가 7 cm인 변 10개로 이루어져 있습니다. 따라서 굵은 선의 길이는 모두 7×10=70 (cm)입니다.   **답** 70 cm
6-3 84 cm
7-1 **단계1** 5개   **단계2** 4개
단계3 1개, 1개, 1개   **단계4** 12개
7-2 14개
8-1 **단계1** 70°, 120°   **단계2** 80°   8-2 100°

2-1 수선이 있는 도형: 나, 라, 마

평행선이 있는 도형: 가, 다, 라, 마

➡ 수선도 있고 평행선도 있는 도형: 라, 마

2-2 수선이 있는 도형: 가, 다, 라, 바

평행선이 있는 도형: 가, 나, 다, 라, 마

➡ 수선도 있고 평행선도 있는 도형: 가, 다, 라

2-3 수선이 있는 자음: ㄱ, ㄹ, ㅁ, ㅂ

평행선이 있는 자음: ㄹ, ㅁ, ㅎ, ㅂ, ㅊ

➡ 수선도 있고 평행선도 있는 자음: ㄹ, ㅁ, ㅂ

3-1 ㉠ 평행한 변이 한 쌍이라도 있으므로 사다리꼴입니다.

㉡ 마주 보는 두 쌍의 변이 서로 평행하므로 평행사변형입니다.

다른 풀이

주어진 사각형은 네 각이 모두 직각이므로 직사각형입니다. 직사각형은 사다리꼴, 평행사변형이라고 할 수 있습니다.

3-2 같은 길이의 막대가 4개 있으므로 네 변의 길이가 모두 같은 사각형을 만들 수 있습니다.

➡ 사다리꼴, 평행사변형, 마름모, 직사각형, 정사각형

4-1 평가 기준

답을 구하고 마주 보는 두 쌍의 변이 서로 평행하기 때문에 평행사변형이라는 것을 바르게 설명했으면 정답입니다.

4-2 평가 기준

답을 구하고 네 변의 길이가 모두 같은 것은 아니기 때문에 마름모가 아니라는 것을 바르게 설명했으면 정답입니다.

4-3 평가 기준

답을 구하고 직사각형은 네 변의 길이가 모두 같은 것은 아니라는 말을 넣어 옳지 않은 이유를 바르게 설명했으면 정답입니다.

5-1 선분 ㄱㅂ과 선분 ㄷㄴ 사이의 거리는 6 cm이고 선분 ㄷㄴ과 선분 ㄹㅁ 사이의 거리는 10 cm입니다. 따라서 선분 ㄱㅂ과 선분 ㄹㅁ 사이의 거리는 6＋10＝16 (cm)입니다.

5-2 평가 기준

직선 가와 직선 나, 직선 나와 직선 다 사이의 거리를 각각 구한 후 더하여 답을 구했으면 정답입니다.

6-1 마름모는 네 변의 길이가 모두 같습니다. 만든 도형에서 굵은 선은 길이가 9 cm인 변 8개로 이루어져 있으므로 굵은 선의 길이는 모두 9×8＝72 (cm)입니다.

6-2 평가 기준

굵은 선은 길이가 7 cm인 변 10개로 이루어져 있다는 것을 이용하여 답을 구했으면 정답입니다.

6-3 평행사변형은 마주 보는 변의 길이가 같습니다. 만든 도형에서 굵은 선은 길이가 10 cm인 변 6개, 6 cm인 변 4개로 이루어져 있습니다.

10×6＝60 (cm), 6×4＝24 (cm)

➡ 60＋24＝84 (cm)

7-1
단계❶ ①~⑤ ➡ 5개

단계❷ ②＋③, ④＋⑤, ②＋④, ③＋⑤ ➡ 4개

단계❸ ・①＋②＋④ ➡ 1개

・②＋③＋④＋⑤ ➡ 1개

・①＋②＋③＋④＋⑤ ➡ 1개

단계❹ 5＋4＋1＋1＋1＝12(개)

7-2
・작은 정사각형 1개로 이루어진 정사각형:

①~⑨ ➡ 9개

・작은 정사각형 4개로 이루어진 정사각형:

①＋②＋④＋⑤, ②＋③＋⑤＋⑥, ④＋⑤＋⑦＋⑧, ⑤＋⑥＋⑧＋⑨ ➡ 4개

・작은 정사각형 9개로 이루어진 정사각형:

①＋②＋③＋④＋⑤＋⑥＋⑦＋⑧＋⑨ ➡ 1개

➡ 9＋4＋1＝14(개)

8-1
단계❶ (각 ㄴㄱㄹ)＝90°－20°＝70°

(각 ㄴㄷㄹ)＝180°－60°＝120°

단계❷ (각 ㄱㄴㄷ)＝360°－70°－120°－90°＝80°

8-2 점 ㄱ에서 직선 나에 수선을 그어 사각형 ㄱㄴㄷㄹ을 만듭니다.

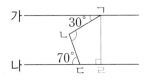

(각 ㄴㄱㄹ)＝90°－30°＝60°

(각 ㄴㄷㄹ)＝180°－70°＝110°

➡ (각 ㄱㄴㄷ)＝360°－60°－110°－90°＝100°

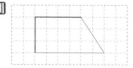

114~116쪽

1 ( )(○)( ) **2** 변 ㄱㄹ과 변 ㄴㄷ

3 나, 다, 라 **4** 나, 라

5 3 cm **6** (왼쪽부터) 105, 75

7 예

8 (위에서부터) 6, 90, 4

9

ㄱ ㄷ
ㄴ

10

ㄱ ㄷ
ㄴ

11 ⑤ **12** 5개

13 지안 **14** ④, ⑤

15 11 cm **16** E, H

17 ❶ 정사각형입니다.

❷ 예 네 각이 모두 직각이고 네 변의 길이가 모두 같은 사각형이기 때문입니다.

18 예 ❶ 직선 가와 직선 나 사이의 거리는 4 cm입니다.

❷ 직선 나와 직선 다 사이의 거리는 2 cm입니다.

❸ 직선 가와 직선 다 사이의 거리는
$4+2=6$ (cm)입니다. **답** 6 cm

19 예 ❶ 마름모는 네 변의 길이가 모두 같습니다.

❷ 도형에서 굵은 선은 길이가 5 cm인 변 12개로 이루어져 있습니다.

❸ 굵은 선의 길이는 모두 $5 \times 12 = 60$ (cm)입니다. **답** 60 cm

20

예 ❶ 작은 평행사변형 1개로 이루어진 평행사변형: ①, ②, ③, ④ ➡ 4개

작은 평행사변형 2개로 이루어진 평행사변형:
①+②, ②+③ ➡ 2개

❷ 작은 평행사변형 3개로 이루어진 평행사변형:
①+②+③ ➡ 1개

작은 평행사변형 4개로 이루어진 평행사변형:
①+②+③+④ ➡ 1개

❸ (크고 작은 평행사변형의 수)
$=4+2+1+1=8$(개) **답** 8개

3 마주 보는 두 쌍의 변이 서로 평행한 사각형은 나, 다, 라입니다.

4 네 변의 길이가 모두 같은 사각형은 나, 라입니다.

6 평행사변형은 마주 보는 두 각의 크기가 같습니다.

7 평행한 변이 한 쌍이라도 있는 사각형이 되도록 그립니다.

8 마름모는 마주 보는 꼭짓점끼리 이은 선분이 수직으로 만나고 똑같이 둘로 나눕니다.

12 사다리꼴: 나, 다, 라, 마, 사 ➡ 5개

13 서준: 마름모는 네 변의 길이는 모두 같지만 네 각이 모두 직각인 것은 아니므로 정사각형이 아닙니다.

14 ④ 네 각이 모두 직각이 아니므로 직사각형이 아닙니다.

⑤ 네 변의 길이는 모두 같지만 네 각이 모두 직각이 아니므로 정사각형이 아닙니다.

다른 풀이

주어진 사각형은 네 변의 길이가 모두 같으므로 마름모입니다. 마름모는 사다리꼴, 평행사변형이라고 할 수 있습니다.

15 평행사변형은 마주 보는 두 변의 길이가 같습니다.
변 ㄱㄹ의 길이를 □ cm라 하면
□+8+□+8=38입니다.
➡ □+□=22, □=11

16 수선이 있는 알파벳: E, H, L
평행선이 있는 알파벳: E, H, N
➡ 수선도 있고 평행선도 있는 알파벳: E, H

17 **채점 기준**

❶ 답을 구함.	2점	
❷ 이유를 설명함.	3점	5점

18 **채점 기준**

❶ 직선 가와 직선 나 사이의 거리를 구함.	2점	
❷ 직선 나와 직선 다 사이의 거리를 구함.	2점	5점
❸ 직선 가와 직선 다 사이의 거리를 구함.	1점	

19 **채점 기준**

❶ 마름모는 네 변의 길이가 모두 같음을 설명함.	1점	
❷ 도형에서 굵은 선은 길이가 5 cm인 변 12개로 이루어져 있다는 것을 구함.	2점	5점
❸ 굵은 선의 길이를 구함.	2점	

20 채점 기준

❶ 작은 평행사변형 1개, 2개로 이루어진 평행사변형의 수를 각각 구함.	2점	
❷ 작은 평행사변형 3개, 4개로 이루어진 평행사변형의 수를 각각 구함.	2점	5점
❸ ❶과 ❷에서 구한 수를 모두 더하여 크고 작은 평행사변형의 수를 구함.	1점	

유형 다시 보기   117쪽

1 (1) 0.58 (2) 3.407
2 (위에서부터) 9, 6.85
3 <
4 0.51−0.38=0.13 / 진우, 0.13 L

1 (1) 0.1이 5개이면 0.5, 0.01이 8개이면 0.08이므로 0.58입니다.
  (2) 1이 3개이면 3, 0.1이 4개이면 0.4, 0.001이 7개이면 0.007이므로 3.407입니다.

3 0.9+2.8=3.7, 1.7+2.1=3.8
  ➡ 3.7<3.8

4 0.38<0.51이므로 진우가 우유를
  0.51−0.38=0.13 (L) 더 많이 마셨습니다.

재미있는 창의·융합·코딩   118~119쪽

창의1 ❶ 80, 95   ❷ 100
창의2 (위에서부터) 예

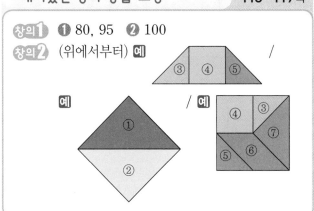

창의1 ❶ • ㉠=360°−100°−90°−90°=80°
       • ㉡=360°−90°−90°−85°=95°

❷ 이동한 길에 있는 밧줄의 길이는 평행선 사이의 수직인 선분의 길이이므로 모두
  30+42+28=100 (cm)입니다.

5 꺾은선그래프

1 STEP 개념별 유형   122~125쪽

1 꺾은선
2 날짜, 개수
3 10개
4 줄넘기 개수의 변화
5 ㉡
6 (선분 그림)
7 (나) 그래프
8 우진
9 9
10 6, 7
11 일요일
12 금요일
13 토요일
14 80 kg
15 ㉡
16 (나) 그래프
17 0, 80
18 94명
19 지호
20 5, 6
21 4, 5

3 세로 눈금 5칸이 50개를 나타내므로 세로 눈금 한 칸은 50÷5=10(개)를 나타냅니다.

5 시간에 따라 연속적으로 변화하는 자료는 꺾은선그래프로 나타내는 것이 좋습니다.

7 꺾은선그래프는 점들을 선분으로 이어 그린 그래프이므로 선이 기울어진 정도를 보면 귤 생산량의 변화를 한눈에 알아보기 쉽습니다.

8 우진: 막대그래프는 막대로, 꺾은선그래프는 선분으로 나타내었습니다.

11 점이 가장 높게 찍힌 때는 일요일입니다.

12 선이 기울어지지 않은 때는 금요일입니다.

13 선이 오른쪽 아래로 내려간 때는 토요일입니다.

14 일요일: 170 kg, 토요일: 90 kg
   ➡ 170−90=80 (kg)

15 ㉠ 세로 눈금 한 칸의 크기가 (가) 그래프는 40명이고 (나) 그래프는 10명입니다. 따라서 (가)와 (나) 그래프의 세로 눈금 한 칸의 크기가 다릅니다.

16 (나) 그래프는 필요 없는 부분을 줄여서 세로 눈금 한 칸의 크기를 작게 하여 나타내었기 때문에 변화하는 모습이 더 뚜렷하게 나타납니다.

18 세로 눈금 한 칸은 2명을 나타내므로 2018년에 출생아 수는 94명입니다.

19 지호: 세로 눈금 0 cm와 140 cm 사이를 물결선으로 나타내었습니다.

20 선이 가장 많이 기울어진 때는 5월과 6월 사이입니다.

21 선이 가장 적게 기울어진 때는 4월과 5월 사이입니다.

개념 1~3 기초력 집중 연습 　126쪽

1 1
2 월, 날수
3 11
4 1
5 700
6 판매량
7 2017
8 2016

유형 진단 TEST 　127쪽

1 0.5 ℃
2 ㉢
3 오후 2시, 7.5 ℃
4 낮 12시와 오후 2시 사이
5 0, 50
6 0.8
7 예 미세먼지 농도는 3일까지 줄어들다가 다시 늘어나고 있습니다.

1 세로 눈금 5칸이 2.5 ℃를 나타내므로 세로 눈금 한 칸은 0.5 ℃를 나타냅니다.

2 ㉢ 꺾은선은 야영장의 기온의 변화를 나타냅니다.

3 점이 가장 높게 찍힌 때는 오후 2시이고, 기온은 7.5 ℃ 입니다.

4 선이 가장 많이 기울어진 때는 낮 12시와 오후 2시 사이입니다.

6 2일: 50.9 $\mu g/m^3$, 3일: 50.1 $\mu g/m^3$
　➡ 50.9−50.1=0.8 ($\mu g/m^3$)

7 꺾은선그래프의 선이 오른쪽 아래로 내려가다가 3일 이후부터 다시 오른쪽 위로 올라가고 있습니다.

평가 기준
꺾은선그래프에서 미세먼지 농도의 변화하는 모습을 파악하고 바르게 썼으면 정답입니다.

---

1 STEP 개념별 유형 　128~131쪽

1 ㉣
2 키
3 1 cm에 ○표
4 14 cm
5

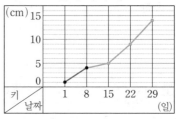

감자 싹의 키

6 예 10명

7

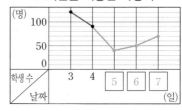

도서관을 이용한 학생 수

8 예

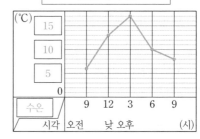

연못의 수온

9 개수

10 모둠발로 앞으로 줄넘기를 한 개수

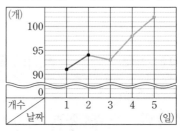

11 예 10개
12 하윤

13 예

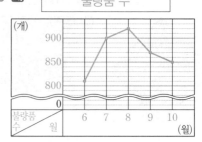

불량품 수

14 8월, 6월
15 (다)
16 (나)
17 64점
18 2019년
19 128점
20 '늦어지고'에 ○표
21 예 빨라지고 있습니다.
22 예 22 / 예 52

1 ㉮ 선을 차례대로 잇지 않아서 잘못 되었습니다.

3 감자 싹의 키를 1 cm 단위로 나타내어야 하므로 세로 눈금 한 칸은 1 cm를 나타내는 것이 좋습니다.

4 가장 큰 키인 14 cm까지 나타낼 수 있어야 합니다.

5 가로 눈금과 세로 눈금이 만나는 자리에 점을 찍고, 점들을 선분으로 이어 꺾은선그래프를 완성합니다.

6 학생 수를 10명 단위로 나타내어야 하므로 세로 눈금 한 칸은 10명을 나타내는 것이 좋습니다.

11 불량품 수가 10개 단위이므로 세로 눈금 한 칸은 10개를 나타내는 것이 좋습니다.

12 필요 없는 부분인 0개와 800개 사이에 물결선을 넣는 것이 좋습니다. 810개부터 920개까지는 꼭 필요한 부분입니다.

14 불량품 수가 가장 많은 때는 점이 가장 높게 찍힌 때로 8월이고, 가장 적은 때는 점이 가장 낮게 찍힌 때로 6월입니다.

15 식물 (다)는 식물의 키의 변화의 정도가 작다가 커지므로 천천히 자라다가 시간이 지나면서 빠르게 자라는 식물입니다.

> **참고**
> 식물 (가)는 처음에는 빠르게 자라다가 시간이 지나면서 천천히 자라는 식물입니다.

16 식물 (나)는 선이 11일과 16일 사이에 오른쪽 아래로 내려가므로 조사하는 동안 시들기 시작한 식물입니다.

17 세로 눈금 한 칸은 2점을 나타냅니다.
기술 점수가 가장 높은 때는 점이 가장 높게 찍힌 때로 2016년이고 그때의 점수는 64점입니다.

18 전년과 비교하여 선이 오른쪽 아래로 가장 많이 내려간 때는 2019년입니다.

19 2017년 기술 점수: 60점
2017년 프로그램 구성 요소 점수: 68점
➡ $60 + 68 = 128$(점)

20 오전 6시 52분 → 오전 7시 → 오전 7시 8분 → 오전 7시 15분으로 점점 늦어지고 있습니다.

21 오후 5시 8분 → 오후 5시 4분 → 오후 5시 → 오후 4시 56분으로 점점 빨라지고 있습니다.

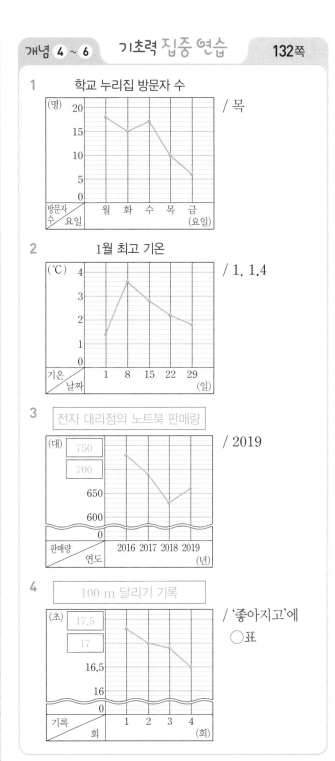

1 학교 누리집 방문자 수 / 목

2 1월 최고 기온 / 1, 1.4

3 전자 대리점의 노트북 판매량 / 2019

4 100 m 달리기 기록 / '좋아지고'에 ○표

1 11개

2

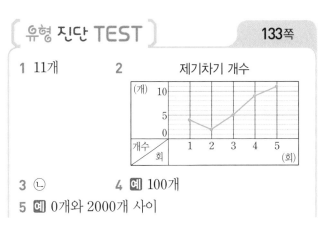

제기차기 개수

3 ㉡

4 예 100개

5 예 0개와 2000개 사이

6

문화 시설 수

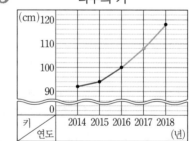

7 예 문화 시설 수가 매년 늘어나고 있습니다.

1 가장 많은 개수인 11개까지 나타낼 수 있어야 합니다.

3 ㉠ 9월은 8월보다 강수량이 늘었습니다.

4 시설 수가 100개 단위이므로 세로 눈금 한 칸은 100개를 나타내는 것이 좋습니다.

5 필요 없는 부분인 0개와 2000개 사이에 물결선을 넣는 것이 좋습니다.

7 평가 기준
그래프에 나타난 내용을 바르게 썼으면 정답입니다.

2 STEP 꼬리를 무는 유형 134~135쪽

1 3, 4, 8, 9, 7

2 동생의 몸무게

3 예 26 cm
4 예 12 L
5 목요일, 4개
6 9일, 12분
7 예 960
8 예 57

3 파의키

선으로 연결하여 7일과 13일에 파의 키의 중간인 26 cm로 예상할 수 있습니다.

4 선으로 연결하여 10분과 20분이 지났을 때 남은 물의 양의 중간인 12 L로 예상할 수 있습니다.

5 선이 오른쪽 아래로 가장 많이 내려간 때는 목요일이고, 수요일보다 52−48=4(개) 줄어들었습니다.

주의
선이 가장 많이 기울어진 때를 찾아 수요일이라고 답하지 않도록 합니다.

6 선이 오른쪽 아래로 가장 많이 내려간 때는 9일이고, 8일보다 24−12=12(분) 줄어들었습니다.

7 자동차 수출량이 계속 늘어나고 있으므로 비슷한 기울어진 정도로 수출량을 예상하면 8월에 자동차 수출량은 960대라고 예상할 수 있습니다.

8 음식물 쓰레기 양이 계속 줄어들고 있으므로 비슷한 기울어진 정도로 음식물 쓰레기 양을 예상하면 12월에 음식물 쓰레기 양은 57 kg이라고 예상할 수 있습니다.

3 STEP 수학 독해력 유형 136~137쪽

독해력 유형 1 ❶ 350명, 200명 ❷ 150명
쌍둥이 유형 1-1 9권 쌍둥이 유형 1-2 160상자
독해력 유형 2 ❶ 118 cm ❷ 108 cm

❸ 나무의 키

쌍둥이 유형 2-1 주민센터 방문자 수

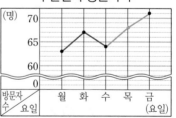

쌍둥이 유형 2-2 500 m 스피드 스케이팅 선수의 대회별 기록

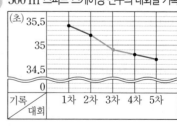

독해력 유형 1 ❶ 가장 많은 때: 점이 가장 높게 찍힌 때는 5월이고, 회원 수는 350명입니다.

가장 적은 때: 점이 가장 낮게 찍힌 때는 2월이고, 회원 수는 200명입니다.

❷ 350−200=150(명)

쌍둥이 유형 1-1 ❶ 읽은 책 수가 가장 많은 때는 6월이고, 13권입니다.

읽은 책 수가 가장 적은 때는 9월이고, 4권입니다.

❷ 읽은 책 수가 가장 많은 때는 가장 적은 때보다 13−4=9(권) 더 많습니다.

쌍둥이 유형 1-2 ❶ 사과 판매량이 가장 많은 때는 금요일이고, 240상자입니다. 사과 판매량이 가장 적은 때는 화요일이고, 80상자입니다.

❷ 사과 판매량이 가장 많은 때는 가장 적은 때보다 240−80=160(상자) 더 많습니다.

독해력 유형 2 ❶ 세로 눈금 한 칸은 2 cm를 나타내므로 2018년에 나무의 키는 118 cm입니다.

❷ 118−10=108 (cm)

쌍둥이 유형 2-1 ❶ 세로 눈금 한 칸은 1명을 나타내므로 금요일의 방문자 수는 71명입니다.

❷ (목요일의 방문자 수)=71−3=68(명)

쌍둥이 유형 2-2 ❶ 세로 눈금 한 칸은 0.1초를 나타내므로 2차 대회의 기록은 35.2초입니다.

❷ (3차 대회의 기록)=35.2−0.3=34.9(초)

4 STEP 사고력 플러스 유형 138~141쪽

1-1 강낭콩의 키

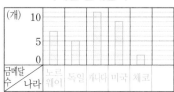

1-2 나라별 금메달 수

2-1 54, 52, 42 / 운동한 시간

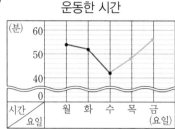

2-2 입학생 수

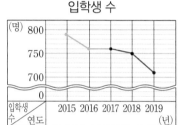

/ 760, 750, 710

3-1 예 전년과 비교하여 산불 발생 건수가 가장 많이 늘어난 때는 2017년입니다.

3-2 ① 예 6월 이후부터 승객 수가 늘어나고 있습니다.

② 예 전달과 비교하여 승객 수가 변화가 없는 때는 5월입니다.

4-1 100명

4-2 예 오전 9시의 기온: 21 ℃, 오후 1시의 기온: 34 ℃ 따라서 조사하는 동안 기온은 34−21=13 (℃) 올랐습니다. 답 13 ℃

5-1 예 7 kg 5-2 예 37.4 ℃

6-1 3점

6-2 예 11월에 국어 점수는 84점이고 영어 점수는 88점입니다.

따라서 두 점수의 차는 88−84=4(점)입니다. 답 4점

7-1 단계1 80, 40, 60, 120, 400

단계2 1200000원

7-2 240000원

8-1 단계1 12일

단계2 700개

8-2 4점

1-1 자료의 변화하는 정도를 알아보기에는 꺾은선그래프가 알맞습니다.

1-2 자료의 크기를 한눈에 쉽게 비교하기에는 막대그래프가 알맞습니다.

3-1 평가 기준

꺾은선그래프에 나타난 내용을 바르게 썼으면 정답입니다.

3-2 평가 기준

꺾은선그래프에 나타난 서로 다른 내용 2가지를 바르게 썼으면 정답입니다.

4-1 2월 인구: 1320명, 6월 인구: 1220명
따라서 조사하는 동안 인구는
1320−1220=100(명) 줄어들었습니다.

참고

계속해서 인구가 줄어들고 있으므로 조사를 시작한 달인 2월의 인구와 마지막 달인 6월의 인구 차를 구합니다.

4-2 평가 기준

오전 9시와 오후 1시의 기온을 구하여 답을 구했으면 정답입니다.

5-1 6월 1일의 몸무게는 5월 1일 몸무게인 6 kg과 7월 1일 몸무게인 8 kg의 중간인 7 kg이라고 할 수 있습니다.

5-2 수요일 오전 9시의 체온은 37.8 ℃이고 목요일 오전 9시의 체온은 37 ℃입니다.
따라서 수요일 오후 9시의 체온은 37.8 ℃와 37 ℃의 중간인 37.4 ℃라고 할 수 있습니다.

6-1 2회에 지애가 얻은 점수: 8점,
2회에 준호가 얻은 점수: 5점 ➡ 8−5=3(점)

6-2 평가 기준

11월에 국어 점수와 영어 점수를 각각 구하여 두 점수의 차를 구했으면 정답입니다.

7-1 단계 **1** (합계)=100+80+40+60+120=400(명)
단계 **2** 3000×400=1200000(원)

7-2 (5일 동안 판매한 김밥 수)
=21+24+27+23+25=120(줄)
(5일 동안 판매한 김밥의 값)
=2000×120=240000(원)

8-1 단계 **1** 사탕과 초콜릿의 판매량의 차가 가장 큰 때는 두 점 사이의 간격이 가장 넓은 때인 12일입니다.
단계 **2** 12일에 사탕의 판매량: 1100개,
12일에 초콜릿의 판매량: 1800개
➡ (판매량의 차)=1800−1100=700(개)

8-2 두 사람의 점수의 차가 가장 작은 때는 두 점 사이의 간격이 가장 좁은 때인 5월입니다.
5월에 준혁이의 점수: 88점, 5월에 상미의 점수: 84점
➡ (점수의 차)=88−84=4(점)

유형 TEST
142~144쪽

1 꺾은선그래프 **2** 시각, 온도

3 1 ℃ **4** 거실의 온도의 변화

5 오후 2시 **6** 오전 11, 낮 12

7 1 cm, 0.1 cm

8 예 필요 없는 부분을 줄여서 세로 눈금 한 칸의 크기를 작게 하여 나타내기 때문에 변화하는 모습이 (가) 그래프보다 잘 나타납니다.

9 (가) 지역 **10** 타수 **11** 320타

12
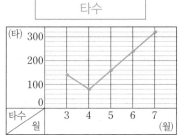

13 예 400타 **14** 예 0.1 cm

15 예
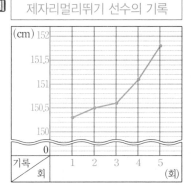

16
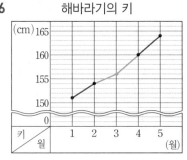

해바라기의 키

17 예 **1** 월요일의 콩나물 키: 26 cm,
2 금요일의 콩나물 키: 37 cm
3 조사하는 동안 콩나물의 키는
37−26=11 (cm) 자랐습니다. 답 11 cm

18 예 **1** 오전 11시에 그림자 길이는 7 cm이고, 낮 12시에 그림자 길이는 5 cm입니다.
2 오전 11시 30분에 그림자 길이는 7 cm와 5 cm의 중간인 6 cm라고 할 수 있습니다.
답 예 6 cm

19 📝 ❶ 10일에 일본행 승객은 1800명이고 대만행 승객은 2100명입니다.

❷ 두 승객 수의 차는 2100−1800=300(명)입니다. **답** 300명

20 📝 ❶ (5일 동안의 입장객 수)
=60+70+100+140+80=450(명)

❷ (5일 동안 받은 입장료)
=1000×450=450000(원) **답** 450000원

3 세로 눈금 5칸이 5 ℃를 나타내므로 세로 눈금 한 칸은 5÷5=1 (℃)를 나타냅니다.

5 선이 기울어지지 않은 때는 오후 2시입니다.

6 선이 가장 많이 기울어진 때는 오전 11시와 낮 12시 사이입니다.

8 평가 기준

(가) 그래프와 비교하여 물결선을 사용했을 때 변화하는 모습이 잘 나타난다는 설명을 바르게 했으면 정답입니다.

9 (가) 지역은 기온의 변화 정도가 크다가 작아지므로 기온이 빠르게 오르다가 시간이 지나면서 천천히 오르는 지역입니다.

11 가장 많은 타수인 320타까지 나타낼 수 있어야 합니다.

13 타수가 4월 이후부터 계속 늘어나고 있으므로 비슷한 기울어진 정도로 타수를 예상하면 8월의 타수는 400타라고 예상할 수 있습니다.

14 기록을 0.1 cm 단위로 나타내어야 하므로 세로 눈금 한 칸은 0.1 cm를 나타내는 것이 좋습니다.

16 세로 눈금 한 칸은 1 cm를 나타내므로 2월의 키는 154 cm입니다. ➡ (3월의 키)=154+2=156 (cm)

17 채점 기준

❶ 월요일의 콩나물 키를 구함.	2점	
❷ 금요일의 콩나물 키를 구함.	2점	5점
❸ 조사하는 동안 자란 콩나물의 키를 구함.	1점	

18 채점 기준

❶ 오전 11시와 낮 12시에 그림자 길이를 각각 구함.	3점	
❷ 7 cm와 5 cm 사이로 오전 11시 30분에 그림자 길이를 구함.	2점	5점

19 채점 기준

❶ 10일에 일본행 승객과 대만행 승객 수를 각각 구함.	3점	
❷ 두 승객 수의 차를 구함.	2점	5점

20 채점 기준

❶ 5일 동안의 입장객 수를 구함.	2점	
❷ 5일 동안 받은 입장료를 구함.	3점	5점

앞단원 유형 **다시 보기** 145쪽

① 나, 라 ② 6 cm
③ 6개, 3개 ④ 12 cm

① 서로 수직인 변이 있는 도형은 나, 라입니다.

② 평행선 사이에 그은 수선의 길이는 6 cm입니다.

③ 사다리꼴: 가, 나, 다, 라, 마, 바 ➡ 6개
평행사변형: 가, 다, 마 ➡ 3개

④ 마름모는 네 변의 길이가 모두 같으므로
(선분 ㄴㄷ)=(선분 ㄱㄴ)=15 cm입니다.
➡ (선분 ㄷㅁ)=27−15=12 (cm)

재미있는 창의·융합·코딩 146~147쪽

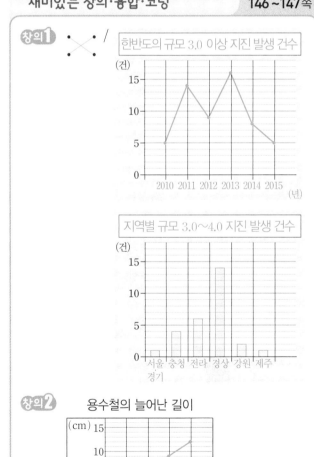

창의1 ╳ /

한반도의 규모 3.0 이상 지진 발생 건수

지역별 규모 3.0~4.0 지진 발생 건수

창의2 용수철의 늘어난 길이

6. 다각형

1 선분에 ◯표

2 (◯) (×)
　(×) (◯)

3 민서

4

5 (1) ㉢ (2) ㉠

6 예

7 오각형

8 구각형

9 2

10 변, 각

11 ㉡, ㉣

12 8, 정팔각형

13 108

14 예

15 100 cm

16 ㉡

17

18 나, 마

19 나, 다, 라, 마

20 나, 라

21 7, 5

22 90

23 서아

24
　1 개　　2 개　　3 개

25 삼각형, 사각형에 ◯표

26 2

27 5, 2, 1

28 예

29 예 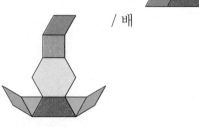 / 배

30 사각형에 ◯표 / 삼각형에 ◯표

31

32 예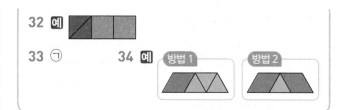

33 ㉠

34 예 | 방법 1 | 방법 2 |

---

2 다각형은 선분으로만 둘러싸인 도형입니다.

3 변이 7개인 다각형을 그린 사람은 민서입니다.

4 변이 5개인 다각형은 오각형, 변이 8개인 다각형은 팔각형입니다.

6 변이 7개가 되도록 변 4개를 더 그립니다.

7 변이 5개인 다각형이므로 오각형입니다.

8 선분으로만 둘러싸인 도형은 다각형이고, 선분이 9개이므로 구각형입니다.

9 십각형의 변의 수: 10개 → ㉠=10
　팔각형의 변의 수: 8개 → ㉡=8
　➡ ㉠-㉡=10-8=2

11 ㉠ 변의 길이와 각의 크기가 모두 같지 않습니다.
　㉢ 각의 크기가 모두 같지 않습니다.

> **주의**
> 정다각형은 변의 길이와 각의 크기가 각각 모두 같아야 합니다.

12 변이 8개인 정다각형이므로 정팔각형입니다.

13 정다각형은 각의 크기가 모두 같습니다.

14 여섯 변의 길이가 모두 같고, 여섯 각의 크기가 모두 같은 다각형을 그립니다.

15 정오각형이므로 모든 변의 길이가 같습니다.
　(5개의 변의 길이의 합)
　=(한 변의 길이)×(변의 수)
　=20×5=100 (cm)

16 대각선은 서로 이웃하지 않는 두 꼭짓점을 이은 선분입니다.

17 서로 이웃하지 않는 두 꼭짓점을 잇는 선분을 모두 긋습니다.

18 두 대각선의 길이가 같은 사각형
　➡ 직사각형(마), 정사각형(나)

19 한 대각선이 다른 대각선을 똑같이 둘로 나누는 사각형
　➡ 평행사변형(다), 마름모(라), 직사각형(마), 정사
　각형(나)

20 두 대각선이 서로 수직으로 만나는 사각형
　➡ 마름모(라), 정사각형(나)

21 평행사변형은 한 대각선이 다른 대각선을 똑같이 둘
　로 나눕니다.

22 마름모는 두 대각선이 서로 수직으로 만납니다.

23 대각선은 서로 이웃하지 않는 두 꼭짓점을 이어야 하
　므로 모든 꼭짓점이 이웃한 삼각형에는 대각선을 그
　을 수 없습니다.

24 표시된 꼭짓점과 이웃하지 않는 꼭짓점을 잇는 선분
　을 모두 긋습니다.

> **참고**
> 꼭짓점의 수가 많은 다각형일수록 더 많은 대각선을 그을
> 수 있습니다.

26 ➡ 2개

28 주어진 사다리꼴을 만들려면 모양
　조각을 사용해야 합니다.

31 ◢ 모양 조각 6개를 사용하여 평행사변형을 채울
　수 있습니다.

33

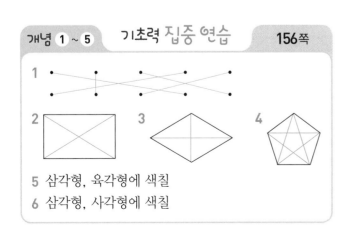

➡ 사용할 수 있는 모양 조각은 ㉠입니다.

기초력 집중 연습　개념 ①~⑤　156쪽

1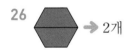

2 □(대각선 그은 직사각형)　3 ◇(대각선 그은 마름모)　4 ⬠(대각선 그은 오각형)

5 삼각형, 육각형에 색칠
6 삼각형, 사각형에 색칠

[유형 **진단** TEST]　157쪽

1 가, 다, 라

2 예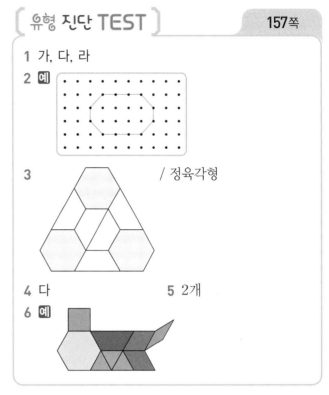

3 / 정육각형

4 다　　　　　**5** 2개

6 예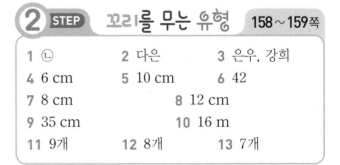

1 다각형은 선분으로만 둘러싸인 도형이므로 가, 다,
　라입니다.

2 변이 8개인 다각형을 그립니다.

3 변이 6개인 정다각형이므로 정육각형입니다.

4 다: 한 대각선이 다른 대각선을 똑같이 둘로 나누지
　않습니다.

5 그을 수 있는 대각선의 수가 사각형은 2개, 삼각형은
　0개입니다. ➡ 2+0=2(개)

---

② STEP 꼬리를 무는 유형　158~159쪽

1 ㉡	2 다은	3 은우, 강희
4 6 cm	5 10 cm	6 42
7 8 cm		8 12 cm
9 35 cm		10 16 m
11 9개	12 8개	13 7개

1 ㉡ 다각형은 변의 수와 꼭짓점의 수가 같습니다.

2 다은: 마름모는 각의 크기가 항상 모두 같은 것은 아
　니므로 정다각형이 아닙니다.

3 상민: 변의 길이가 모두 같습니다.

4 직사각형은 두 대각선의 길이가 같으므로 선분 ㄱㄷ
　의 길이는 6 cm입니다.

5 직사각형은 한 대각선이 다른 대각선을 똑같이 둘로 나누므로 선분 ㄴㄹ의 길이는 $5 \times 2 = 10$ (cm)입니다.

6 직사각형은 두 대각선의 길이가 같으므로 선분 ㄴㄹ의 길이는 42인치입니다.

7 (정육각형의 한 변의 길이)
  =(모든 변의 길이의 합)÷(변의 수)
  $= 48 \div 6 = 8$ (cm)

8 변이 8개인 정다각형이므로 정팔각형입니다.
  (정팔각형의 한 변의 길이)
  =(모든 변의 길이의 합)÷(변의 수)
  $= 96 \div 8 = 12$ (cm)

9 (정오각형의 모든 변의 길이의 합)
  =(한 변의 길이)×(변의 수)
  $= 7 \times 5 = 35$ (cm)

10 (울타리의 한 변의 길이)
  =(모든 변의 길이의 합)÷(변의 수)
  $= 80 \div 5 = 16$ (m)

11
→9개

> **주의**
> 모양 조각이 서로 겹치거나 빈틈이 생기지 않게 채워야 합니다.

12
→8개

13
→7개

---

3 STEP 수학 독해력 유형 160~161쪽

독해력 유형 ❶	❶ 8 cm ❷ 같습니다. ❸ 16 cm
쌍둥이 유형 ❶-❶	24 cm
쌍둥이 유형 ❶-❷	36 cm
독해력 유형 ❷	❶ 12개 ❷ 6개 ❸ 6개
쌍둥이 유형 ❷-❶	3개

독해력 유형 ❶ ❶ 정사각형은 한 대각선이 다른 대각선을 똑같이 둘로 나누므로 한 대각선의 길이는 $4 \times 2 = 8$ (cm)입니다.

❷ 정사각형에서 두 대각선의 길이는 같습니다.

❸ (두 대각선의 길이의 합)$= 8 + 8 = 16$ (cm)

쌍둥이 유형 ❶-❶ ❶ 정사각형은 한 대각선이 다른 대각선을 똑같이 둘로 나누므로 한 대각선의 길이는 $6 \times 2 = 12$ (cm)입니다.

❷ 정사각형에서 두 대각선의 길이는 같습니다.

❸ (두 대각선의 길이의 합)$= 12 + 12 = 24$ (cm)

쌍둥이 유형 ❶-❷ ❶ 직사각형은 한 대각선이 다른 대각선을 똑같이 둘로 나누므로 한 대각선의 길이는 $9 \times 2 = 18$ (cm)입니다.

❷ 직사각형에서 두 대각선의 길이는 같습니다.

❸ (두 대각선의 길이의 합)$= 18 + 18 = 36$ (cm)

독해력 유형 ❷ ❶
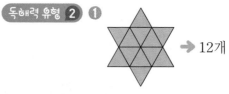
→12개

❷

→6개

❸ ❶과 ❷에서 필요한 모양 조각 수의 차는 $12 - 6 = 6$(개)입니다.

쌍둥이 유형 ❷-❶ ❶ ▱ 모양 조각만으로 채우는 경우:
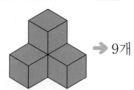
→9개

❷ ⬡ 모양 조각만으로 채우는 경우:
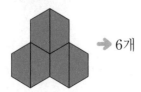
→6개

❸ ❶과 ❷에서 필요한 모양 조각 수의 차는 $9 - 6 = 3$(개)입니다.

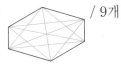

4 STEP 사고력 플러스 유형 162~165쪽

1-1 십각형   1-2 십이각형   1-3 정팔각형

2-1 / 5개   2-2  / 9개

2-3 나, 가, 다

3-1 다 /
🖾 다각형은 선분으로만 둘러싸인 도형인데 다는 둘러싸이지 않았기 때문에 다각형이 아닙니다.

3-2 나 /
🖾 정다각형은 변의 길이가 모두 같고, 각의 크기가 모두 같은 다각형인데 나는 변의 길이가 모두 같지 않고, 각의 크기가 모두 같지 않기 때문에 정다각형이 아닙니다.

4-1 🖾

4-2 🖾

4-3 🖾

5-1 6 cm

5-2 🖾 평행사변형은 한 대각선이 다른 대각선을 똑같이 둘로 나누므로 두 대각선의 길이는 각각 10 cm, $6 \times 2 = 12$ (cm)입니다.
→ $12 - 10 = 2$ (cm)   답 2 cm

6-1 8 cm

6-2 🖾 정오각형은 5개의 변의 길이가 모두 같습니다.
(정오각형의 모든 변의 길이의 합)
$= 16 \times 5 = 80$ (cm)
정팔각형은 8개의 변의 길이가 모두 같습니다.
(정팔각형의 한 변의 길이) $= 80 \div 8 = 10$ (cm)
답 10 cm

7-1 단계1 4개 단계2 4, 720 단계3 120°

7-2 108°

8-1 단계1 40° 단계2 ㅁ ㄷ, 이등변삼각형에 ○표
단계3 70°

8-2 60°

1-1 선분으로만 둘러싸인 도형은 다각형입니다.
변이 10개인 다각형은 십각형입니다.

1-2 선분으로만 둘러싸인 도형은 다각형입니다.
변이 12개인 다각형은 십이각형입니다.

1-3 선분으로만 둘러싸인 도형은 다각형입니다.
변의 길이가 모두 같고, 각의 크기가 모두 같은 다각형은 정다각형입니다.
변이 8개인 정다각형은 정팔각형입니다.

2-3 가   나   다
　2개　　　14개　　　0개
14>2>0이므로 나, 가, 다의 순서로 그을 수 있는 대각선의 수가 많습니다.

참고
꼭짓점의 수가 많은 다각형일수록 더 많은 대각선을 그을 수 있습니다.

3-1 평가 기준
선분으로 둘러싸이지 않은 도형을 찾고 다각형이 아닌 이유를 바르게 설명했으면 정답입니다.

3-2 평가 기준
변의 길이와 각의 크기가 각각 모두 같지 않은 도형을 찾고 정다각형이 아닌 이유를 바르게 설명했으면 정답입니다.

4-1 여러 가지 방법으로 정사각형을 채울 수 있습니다.
주의
두 가지 모양 조각을 모두 사용해야 합니다.
한 가지 모양 조각만 사용하지 않도록 주의합니다.

4-3 주의
4가지 모양 조각을 모두 한 번씩만 사용해야 합니다.

5-1 마름모는 한 대각선이 다른 대각선을 똑같이 둘로 나누므로 두 대각선의 길이는 각각 22 cm, $8 \times 2 = 16$ (cm)입니다.
→ $22 - 16 = 6$ (cm)

5-2 평가 기준
두 대각선의 길이를 각각 구하고 차를 구했으면 정답입니다.

6-1 (정사각형의 모든 변의 길이의 합)
$= 10 \times 4 = 40$ (cm)
(정오각형의 한 변의 길이)
$= 40 \div 5 = 8$ (cm)

6-2 [평가 기준]
정오각형의 모든 변의 길이의 합을 구하고 정팔각형의 한 변의 길이를 구했으면 정답입니다.

7-1 [단계 1]

표시된 꼭짓점에서 그을 수 있는 대각선을 모두 그으면 정육각형은 삼각형 4개로 나누어집니다.
[단계 2] 정육각형은 삼각형 4개로 나누어지므로 정육각형의 모든 각의 크기의 합은 $180° \times 4 = 720°$입니다.
[단계 3] (정육각형의 한 각의 크기)$= 720° \div 6 = 120°$

7-2

정오각형은 삼각형 3개로 나누어지므로 정오각형의 모든 각의 크기의 합은 $180° \times 3 = 540°$입니다.
➡ (정오각형의 한 각의 크기)$= 540° \div 5 = 108°$

8-1 [단계 1] (각 ㄹㅁㄷ)$= 180° -$ (각 ㄱㅁㄹ)
$= 180° - 140° = 40°$
[단계 3] (각 ㅁㄹㄷ)$+$(각 ㅁㄷㄹ)$= 180° - 40° = 140°$
이등변삼각형은 길이가 같은 두 변에 있는 두 각의 크기가 같으므로 (각 ㅁㄹㄷ)$=$(각 ㅁㄷㄹ)입니다.
➡ (각 ㅁㄹㄷ)$= 140° \div 2 = 70°$

[참고]
• 직사각형에서 대각선의 성질
① 한 대각선이 다른 대각선을 똑같이 둘로 나눕니다.
② 두 대각선의 길이가 같습니다.

8-2 (각 ㄹㅁㄷ)$= 180° -$ (각 ㄱㅁㄹ)
$= 180° - 120° = 60°$
(각 ㅁㄹㄷ)$+$(각 ㅁㄷㄹ)$= 180° - 60° = 120°$
삼각형 ㄹㅁㄷ은 변 ㅁㄹ과 변 ㅁㄷ의 길이가 같으므로 이등변삼각형입니다.
➡ (각 ㅁㄹㄷ)$=$(각 ㅁㄷㄹ)$= 120° \div 2 = 60°$

[유형 TEST] 166~168쪽

1 (×) (○) (×) **2** 정다각형

3
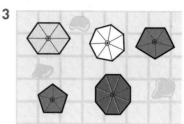

4 칠각형

5

6 정팔각형

7
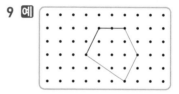
8 ㄷ

9 예

10 삼각형, 사각형, 육각형 (또는 정삼각형, 사다리꼴, 정육각형)

11 가, 라 **12** 나, 라
13 4, 4 **14** 13 cm
15 예 **16** 가
17 8, 4

18 ❶ 나 / ❷ 예 다각형은 선분으로만 둘러싸인 도형인데 나는 곡선으로만 둘러싸인 도형이기 때문에 다각형이 아닙니다.

19 예 ❶ 평행사변형은 한 대각선이 다른 대각선을 똑같이 둘로 나눕니다.
❷ 두 대각선의 길이는 각각 24 cm, $9 \times 2 = 18$ (cm)입니다.
❸ (두 대각선의 길이의 차)$= 24 - 18 = 6$ (cm)
답 6 cm

20 예 ❶ 정팔각형은 8개의 변의 길이가 모두 같습니다.
(정팔각형의 모든 변의 길이의 합)
$= 6 \times 8 = 48$ (cm)
❷ 정사각형은 4개의 변의 길이가 모두 같습니다.
(정사각형의 한 변의 길이)$= 48 \div 4 = 12$ (cm)
답 12 cm

3 변이 5개인 다각형에는 파란색, 변이 6개인 다각형에는 노란색, 변이 8개인 다각형에는 빨간색으로 색칠합니다.

> **참고**
> 다각형의 변이 ■개이면 ■각형입니다.

4 변이 7개인 다각형이므로 칠각형입니다.

5 서로 이웃하지 않는 두 꼭짓점을 잇는 선분을 모두 긋습니다.

6 변이 8개인 정다각형이므로 정팔각형입니다.

8 ㉢ 길이가 서로 같은 변끼리 이어 붙였습니다.

9 변이 5개가 되도록 변 3개를 더 그립니다.

11 두 대각선이 서로 수직으로 만나는 사각형
➡ 마름모(가), 정사각형(라)

12 두 대각선의 길이가 같은 사각형
➡ 직사각형(나), 정사각형(라)

14 변이 6개인 정다각형이므로 정육각형입니다.
(정육각형의 한 변의 길이)=78÷6=13 (cm)

> **참고**
> (정다각형의 한 변의 길이)
> =(모든 변의 길이의 합)÷(변의 수)

16 가: 9개, 나: 2개, 다: 5개
➡ 대각선의 수가 가장 많은 도형은 가입니다.

17 ➡ 8개   ➡ 4개

18 **채점 기준**

❶ 다각형이 아닌 것을 찾아 기호를 씀.	2점	5점
❷ 이유를 설명함.	3점	

19 **채점 기준**

❶ 평행사변형은 한 대각선이 다른 대각선을 똑같이 둘로 나눈다는 것을 앎.	1점	5점
❷ 두 대각선의 길이를 각각 구함.	3점	
❸ 두 대각선의 길이의 차를 구함.	1점	

20 **채점 기준**

❶ 정팔각형의 모든 변의 길이의 합을 구함.	2점	5점
❷ 정사각형의 한 변의 길이를 구함.	3점	

① 1 ℃　　② 오전 11, 낮 12

③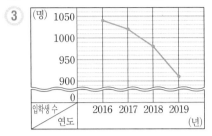

① 세로 눈금 5칸이 5 ℃를 나타내므로 세로 눈금 한 칸은 5÷5=1 (℃)를 나타냅니다.

② 선이 가장 많이 기울어진 때는 오전 11시와 낮 12시 사이입니다.

③ 가로 눈금과 세로 눈금이 만나는 자리에 점을 찍고 점들을 선분으로 이어 꺾은선그래프로 나타냅니다.

재미있는 창의·융합·코딩　170~171쪽

코딩1 (위에서부터) ㄴ, ㄷ, ㅁ, ㅂ, ㅅ, ㅇ /
ㄷ, ㅁ, ㅂ, ㅇ / ㄷ, ㅇ / ㅇ

창의2

		④대		
❶육	각	형		⑤다
	선			각
		❷정	⑥오	각	형
			징	
❸청	출	어	람	

코딩1

관문 1: 선분으로만 둘러싸인 도형은 다각형입니다.
　　　㉠ 곡선인 부분이 있으므로 다각형이 아닙니다.
　　　㉣ 둘러싸이지 않았기 때문에 다각형이 아닙니다.

관문 2: 변이 4개인 도형은 사각형입니다.
　　　ㄴ 오각형　ㅅ 육각형

관문 3: 두 대각선의 길이가 같은 도형은 직사각형과 정사각형입니다.

관문 4: 두 대각선이 서로 수직으로 만나는 도형은 정사각형입니다.

1~2쪽 1. 분수의 덧셈과 뺄셈

1 3, 1 / 3, 1, 2 **2** $1\dfrac{1}{9}\left(=\dfrac{10}{9}\right)$ **3** $1\dfrac{2}{7}$

4 $3\dfrac{2}{8}-1\dfrac{3}{8}=\dfrac{26}{8}-\dfrac{11}{8}=\dfrac{15}{8}=1\dfrac{7}{8}$

5 $\dfrac{8}{11}$ **6** $3\dfrac{4}{5}$ **7** $\dfrac{6}{7}$

8 ( )(○)( )

9 •   • **10** =

11 $2-\dfrac{3}{5}=1\dfrac{2}{5}$, $1\dfrac{2}{5}$ L

12 $3\dfrac{2}{5}-1\dfrac{4}{5}=2\dfrac{7}{5}-1\dfrac{4}{5}=(2-1)+\left(\dfrac{7}{5}-\dfrac{4}{5}\right)$

$=1+\dfrac{3}{5}=1\dfrac{3}{5}$

13 $1\dfrac{4}{9}$ m $\left(=\dfrac{13}{9}$ m$\right)$ **14** $2\dfrac{2}{10}$ L

15 $4\dfrac{3}{5}$ **16** 3, 4 / $3\dfrac{7}{11}$ **17** 1, 2, 3

18 $\dfrac{6}{8}$ km **19** $18\dfrac{5}{7}$ kg **20** $\dfrac{2}{8}$, $\dfrac{5}{8}$

---

8 $\dfrac{9}{10}-\dfrac{5}{10}=\dfrac{4}{10}$, $1-\dfrac{7}{10}=\dfrac{3}{10}$, $\dfrac{7}{10}-\dfrac{2}{10}=\dfrac{5}{10}$

10 $\dfrac{3}{11}+\dfrac{5}{11}=\dfrac{8}{11}$, $\dfrac{10}{11}-\dfrac{2}{11}=\dfrac{8}{11}$

11 $2-\dfrac{3}{5}=1\dfrac{5}{5}-\dfrac{3}{5}=1\dfrac{2}{5}$ (L)

12 분수 부분끼리 뺄 수 없으므로 자연수 부분에서 1만큼을 분수로 바꾸어 계산해야 합니다.

13 $\dfrac{5}{9}+\dfrac{8}{9}=\dfrac{13}{9}=1\dfrac{4}{9}$ (m)

14 $1\dfrac{5}{10}+\dfrac{7}{10}=1+\left(\dfrac{5}{10}+\dfrac{7}{10}\right)=1+\dfrac{12}{10}$

$=1+1\dfrac{2}{10}=2\dfrac{2}{10}$ (L)

15 $\square=7\dfrac{4}{5}-3\dfrac{1}{5}=4\dfrac{3}{5}$

16 빼는 수가 작을수록 계산 결과가 커지므로 자연수 부분에 가장 작은 수를, 분자 부분에 두 번째로 작은 수를 써넣습니다.

➡ $7-3\dfrac{4}{11}=6\dfrac{11}{11}-3\dfrac{4}{11}=3\dfrac{7}{11}$

---

17 $1\dfrac{1}{7}=\dfrac{8}{7}$이므로 $4+\square$는 8보다 작아야 합니다.

➡ $\square$ 안에 들어갈 수 있는 자연수는 1, 2, 3입니다.

18 $\dfrac{29}{8}=3\dfrac{5}{8}$이고 $3\dfrac{5}{8}>3>2\dfrac{7}{8}$이므로 집에서 가장 먼 곳은 병원, 가장 가까운 곳은 도서관입니다.

➡ $\dfrac{29}{8}-2\dfrac{7}{8}=3\dfrac{5}{8}-2\dfrac{7}{8}=2\dfrac{13}{8}-2\dfrac{7}{8}=\dfrac{6}{8}$ (km)

19 (감 상자의 무게)$=10\dfrac{4}{7}-2\dfrac{3}{7}=8\dfrac{1}{7}$ (kg)

(사과 상자의 무게)+(감 상자의 무게)

$=10\dfrac{4}{7}+8\dfrac{1}{7}=18\dfrac{5}{7}$ (kg)

20 분모가 8인 진분수의 분자가 될 수 있는 수: 1, 2, 3, 4, 5, 6, 7

이 중 합이 7인 두 수는 1과 6, 2와 5, 3과 4입니다.

이 중에서 차가 3인 두 수는 2와 5입니다. ➡ $\dfrac{2}{8}$, $\dfrac{5}{8}$

3~4쪽 2. 삼각형

1 ( )(○)( ) **2** 5

3 둔 **4** 예 **5** 변, 각

6 15 cm **7** 7 **8** 가, 아

9 3개, 3개 **10** 나 **11** 유빈

12 (위에서부터) 10, 70

13 (위에서부터) 가, 바 / 다, 마

14 ①, ②, ③ **15** 9 cm

16 예

17 이등변삼각형, 둔각삼각형

18 8 cm **19** 145° **20** 5개

---

10 이등변삼각형 ➡ 가, 나, 다, 둔각삼각형 ➡ 나, 라

이등변삼각형이면서 둔각삼각형인 도형 ➡ 나

11 승재: 이등변삼각형은 두 변의 길이가 같고 나머지 한 변의 길이는 다를 수 있으므로 정삼각형이라고 할 수 없습니다.

민영: 둔각삼각형은 한 각이 둔각인 삼각형입니다.

12 $\square°=180°-70°-40°=70°$
두 각의 크기가 같으므로 이등변삼각형입니다.
이등변삼각형은 두 변의 길이가 같으므로 $\square=10$입니다.

14 왼쪽 삼각형은 세 변의 길이가 같은 정삼각형입니다.
정삼각형은 이등변삼각형이라고 할 수 있고, 세 각의
크기가 모두 60°로 예각이므로 예각삼각형입니다.

15 정삼각형은 세 변의 길이가 같으므로 한 변의 길이는
$27÷3=9$ (cm)입니다.

16 두 변의 길이가 같고, 세 각이 모두 예각인 삼각형을
그립니다.

17 세 각 중 나머지 한 각의 크기는
$180°-35°-110°=35°$입니다.
두 각의 크기가 같으므로 이등변삼각형이고, 한 각이
둔각이므로 둔각삼각형입니다.

18 이등변삼각형은 두 변의 길이가 같으므로
(변 ㄱㄴ)=12 cm입니다.
(변 ㄴㄷ)=32-12-12=8 (cm)

19 $180°-110°=70°$ ➡ (각 ㄱㄷㄴ)=$70°÷2=35°$
따라서 ㉠=$180°-35°=145°$입니다.

20

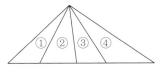

삼각형 1개짜리: ② ➡ 1개
삼각형 2개짜리: ①+②, ②+③ ➡ 2개
삼각형 3개짜리: ①+②+③, ②+③+④ ➡ 2개
➡ 1+2+2=5(개)

5~6쪽	3. 소수의 덧셈과 뺄셈

1 0.07 **2** 0.034, 영 점 영삼사
3 셋째, 0.004 **4** 1.2 **5** >
6 (위에서부터) 0.005, 5, 50 / 0.64
7 3.82 **8** 2.31 **9** 48.5 g
10 ② **11** 0.4, 0.359에 ◯표
12 10, 100 **13** 0.5+0.4=0.9, 0.9 m
14 0.56 **15** 2.25 kg **16** 6.1
17 1000배 **18** 1.44 L **19** 7.41, 1.47
20 2.9

---

7 1이 3개이면 3, 0.1이 8개이면 0.8, 0.01이 2개이면
0.02를 나타냅니다. ➡ 3.82

8 $1.94+0.37=2.31$입니다.

9 485 g의 $\frac{1}{10}$은 48.5 g입니다.

10 3이 나타내는 수를 각각 알아봅니다.
① 0.<u>3</u> ➡ 0.3   ② 1.7<u>3</u> ➡ 0.03   ③ <u>3</u>.27 ➡ 3
④ 0.15<u>3</u> ➡ 0.003   ⑤ 8.<u>3</u>61 ➡ 0.3

11 $0.337<0.348<\underline{0.35}<0.359<0.4$
➡ 0.35보다 큰 수는 0.359, 0.4입니다.

12 ・1.2는 0.12의 10배입니다. ➡ $\square=10$
・70은 0.7의 100배입니다. ➡ $\square=100$

13 (두 달 전에 잰 강낭콩의 길이)+0.4
=0.5+0.4=0.9 (m)

14 가장 큰 수: 5.92, 가장 작은 수: 5.36
➡ $5.92-5.36=0.56$

15 (달걀이 들어 있는 바구니의 무게)-(빈 바구니의 무게)
=2.4-0.15=2.25 (kg)

16 $2.4+3.8=6.2$이므로 $6.2>\square$에서 $\square$ 안에 들어갈
수 있는 가장 큰 소수 한 자리 수는 6.1입니다.

17 ㉠이 나타내는 수: 4
㉡이 나타내는 수: 0.004
➡ 4는 0.004에서 소수점을 기준으로 수가 왼쪽으
로 세 자리 이동한 것이므로 0.004의 1000배입니다.

18 800 mL=0.8 L
➡ (희은이가 마신 물의 양)+(지섭이가 마신 물의 양)
=0.64+0.8=1.44 (L)

19 자연수 부분부터 큰 숫자를 놓아 만든 가장 큰 수는
7.41이고, 자연수 부분부터 작은 숫자를 놓아 만든
가장 작은 수는 1.47입니다.

20 어떤 수를 $\square$라 하면 $\square+6.5=15.9$이므로
$\square=15.9-6.5=9.4$입니다.
➡ 어떤 수가 9.4이므로 바르게 계산하면
$9.4-6.5=2.9$입니다.

7~8쪽   4. 사각형

1 직선 나, 직선 라   **2** 직선 나, 직선 라

3 ③   **4** 3개   **5** 나, 다

6 변 ㄴㄷ, 변 ㅁㄹ

7 (위에서부터) 55, 10, 16

8 평행사변형, 마름모에 ○표   **9** 6개

10 다, 마, 아 / 마, 아 / 마   **11** 2 cm

12 ㉢

13 사다리꼴입니다. / 예 평행한 변이 한 쌍 있는 사각형이기 때문입니다.

14 나, 라   **15** 정사각형   **16** 18 cm

17 90°, 45°   **18** 6 cm   **19** 60

20 사다리꼴, 평행사변형, 직사각형

4 평행한 변이 한 쌍이라도 있는 사각형은 가, 나, 다로 모두 3개입니다.

7 평행사변형은 마주 보는 두 변의 길이와 마주 보는 두 각의 크기가 같습니다.

8 마주 보는 두 쌍의 변이 서로 평행하므로 평행사변형, 네 변의 길이가 모두 같으므로 마름모가 될 수 있습니다.

9 사다리꼴은 가, 다, 라, 마, 바, 아로 모두 6개입니다.

11 평행선의 한 직선에서 다른 직선에 수선을 긋고, 그은 선분의 길이를 자로 재면 2 cm입니다.

12 ㉢ 직사각형은 네 변의 길이가 모두 같지 않습니다.

14 수선이 있는 도형: 나, 다, 라
평행선이 있는 도형: 가, 나, 라
➡ 수선도 있고 평행선도 있는 도형: 나, 라

15 서로 평행한 변이 있는 사각형은 사다리꼴, 평행사변형, 마름모, 직사각형, 정사각형입니다. 그중 네 각이 모두 직각인 것은 직사각형, 정사각형이고 둘 중 네 변의 길이가 모두 같은 것은 정사각형입니다.

16 마름모는 네 변의 길이가 모두 같습니다.
➡ (한 변의 길이)＝72÷4＝18 (cm)

17 ·직선 가와 직선 나는 서로 수직이므로 ㉠＝90°입니다.
·㉡＋45°＝90° ➡ ㉡＝45°

18 평행사변형은 마주 보는 두 변의 길이가 같으므로 (변 ㄱㄹ)＝(변 ㄴㄷ)＝8 cm이고 나머지 두 변의 길이의 합은 28－8－8＝12 (cm)입니다.
➡ (변 ㄷㄹ)＝12÷2＝6 (cm)

19 마름모는 네 변의 길이가 모두 같으므로 삼각형 ㄱㄷㄹ은 이등변삼각형입니다.
➡ □°＝180°－60°－60°＝60°

20 같은 길이의 막대가 2개씩 있으므로 마주 보는 두 변의 길이가 같은 사각형을 만들 수 있습니다.
➡ 사다리꼴, 평행사변형, 직사각형

9~10쪽   5. 꺾은선그래프

1 꺾은선   **2** 1 ℃

3 3 ℃   **4** 운동장의 온도 변화

5 오후 3시   **6** 오후 3시, 오후 6시

7 4개   **8** 120개

9 예 0개와 100개 사이   **10** 예 10개

11 예

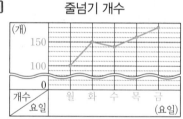

줄넘기 개수

12 500, 400, 700, 800, 1100

13 수요일   **14** 토요일, 수요일

15 700명   **16** 800000원

17 ㉠   **18** 예 125 cm

19 2번   **20** 5점

6 선이 가장 많이 기울어진 때는 오후 3시와 오후 6시 사이입니다.

7 10일: 108개, 11일: 112개 ➡ 112－108＝4(개)

8 점이 가장 높게 찍힌 때는 12일이고, 그때의 판매량은 120개입니다.

9 필요 없는 부분인 0개와 100개 사이에 물결선을 넣는 것이 좋습니다.

10 줄넘기 개수를 10개 단위로 나타내어야 하므로 세로 눈금 한 칸은 10개를 나타내는 것이 좋습니다.

13 선이 오른쪽 아래로 기울어진 때는 수요일입니다.

14 • 점이 가장 높게 찍힌 때는 토요일입니다.
  • 점이 가장 낮게 찍힌 때는 수요일입니다.

15 토요일: 1100명, 수요일: 400명
  ➡ 1100−400=700(명)

16 1000×800=800000(원)

17 ㉡ 11살 때 현아의 키는 129 cm였습니다.

18 8살: 122 cm, 10살: 128 cm이므로
  9살에는 122 cm와 128 cm의 중간값인 125 cm였
  을 것이라고 예상할 수 있습니다.

19 • 소민
  → 3월: 85점, 4월: 80점, 5월: 84점, 6월: 90점
  • 지현
  → 3월: 83점, 4월: 82점, 5월: 85점, 6월: 84점
  ➡ 소민이가 지현이보다 수학 점수가 높은 달은 3
  월, 6월로 2번 있습니다.

20 소민이의 수학 점수 중 가장 높은 점수: 6월에 90점
  지현이의 수학 점수 중 가장 높은 점수: 5월에 85점
  ➡ 90−85=5(점)

---

 6. 다각형

1 ( )( )(○)( ) **2** 팔각형
3  **4** ( )( )( )(○)
  5 2, 6
  6 6, 120
7 사각형 또는 사다리꼴 / 8개
8 예 [도형]
9 나, 다 **10** 나, 라
11 [도형] **12** 5개
13 정십이각형 **14** 5, 8
15 예 6개의 변의 길이가 모두 같지만 6개의 각의
  크기가 모두 같은 것은 아니기 때문입니다.
16 유리 **17** 10개, 5개
18 정팔각형 **19** 55°
20 9개

---

2 변이 8개인 다각형이므로 팔각형입니다.

4 변의 길이가 모두 같고 각의 크기가 모두 같은 오각
  형은 맨 오른쪽 도형입니다.

6 정다각형은 변의 길이가 모두 같고 각의 크기가 모두
  같습니다.

9 두 대각선이 서로 수직으로 만나는 사각형은 정사각
  형(나), 마름모(다)입니다.

10 두 대각선의 길이가 같은 사각형은 정사각형(나), 직
  사각형(라)입니다.

12 [도형] ➡ 5개

13 선분 12개로 둘러싸인 도형 ➡ 십이각형
  변의 길이와 각의 크기가 각각 모두 같은 십이각형
  ➡ 정십이각형

14 평행사변형의 두 대각선은 한 대각선이 다른 대각선
  을 똑같이 둘로 나눕니다.

15 평가 기준

  변의 길이가 모두 같지만 각의 크기가 모두 같지 않다는 말
  을 넣어 이유를 바르게 썼으면 정답입니다.

16 수영: 모든 꼭짓점이 이웃한 삼각형에는 대각선을 그
  을 수 없습니다.

17 [도형] ➡ 10개, [도형] ➡ 5개

18 정다각형의 변의 길이는 모두 같으므로 변의 수는
  32÷4=8(개)입니다. 변의 수가 8개인 정다각형의
  이름은 정팔각형입니다.

19 (각 ㄱㄴㅁ)=90°−35°=55°
  직사각형은 두 대각선의 길이가 같고, 한 대각선이 다
  른 대각선을 똑같이 둘로 나누므로 삼각형 ㄱㄴㅁ은
  이등변삼각형입니다.
  ➡ (각 ㄴㄱㅁ)=(각 ㄱㄴㅁ)=55°

20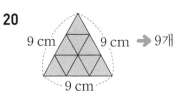
  9 cm, 9 cm ➡ 9개, 9 cm

정답 및 풀이

47

14~16쪽 [총정리] 수학 성취도 평가

1 4, 4, 8

2 (1) 0.71 (2) 3.6

3 다

4 나

5 $2\frac{2}{10}$

6 7 cm

7 2일, 3일

8 2개

9 (위에서부터) 8, 60, 60

10 예각에 ○표

11 65

12 45, 45

13 ③

14 $1\frac{2}{5}$ m

15 / 9개

16 400상자

17 2018년

18 ④

19 $\frac{9}{13}$

20 8 cm

21 예 어떤 수를 □라 하면 □−4.7=10.83입니다. ⌋+1점
➡ □=10.83+4.7=15.53이므로 어떤 수는 15.53입니다. ⌋+2점 답 15.53 ⌋+1점

22 예 직선이 이루는 각도는 180°이므로
(각 ㄱㄷㄴ)=180°−145°=35°입니다. ⌋+1점
이등변삼각형은 두 각의 크기가 같으므로
(각 ㄱㄴㄷ)=(각 ㄱㄷㄴ)=35°입니다. ⌋+1점
➡ (각 ㄴㄱㄷ)=180°−35°−35°=110° ⌋+1점
답 110° ⌋+1점

23 예 정삼각형과 정사각형의 한 변이 각각 정오각형의 한 변과 맞닿아 있으므로 정삼각형과 정사각형의 한 변의 길이는 5 cm입니다. ⌋+1점
굵은 선의 길이는 5 cm인 변 8개의 길이의 합과 같으므로 5×8=40 (cm)입니다. ⌋+2점
답 40 cm ⌋+1점

24 9.62

25 10개

---

3 선분으로만 둘러싸인 도형은 다입니다.

5 $1\frac{3}{10}+\frac{9}{10}=1+\frac{12}{10}=1+1\frac{2}{10}=2\frac{2}{10}$

7 선의 기울어진 정도가 가장 클 때는 2일과 3일 사이입니다.

8 변 ㄱㅂ과 평행한 변은 변 ㄷㄴ, 변 ㄹㅁ으로 모두 2개입니다.

10 세 각이 모두 예각이므로 예각삼각형입니다.

11 마름모는 이웃한 두 각의 크기의 합이 180°입니다.

12 이등변삼각형은 두 각의 크기가 같으므로
□°+□°+90°=180°입니다.
➡ □°+□°=90°, □°=45°

13 ① 3.5의 $\frac{1}{10}$ ➡ 0.35   ② 0.01이 35개 ➡ 0.35
③ 0.035의 100배 ➡ 3.5   ④ 영 점 삼오 ➡ 0.35
⑤ 0.35

14 $3\frac{1}{5}-1\frac{4}{5}=2\frac{6}{5}-1\frac{4}{5}=1\frac{2}{5}$ (m)

16 2015년: 1500상자, 2016년: 1900상자
➡ 1900−1500=400(상자)

17 선이 오른쪽 아래로 가장 많이 기울어진 때는 2018년입니다.

18 ④ 평행사변형은 네 변의 길이가 모두 같은 것은 아니기 때문에 마름모가 아닙니다.

19 $1=\frac{13}{13}$이므로 $1>\frac{9}{13}>\frac{6}{13}>\frac{4}{13}$입니다.
➡ $1-\frac{4}{13}=\frac{13}{13}-\frac{4}{13}=\frac{9}{13}$

20 (선분 ㄴㄹ)=(선분 ㄱㄷ)=16 cm
(선분 ㄴㅁ)=(선분 ㄴㄹ)÷2=16÷2=8 (cm)

24 가장 큰 소수 두 자리 수: 9.75
가장 작은 소수 두 자리 수: 0.13
➡ 9.75−0.13=9.62

25
사각형 1개짜리: ①, ②, ③, ④ → 4개
사각형 2개짜리: ①+②, ②+③, ③+④ → 3개
사각형 3개짜리: ①+②+③, ②+③+④ → 2개
사각형 4개짜리: ①+②+③+④ → 1개
➡ 4+3+2+1=10(개)

α | 실력

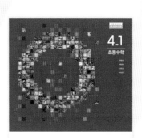

**기본도 다지고 실력도 올리는
초등수학 실력서**

· 중상위권 기본서
· 중하위권 다지기용 실력서

끝까지 **답**을 찾는

수학의 힘
시리즈

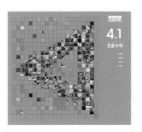

β | 유형

**수학 자신감을 키워주는
파워 유형서**

· 빠르게 개념 잡고, 적중 유형 & 응용 유형으로 **유형 Drill**
· 꼬리를 무는 유형 & 변형 유형으로 **유형 완벽 대비**

γ | 최상위

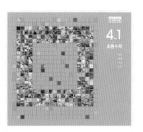

**상위권 잡는
최신 유형 심화서**

· 시중의 어떤 심화 교재보다도
  최신 유형, 고품질 문제 엄선
· 토론 발표형 문제 수록(브레인스토밍)

천재교육

난이도 별점
쉬움 ★
보통 ★★★
어려움 ★★★★★
최상위 ★★★★★★★

응용·심화 단계로
들어가기 전,
다양한 유형을
연습하고 싶다면?

수학 실력을
높이기 위해
응용·심화 문제만
집중적으로
풀고 싶다면?

단계별로 차근차근
수학 상위권 도약을
준비하고 있다면?

교과서 진도에 맞춰
개념을 다지면서,
여러 유형의 문제로
기본을 다지고 싶다면?

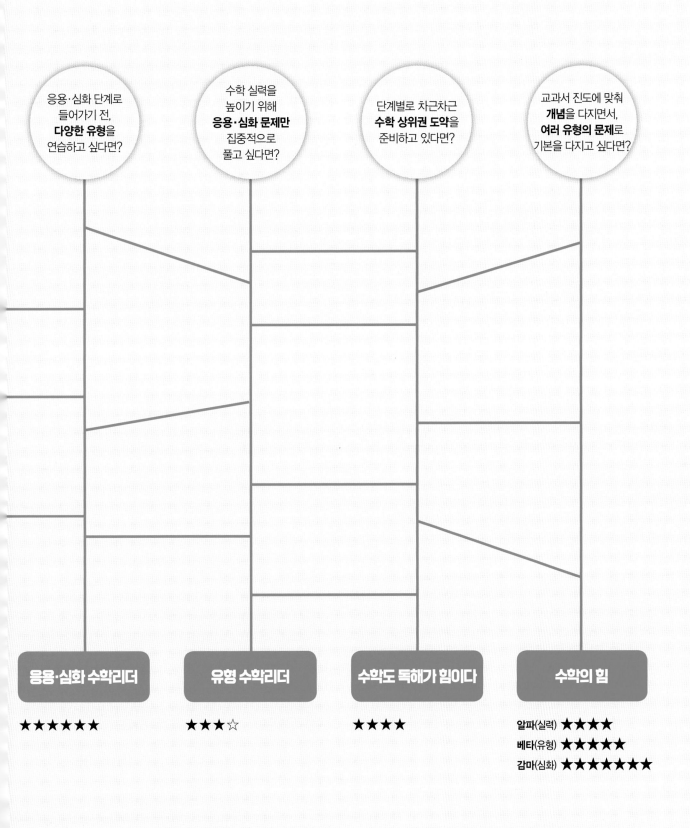

응용·심화 수학리더

★★★★★★

유형 수학리더

★★★☆

수학도 독해가 힘이다

★★★★

수학의 힘

알파(실력) ★★★★
베타(유형) ★★★★★
감마(심화) ★★★★★★★

#차원이_다른_클라쓰
#강의전문교재
#초등교재

수학교재

●수학리더 시리즈
- 신간 수학리더 [연산] 예비초~6학년/A·B단계
- – 수학리더 [개념] 1~6학년/학기별
- – 수학리더 [기본] 1~6학년/학기별
- 신간 수학리더 [유형] 1~6학년/학기별
- 신간 수학리더 [기본+응용] 1~6학년/학기별
- – 수학리더 [응용·심화] 1~6학년/학기별

●수학도 독해가 힘이다 *문제해결력 1~6학년/학기별

●수학의 힘 시리즈
- – 수학의 힘 알파[실력] 3~6학년/학기별
- – 수학의 힘 베타[유형] 1~6학년/학기별
- – 수학의 힘 감마[최상위] 3~6학년/학기별

●Go! 매쓰 시리즈
- – Go! 매쓰(Start) *교과서 개념 1~6학년/학기별
- – Go! 매쓰(Run A/B/C) *교과서+사고력 1~6학년/학기별
- – Go! 매쓰(Jump) *유형 사고력 1~6학년/학기별

●계산박사 1~12단계

전과목교재

●리더 시리즈
- – 국어 1~6학년/학기별
- – 사회 3~6학년/학기별
- – 과학 3~6학년/학기별

시험 대비교재

●올백 전과목 단원평가 1~6학년/학기별
(1학기는 2~6학년)

●HME 수학 학력평가 1~6학년/상·하반기용

●HME 국어 학력평가 1~6학년

논술·한자교재

●YES 논술 1~6학년/총 24권

●천재 NEW 한자능력검정시험 자격증 한번에 따기 8~5급(총 7권) / 4급~3급(총 2권)

영어교재

●READ ME
- – Yellow 1~3 2~4학년(총 3권)
- – Red 1~3 4~6학년(총 3권)

●Listening Pop Level 1~3

●Grammar, ZAP!
- – 입문 1, 2단계
- – 기본 1~4단계
- – 심화 1~4단계

●Grammar Tab 총 2권

●Let's Go to the English World!
- – Conversation 1~5단계, 단계별 3권
- – Phonics 총 4권

예비중 대비교재

●천재 신입생 시리즈 수학 / 영어

●천재 반편성 배치고사 기출 & 모의고사

월간교재

●NEW 해법수학 1~6학년

●해법수학 단원평가 마스터 1~6학년 / 학기별

●월간 무등생평가 1~6학년